Jost Steinhäuser

PraxisSkills Allgemeinmedizin

Mit Beiträgen von

Antje Bergmann
Kirsten Börner
Bettina Brandt
Nicola Buhlinger-Göpfarth
Jan Buschmann
Jean-François Chenot
Benjamin K. Durani
Folkert Fehr
Elisabeth Flum
Christian Grönert
Grit Hübsch
Bert Huenges
Christian Idel
Bertram Illert
Kristina Jäkel
Michael Kiworr
Michael Klock
Nadja Köhl-Hackert
Hans-Wolfgang König
Hanno von Koschitzky
Thomas Kötter
Anne Kühhirt
Sandra Lange
Thomas Ledig
Linda Meixner
Gunnar Ondang
Markus Schäfer
Dagmar Schneider
Jeannine Schübel
Kristin Seele
Karl-Dietrich Sievert
Jost Steinhäuser
Anne J. Törmer
Jens-Martin Träder
Jürgen Wacker
Stefan Weinschenk

PraxisSkills Allgemeinmedizin

Medizinische Prozeduren für die Hausarztpraxis

Herausgegeben von
Jost Steinhäuser

Mit 169 Abbildungen und 6 Tabellen

Zusätzlich zum **Download** finden Sie **10 Videos** und das **Textbeispiel** auf S. 226 unter **www.schattauer.de/3140**
Bitte geben Sie den Zugangscode ein: 3140-zTv3PQ

Schattauer

Prof. Dr. med. Jost Steinhäuser
Direktor des Instituts für Allgemeinmedizin
Universitätsklinikum Schleswig-Holstein
Campus Lübeck
Ratzeburger Allee 160, 23538 Lübeck
jost.steinhaeuser@uni-luebeck.de

Ihre Meinung zu diesem Werk ist uns wichtig! Wir freuen uns auf Ihr Feedback unter www.schattauer.de/feedback oder direkt über QR-Code.

Bibliografische Information der Deutschen Nationalbibliothek
Die Deutsche Nationalbibliothek verzeichnet diese Publikation in der Deutschen Nationalbibliografie; detaillierte bibliografische Daten sind im Internet über http://dnb.d-nb.de abrufbar.

Besonderer Hinweis:
Die Medizin unterliegt einem fortwährenden Entwicklungsprozess, sodass alle Angaben, insbesondere zu diagnostischen und therapeutischen Verfahren, immer nur dem Wissensstand zum Zeitpunkt der Drucklegung des Buches entsprechen können. Hinsichtlich der angegebenen Empfehlungen zur Therapie und der Auswahl sowie Dosierung von Medikamenten wurde die größtmögliche Sorgfalt beachtet. Gleichwohl werden die Benutzer aufgefordert, die Beipackzettel und Fachinformationen der Hersteller zur Kontrolle heranzuziehen und im Zweifelsfall einen Spezialisten zu konsultieren. Fragliche Unstimmigkeiten sollten bitte im allgemeinen Interesse dem Verlag mitgeteilt werden. Der Benutzer selbst bleibt verantwortlich für jede diagnostische oder therapeutische Applikation, Medikation und Dosierung.
In diesem Buch sind eingetragene Warenzeichen (geschützte Warennamen) nicht immer besonders kenntlich gemacht. Es kann also aus dem Fehlen eines entsprechenden Hinweises nicht geschlossen werden, dass es sich um einen freien Warennamen handelt.

E-Mail: info@schattauer.de
Internet: www.schattauer.de
Printed in Germany

Projektleitung: Claudia Ganter, Stuttgart
Lektorat: Dr. med. Katharina Ruppert, Münster
Satz: Fotosatz Buck, Kumhausen/Hachelstuhl
Druck und Einband: Mayr Miesbach GmbH, Druck · Medien · Verlag,
Am Windfeld 15, 83714 Miesbach

Auch als E-Book erhältlich:
ISBN 978-3-7945-6965-6

ISBN 978-3-7945-3140-0

Vorwort

Allgemeinärzte[1] sind die ersten ärztlichen Ansprechpartner für Beratungsanlässe aller Patienten. Mehrheitlich können diese Beratungsanlässe abschließend – ohne Hinzuziehung anderer ambulant tätiger Ärzte (oder solcher in Krankenhäusern) – in der Praxis behandelt werden. Um dieser Aufgabe gerecht zu werden, bedarf es vielfältiger Kompetenzen. Die Durchführung von Prozeduren in der Praxis stellt einen wichtigen Teil davon dar.

Das vorliegende Buch soll ein »Weggefährte« für Studierende, Ärzte in Weiterbildung, Quereinsteiger und Hausärzte sein, in welchem Rat zu Prozeduren gesucht und gefunden wird. Deren Auswahl basiert auf Studienergebnissen zu Prozeduren von Hausärzten sowie den Erfahrungen der Autoren. In das Buch sind daher vor allem die häufig in der allgemeinmedizinischen Praxis ausgeführten Prozeduren eingeflossen. In den Fällen, bei denen es sich um seltene Prozeduren handelt (wie z. B. die Geburtshilfe), wurden sie aufgenommen, da jeder Arzt stets im Rahmen des ihm Zumutbaren zur Hilfe verpflichtet ist und bei Unglücksfällen, gemeiner Gefahr oder Not diese dann anwenden muss. Die gesetzliche Vorschrift des § 323c StGB stellt die unterlassene Hilfeleistung sogar unter Strafe. Idealerweise hat der Arzt dann die hier vermittelten Informationen parat, um noch effizienter helfen zu können.

Nicht alle Prozeduren werden in allen Regionen gleich häufig angeboten. Dies liegt unter anderem am Praxisstandort (z. B. Stadt oder Land), an fehlenden finanziellen Anreizen oder am Prozedurenspektrum, das lokal während der Weiterbildung vermittelt wird.

Einige Kollegen, die sich in der Durchführung einer Prozedur unsicher sind, könnten unter Umständen glauben, dass zukünftig nicht sie, sondern ein »Spezialist« die Prozedur »XY« vornehmen sollte. Dies ist meines Erachtens ein eindeutiger Hinweis, dass es dieses Buches auch deshalb bedarf, um die mögliche Bandbreite der Allgemeinmedizin darzustellen.

Die Leser sollten sich erinnern, dass jede in die körperliche Unversehrtheit eingreifende Behandlungsmaßnahme zunächst den objektiven Tatbestand der Körperverletzung erfüllt. Dies gilt auch für eine kunstgerechte und erfolgreiche Maßnahme. Daher muss der Patient vor allen Eingriffen immer ausreichend aufgeklärt und das Aufklärungsgespräch sorgfältig dokumentiert werden. Entsprechende Hinweise zur Aufklärung und zum Umgang mit Komplikationen sind daher in die Kapitel mit aufgenommen worden. Fehlt eine tatsächlich wirksame Einwilligung, weil der Patient nicht befragt werden kann, ist im Einzelfall eine mutmaßliche Einwilligung

---

[1] Aus Gründen der besseren Lesbarkeit wird die männliche Form verwendet, diese schließt selbstverständlich stets die weibliche mit ein.

in Betracht zu ziehen. Eine Einwilligung bezieht sich auf eine nach den anerkannten Regeln der Heilkunst durchgeführte Heilbehandlung. Das Buch soll dazu anspornen, sich sowohl häufige als auch seltene Prozeduren nach diesen Regeln (praktisch) anzueignen.
Das Buch wird mit einem Kapitel zur Vermittlung von praktischen Kompetenzen abgerundet – einem Beitrag zur Weiterbildungskultur, wie sie hoffentlich in naher Zukunft selbstverständlich sein wird.

Mein besonderer Dank gilt Frau Claudia Ganter, die das Buchprojekt vonseiten des Schattauer Verlags begleitet hat, sowie Frau Dr. med. Katharina Ruppert für das Lektorat der Manuskripte. An dieser Stelle möchte ich mich vor allem bei allen Autorinnen und Autoren für die hervorragende Zusammenarbeit, bei Kurt Haberer für seine juristischen Hinweise sowie bei meiner Familie für die engagierte Mithilfe im Rahmen dieses Buchprojekts herzlich bedanken!

Lübeck,
im August 2016

Jost Steinhäuser

Anschriften der Autoren

Prof. Dr. med. Antje Bergmann
Bereich Allgemeinmedizin/MK3
Medizinische Fakultät Carl Gustav Carus
Technische Universität Dresden
Fetscherstraße 74
01307 Dresden
antje.bergmann@uniklinikum-dresden.de

Dr. med. Kirsten Börner
Krankenhaus Rotes Kreuz Lübeck
Akademisches Lehrkrankenhaus der Universität zu Lübeck
Rabenhorst 1
23568 Lübeck
boerner_k@web.de

Dr. med. Bettina Brandt
Institut für Allgemeinmedizin
Universitätsklinikum Schleswig-Holstein
Campus Lübeck
Ratzeburger Allee 160
23538 Lübeck
bettina.brandt@uksh.de

Dr. med. Nicola Buhlinger-Göpfarth
Abteilung Allgemeinmedizin und Versorgungsforschung
Universitätsklinikum Heidelberg
Im Neuenheimer Feld 130.3
Marsilius-Arkaden Turm West
69120 Heidelberg
nicola.buhlinger-goepfarth@med.uni-heidelberg.de

Dr. med. Jan Buschmann
Gemeinschaftspraxis für Kinder- und Jugendmedizin
Karlsplatz 5
74889 Sinsheim
jan.buschmann@urz.uni-heidelberg.de

Prof. Dr. med. Jean-François Chenot, MPH
Abteilung Allgemeinmedizin
Institut für Community Medicine
Universitätsmedizin Greifswald
Fleischmannstraße 42–44
17475 Greifswald
jchenot@uni-greifswald.de

Dr. med. Benjamin K. Durani
Haut- und Laserzentrum
Bergheimer Straße 56a
69115 Heidelberg
b.durani@gmx.de

Dr. med. Folkert Fehr
Gemeinschaftspraxis für Kinder- und Jugendmedizin
Karlsplatz 5
74889 Sinsheim
fehr-buschmann@web.de

Dr. med. Elisabeth Flum
Abteilung Allgemeinmedizin und Versorgungsforschung
Universitätsklinikum Heidelberg
Im Neuenheimer Feld 130.3
Marsilius-Arkaden Turm West
69120 Heidelberg
elisabeth.flum@med.uni-heidelberg.de

Christian Grönert
Hausärztezentrum Idafehn
Idafehn-Mitte 1a
26842 Ostrhauderfehn
christian.groenert@hz-idafehn.de

Grit Hübsch
Medizinisches Interprofessionelles Trainingszentrum (MITZ) und Bereich Allgemeinmedizin/MK3
Medizinische Fakultät Carl Gustav Carus
Technische Universität Dresden
Fetscherstraße 74
01307 Dresden
grit.huebsch@uniklinikum-dresden.de

Dr. med. Bert Huenges, MME
Abteilung für Allgemeinmedizin
Ruhr-Universität Bochum
Universitätsstraße 150
44801 Bochum
bert.huenges@rub.de

Dr. med. Christian Idel
Klinik für Hals-, Nasen- und Ohrenheilkunde
Universitätsklinikum Schleswig-Holstein
Campus Lübeck
Ratzeburger Allee 160
23538 Lübeck
christian.idel@uksh.de

PD Dr. med. Bertram Illert
Abteilung Allgemein-, Viszeral- und Kinderchirurgie
Sana Kliniken Ostholstein GmbH
Hospitalstraße 22
23701 Eutin
bertram.illert@sana.de

Kristina Jäkel
Institut für Allgemeinmedizin
Universitätsklinikum Schleswig-Holstein
Campus Lübeck
Ratzeburger Allee 160
23538 Lübeck
kristina.jaekel@uni-luebeck.de

Dr. med. Michael Kiworr
Klinik für Frauenheilkunde
Fürst-Stirum-Klinik Bruchsal
Gutleutstraße 1–14
76646 Bruchsal
michael.kiworr@kliniken-lk.de

Dr. med. Michael Klock
Praxis für Allgemeinmedizin
Sohlbacher Straße 32
57078 Siegen
und
Abteilung für Allgemeinmedizin
Ruhr-Universität Bochum
Universitätsstraße 150
44801 Bochum
michael.klock@rub.de

Dr. med. Nadja Köhl-Hackert
Hausarztpraxis Praxis für Allgemeinmedizin Dr. Boll
Bergheimerstraße 134a
69115 Heidelberg
nkoehl-h@gmx.de

Dr. med. Hans-Wolfgang König
Praxisklinik Orthopädie
Rennbahnstraße 2
83043 Bad Aibling
hwkoenig@gmx.de

Hanno von Koschitzky
Chirurgische Praxis
Großer Graben 23
29664 Walsrode
me@hannovk.de

Dr. med. Thomas Kötter, MPH
Hausärzte vor dem Mühlentor
Kronsforder Allee 17
23560 Lübeck
thomas.koetter@uksh.de

Anne Kühhirt
Klinik für Hals-, Nasen-, Ohrenheilkunde
Marienhospital
Bischofsstraße 1
49074 Osnabrück
anne.kuehhirt@mho.de

Sandra Lange
Bereich Allgemeinmedizin/MK3
Medizinische Fakultät Carl Gustav Carus
Technische Universität Dresden
Fetscherstraße 74
01307 Dresden
sandra.lange@uniklinikum-dresden.de

Dr. med. Thomas Ledig
Hausarztpraxis
Rathausplatz 4
71254 Ditzingen
hausarztpraxis-hirschlanden@t-online.de

Dr. med. Linda Meixner
Bereich Allgemeinmedizin/MK3
Medizinische Fakultät Carl Gustav Carus
Technische Universität Dresden
Fetscherstraße 74
01307 Dresden
linda.meixner@uniklinikum-dresden.de

Dr. med. Gunnar Ondang
Klinik für Augenheilkunde
HELIOS Klinikum Krefeld
Lutherplatz 40
47805 Krefeld
gunnar.ondang@helios-kliniken.de

Dr. med. Markus Schäfer
Klinik und Poliklinik für Urologie
Universitätsklinikum Schleswig-Holstein
Campus Lübeck
Ratzeburger Allee 160
23538 Lübeck
markus.schaefer@uksh.de

Dr. med. Dagmar Schneider
Praxis für Allgemeinmedizin
Taubenbergstraße 25
83627 Warngau
und
Koordinierungsstelle Allgemeinmedizin
Bayerische Landesärztekammer
Mühlbaurstraße 16
81677 München
d.schneider@kosta-bayern.de

Jeannine Schübel
Bereich Allgemeinmedizin/MK3
Medizinische Fakultät Carl Gustav Carus
Technische Universität Dresden
Fetscherstraße 74
01307 Dresden
jeannine.schuebel@uniklinikum-dresden.de

Kristin Seele
Medizinisches Interprofessionelles Trainingszentrum (MITZ) und Bereich Allgemeinmedizin/MK3
Medizinische Fakultät Carl Gustav Carus
Technische Universität Dresden
Fetscherstraße 74
01307 Dresden
kristin.seele@uniklinikum-dresden.de

Univ.-Prof. Dr. med. Karl-Dietrich Sievert, FACS, FRCS
Paracelsus Medizinische Privatuniversität (PMU)
Strubergasse 21
5020 Salzburg, Österreich
kd_sievert@hotmail.com

Prof. Dr. med. Jost Steinhäuser
Institut für Allgemeinmedizin
Universitätsklinikum Schleswig-Holstein
Campus Lübeck
Ratzeburger Allee 160
23538 Lübeck
jost.steinhaeuser@uni-luebeck.de

Dr. med. Anne J. Törmer
Gemeinschaftspraxis für Kinder- und Jugendmedizin
Karlsplatz 5
74889 Sinsheim
annejuliane.toermer@gmx.de

Prof. Dr. med. Jens-Martin Träder
Praxis für Allgemeinmedizin
Peter-Monnik-Weg 3
23562 Lübeck
und
Institut für Allgemeinmedizin
Universitätsklinikum Schleswig-Holstein
Campus Lübeck
Ratzeburger Allee 160
23538 Lübeck
dr-traeder@versanet.de

Prof. Dr. med. Jürgen Wacker
Klinik für Frauenheilkunde
Fürst-Stirum-Klinik Bruchsal
Gutleutstraße 1–14
76646 Bruchsal
juergen.wacker@kliniken-lk.de

Dr. med. Stefan Weinschenk
Gemeinschaftspraxis für Frauenheilkunde und Naturheilverfahren
Bahnhofplatz 8
76137 Karlsruhe
stefan.weinschenk@biogyn.de

Inhalt

1 Augen

1.1 Entfernen eines konjunktivalen Fremdkörpers

Gunnar Ondang und Elisabeth Flum

Hintergrund

Den Verdacht, einen Fremdkörper im Auge zu haben, äußert der Patient meistens selbstständig. Dennoch ist eine genaue Anamneseerhebung inkl. Erfragen von Fremdkörpergefühlbeschwerden entscheidend. Oberflächlich aufsitzende Fremdkörper entfernen sich in der Regel durch den normalen Lidschluss und eine reflektorisch vermehrte Tränensekretion.

Indikationen

Reicht der natürliche Schutzmechanismus des Auges nicht aus, um den Fremdkörper zu entfernen, so muss eine Inspektion des Auges inkl. Ektropionierung des Oberlids erfolgen. Anschließend erfolgt die Spülung des Auges (▶ Abschn. 1.2).

Zu beachten ist, dass nicht alle okulären Fremdkörper bei einfacher Inspektion erkennbar sind. Subtarsale (auf der Innenseite der Lidbindehaut befindliche) Fremdkörper werden erst durch eine eingehende Untersuchung entdeckt. Während das Einsehen des unteren Bindehautsacks problemlos durch einfaches Herabziehen des Unterlids möglich ist, muss das Oberlid ektropioniert, d. h. umgeklappt werden, um die Untersuchung der oberen Lidbindehaut zu ermöglichen. Bei Arbeiten wie Schleifen und Hämmern oder durch Luftverunreinigungen können Metall-, Stein- oder Rußpartikel ins Auge gelangen. Diese Fremdkörper lösen sich häufig weder durch den normalen Lidschluss noch nach ausgiebiger Spülung und können in diesen Fällen nur mithilfe spezieller Instrumente vom Augenarzt an einer Spaltlampe entfernt werden. Bei Arbeitsunfällen ist eine Vorstellung bei einem Augenarzt obligat.

Kontraindikationen

Bei traumatischen Fremdkörperverletzungen bzw. bei ausgedehnten Lidverletzungen sind Horn- und Bindehaut aufgrund starker Blutung in der Regel nur eingeschränkt einsehbar. Hier ist eine sofortige Vorstellung in einer Augenklinik zum Ausschluss einer perforierenden Augenverletzung indiziert. In der klinischen Untersuchung findet sich hierbei häufig ein im Vergleich zum gesunden Auge zu »weicher Augapfel«.

Aufklärung

Patienten mit Fremdkörpergefühl müssen darauf hingewiesen werden, dass eine Hornhauterosion (Erosio corneae) eine ähnliche Symptomatik hervorrufen kann. Bei fortbestehenden Beschwerden auch nach intensiver Spülung sollte sich der Patient in einer Augenarztpraxis oder einer Augenklinik vorstellen.

Benötigtes Instrumentarium

Zur Inspektion und zur Spülung des Auges:

- Zellstofftupfer zum Aufhalten des Ober- bzw. Unterlids
- Flüssigkeit zum Spülen des Auges (z. B. isotonische Kochsalzlösung)
- lokalanästhetische Augentropfen (Oxybuprocain, z. B. Conjucain® EDO® Augentropfen)

- ggf. Fluorescein-Augentropfen (z. B. Thilorbin® Augentropfen) unter Verwendung von Blaulicht

Zur Entfernung des konjunktivalen Fremdkörpers:
- steriles Wattestäbchen oder steriler Glasspatel
- ggf. sterile kleine anatomische Pinzette

Durchführung

Allgemeines Vorgehen

1. Zunächst wird ein Lokalanästhetikum appliziert.
2. Bereits sichtbare oberflächliche Fremdkörper sollten mit einem stumpfen Instrument (z. B. steriles Wattestäbchen, Glasspatel oder kleine Pinzette) entfernt werden. Zur eingehenden Inspektion sollte der Patient in alle vier Blickrichtungen sehen.
3. Anschließend sollte das Auge ggf. mit isotonischer Kochsalzlösung gespült werden, um auch kleinere Partikel herauszuwaschen.
4. Wird kein Fremdkörper gefunden, so sollte – falls in der Hausarztpraxis vorhanden, andernfalls beim Augenarzt – die weitergehende Inspektion mit Fluorescein-Augentropfen und Blaulicht erfolgen. Spontan abgegangene Fremdkörper hinterlassen in der Regel eine Erosion der Horn- oder Bindehaut. Anfärbbare Kratzspuren auf der Hornhaut können auf einen subtarsalen Fremdkörper des Oberlids hinweisen. Dann sollte mit einem Watteträger das Oberlid ektropioniert werden, um den subtarsalen Fremdkörper herausstreifen zu können.

Ektropionieren des Oberlids am Beispiel des linken Auges

1. Der Patient muss während des ganzen Behandlungsvorgangs nach unten blicken.
2. Die linke Hand des Arztes fasst das Oberlid an den Wimpern an und zieht es nach unten (► Abb. 1-1a).
3. Mit der freien rechten Hand drückt der Arzt mit einem Glasspatel oder einem Wattestab ca. 3 mm oberhalb des Wimpernansatzes auf das Lid.
4. Gleichzeitig wird mit der linken Hand das Lid nach vorn und oben gezogen, um das Lid um den Glasspatel oder den Wattestab zu kippen (ektropionieren). Glasspatel oder Wattestab dienen also als Gegenlager (► Abb. 1-1b).
5. Der Glasspatel bzw. der Wattestab kann nun entfernt werden, sodass der Arzt mit der freien rechten Hand einen Fremdkörper entfernen kann (► Abb. 1-1c).
6. Wird das Lid losgelassen und blickt der Patient nach oben, so kehrt das Lid selbstständig wieder in seine Normalstellung zurück.

Nachsorge

- Auch wenn inspektorisch kein Fremdkörper auf der Binde- oder Hornhaut (mehr) gesehen wird, so kann der Patient weiterhin über ein ausgeprägtes Fremdkörpergefühl am betroffenen Auge klagen. Dies kann durch eine nach Entfernung des Fremdkörpers fortbestehende Augenreizung hervorgerufen werden, aber auch durch eine traumabedingte Hornhauterosion.
- Eine Vorstellung beim Augenarzt ist indiziert bei V. a. eine Hornhauterosion, bei verbleibenden Rosthöfen auf der Conjunctiva (oft bei eisenhaltigen

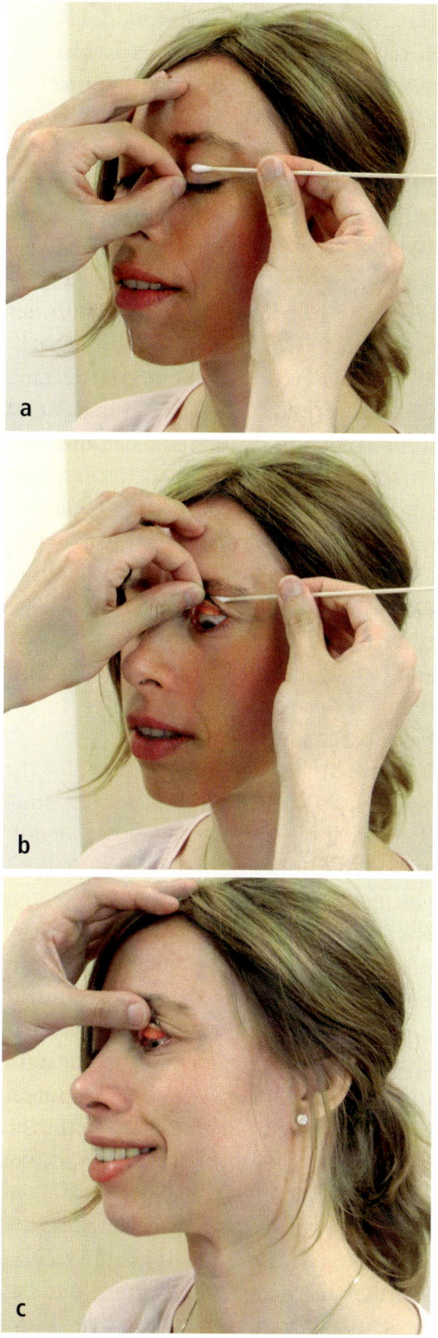

Abb. 1-1 Ektropionieren: 1. Schritt (a); 2. Schritt (b); 3. Schritt (c)

Fremdkörpern) oder wenn eine Fremdkörperentfernung nicht möglich war.

- Sollte ein oberflächliches Lokalanästhetikum verwendet worden sein, muss der Patient darauf hingewiesen werden, dass ein Fremdkörpergefühl und leichte Schmerzen nach Wirkungsende des Lokalanästhetikums (nach ca. 30 min) wieder auftreten können. Zur Beruhigung der Binde- bzw. Hornhaut des Auges nach Fremdkörperentfernung ist die Verwendung einer pflegenden Augensalbe empfehlenswert (Dexpanthenol, z. B. Bepanthen®, Corneregel®).

Tipps und Tricks

- Lokalanästhetika sind sowohl hilfreich bei der Einordnung der Beschwerden (Hornhautschmerzen verschwinden umgehend) als auch zur Verbesserung der Untersuchungsbedingungen durch Verhinderung eines Blepharospasmus. Beachte: Lokalanästhetika können jedoch ebenso durch die kurzfristige Beschwerdefreiheit die Symptome verschleiern!
- In seltenen Fällen, z. B. bei Verätzungen mit Kalkpartikeln, ist die Einsicht in den gesamten oberen Bindehautsack und nicht nur der Lidbindehaut notwendig. Hier reicht ein einfaches Ektropionieren des Oberlids nicht aus, denn zur Inspektion der weiter hinten gelegenen Umschlagfalte (Fornix conjunctivae) bedarf es eines besonderen Lidhakens (Lidhaken nach Desmarres), der in einer Hausarztpraxis üblicherweise nicht vorzufinden ist. Alternativ lässt sich ohne Lidhaken doppelt ektropionieren, indem zunächst ein *einfaches* Ektropionieren (► Abschn. Durchführung) durchge-

führt wird. Anschließend wird der Daumen – ein Zellstofftupfer kann Abrutschen verhindern – an der nach außen umgeklappten Oberlidbindehaut angesetzt und das gefaltete Lid in Richtung des oberen Orbitarands gehoben. Dieses sog. *doppelte* Ektropionieren ermöglicht die Inspektion der hinteren Umschlagfalte.

- Wenn bei Erstversorgung am Unfallort, z. B. bei Arbeitsunfällen, keine adäquate Untersuchung erfolgen kann, ist eine sofortige Spülung des Auges indiziert (► Abschn. 1.2).

Umgang mit Komplikationen

Bei sachgemäßem Vorgehen sind Komplikationen i. d. R. nicht zu erwarten.

Weiterführende Literatur

Klopfer M, Wegner A. Notfall »Rotes Auge«. Was kann der Hausarzt tun? Allgemeinarzt-online. Stand: 25.08.2011. www.allgemeinarzt-online.de/a/1574658 (letzter Zugriff: 06.06.2016).

1.2 Augenspülen bei Verätzung

Gunnar Ondang und Elisabeth Flum

Hintergrund

Augenverätzungen sind **akute Notfälle**, die einer sofortigen Behandlung durch eine Augenspülung – in der Regel bereits unmittelbar vor Ort – bedürfen, da sonst im schlimmsten Fall die Erblindung des Auges droht. Meistens treten Verätzungen am Arbeitsplatz auf, seltener im Haushalt (z. B. bei Verwendung von chemischen Putzmitteln oder bei Kontakt mit pflanzlichen Stoffen wie dem Saft des Wolfsmilchkrauts).

Das Ausmaß der Schädigung des Auges durch eine ätzende Substanz ist zum einen abhängig von der chemikalischen Eigenschaft (Säure- oder Laugenverätzung), zum anderen von der in das Auge gelangten Menge und Konzentration der Substanz.

Verätzungen mit Laugen sind schwerwiegender als mit Säuren. Eine Lauge reagiert mit Fett zu einer Seife. Diese bewirkt, dass Hornhaut- und Bindehautzellen quellen und auseinanderweichen, sodass das Ätzmittel sehr tief in das Gewebe eindringt. Es handelt sich um eine einschmelzende Gewebsnekrose, eine sog. *Kolliquationsnekrose*. Im Gegensatz dazu fällen Säuren das Protein der (Schleim-)Haut und es kommt zu einer *Koagulationsnekrose*. Durch die Denaturierung von Proteinen bildet sich eine Art Schutzschicht, die das weitere Eindringen des schädigenden Agens in die Gewebsschichten begrenzt.

Eine wichtige Ausnahme bilden die sehr seltenen Fälle einer Flusssäureverätzung, die aufgrund spezieller chemischer Reaktionen ähnlich schädigende Wirkungen entfalten können wie Laugen und ebenso tief in den Augapfel eindringen können. Eine ausgiebige Spülung, am besten mit einer speziellen Spüllösung, die amphotere und chelatbildende Salze enthält (z. B. Hexafluorine®), ist notwendig, da es durch die Verwendung anderer Augenspüllösungen als Komplikation zu einer irreversiblen Hornhautverkalkung kommen kann. Flusssäuren werden in der glasproduzierenden Industrie sowie in Felgenreinigern verwendet. Wichtig ist hier die gezielte Befragung des Patienten zum Kontaminationskontext und -hergang.

Indikation

Verätzungen bedürfen grundsätzlich der **sofortigen** und **ausgiebigen** Spülung des Auges!

Die Spülung durch den Hausarzt in der Akutphase zielt ab auf das weitgehende Entfernen von Fremdkörpern bzw. die Verdünnung des schädigenden Agens sowie die Eindämmung der entzündlichen Gewebsreaktion.

Ziele der Augenspülung bei Verätzungen:

- Binde- und Hornhaut von Fremdkörperpartikeln befreien
- Dekontamination des verätzten Auges (Verdünnung der Konzentration der verätzenden Substanz im Bereich des Auges)
- Kühlung zur Reduktion der Entzündungsreaktion
- Schmerzlinderung

Dabei gilt: erst Therapie (= Augenspülen), dann weitere Maßnahmen (z. B. Ektropionieren, Entfernen von Fremdkörpern mit Wattestab o. Ä., augenärztliche Untersuchung)

Kontraindikation

Spülen ist bei Verätzungen grundsätzlich indiziert!

! Einzig bei Verätzungen mit ungelöschtem Kalk (Anamnese!) muss sich unbedingt an ein erstes Spülen die sofortige Entfernung von etwaigen verbleibenden Kalkpartikeln anschließen, da die schädigende Wirkung von ungelöschtem Kalk erst durch den Kontakt mit Flüssigkeit entsteht.

Aufklärung

Dem Patienten sollte kurz erläutert werden, dass eine Spülung erfolgt und welchem Zweck diese dient. Eine eingehende Aufklärung entfällt aufgrund der Notfallsituation.

Benötigtes Instrumentarium

- Eine geeignete Spülflüssigkeit wird gewählt: Wenn möglich, sollten körperwarme Flüssigkeiten verwendet werden; am besten destilliertes Wasser, physiologische Kochsalzlösung oder Ringer-Lösung.
- Empfehlenswert sind spezielle Augenspüllösungen, die an entsprechend gefährdeten Arbeitsplätzen in der Regel vorhanden sind. So kommen bei Säuren, Laugen, alkylierenden und ätzenden Substanzen Augenspülungen z. B. mit hypertonen, amphoteren Chelatbildnern wie Previn® oder Diphoterine® zum Einsatz.
- Im seltenen Fall einer Verätzung mit Flusssäure (► Abschn. Hintergrund) sollte eine Spülung mit Antiflusssäure-Spüllösung (z. B. Hexafluorine®) erfolgen.
- Gegebenenfalls kann ein Oberflächenanästhetikum (Oxybuprocain, z. B. Conjucain® EDO® Augentropfen) eingesetzt werden.
- Eine Nierenschale sollte vorliegen.

Wenn keine speziellen Augenspüllösungen vorhanden sind, ist Leitungswasser das Mittel der ersten Wahl. Wenn selbst Leitungswasser nicht verfügbar ist, kann auch mit Cola, Milch oder ähnlichen Flüssigkeiten gespült werden (Ausnahme: keine hochprozentigen Spirituosen!).

Durchführung

Zur erleichterten Durchführung sollte möglichst eine Hilfsperson hinzugezogen werden!

1. Die Hilfsperson zieht mit beiden Händen die Augenlider des zu spülenden Auges auseinander und hält diese während der Spülung geöffnet; Zellstoffwattetupfer können hierbei zur besseren Griffigkeit eingesetzt werden. Sollte keine Hilfsperson vorhanden sein, wird der Patient gebeten, das untere Lid nach unten zu ziehen, während der Arzt das obere anhebt.
2. Anschließend wird mit der Augenspülung begonnen. Hierzu kann entweder eine spezielle Augenspülflasche mit gebrauchsfertiger Lösung (in größeren Betrieben in der Regel vorhanden) oder aber ein gängiger Infusionsbeutel (z. B. isotonische Kochsalzlösung, Ringer-Lactat-Infusionslösung) mit Infusionsschlauch verwendet werden (► Abb. 1-2). Augenspülflaschen sind entsprechend den Anweisungen des Herstellers zu verwenden. Zur besseren Handhabung wird der Infusionsbeutel an einen Infusionsständer befestigt und die Infusionslösung in den Bindehautsack des Patienten appliziert, indem das Ende des Infusionsschlauches ca. 5–20 cm vom betroffenen Auge entfernt gehalten wird.
3. Der Patient sollte aufgefordert werden, nicht direkt in den Spülstrahl zu blicken. So wird ein direktes Auftreffen des Strahls auf die Hornhaut weitgehend vermieden. Der Patient sollte außerdem angewiesen werden, in unterschiedliche Blickrichtungen zu sehen, damit das Auge möglichst vollständig gesäubert wird.
4. Die Spüllösung wird von der Hilfsperson bzw. dem Patienten mithilfe einer Nierenschale aufgefangen.
5. Um bei einem ausgeprägten Blepharospasmus und/oder starken Schmerzen eine ausreichende Augenöffnung zu erreichen, ist es u. U. notwendig, vor der Spülung zunächst ein Oberflächenanästhetikum einzusetzen (Oxybuprocain, z. B. Conjucain® EDO® Augentropfen). Hierzu wird ein Tropfen in das betroffene Auge geträufelt und einige Sekunden abgewartet, bevor mit der Spülung fortgefahren wird.
6. Nach einigen Minuten sollte die Spülung kurz unterbrochen werden, um eine gründliche Inspektion des Auges vorzunehmen. Das Oberlid wird ektropioniert, eventuelle Fremdkörper werden mithilfe eines Wattetupfers oder einer Pinzette entfernt.
7. Sind beide Augen betroffen, wird abwechselnd gespült, wobei mit dem schwerer verletzten Auge begonnen werden sollte. Optimal ist das gleich-

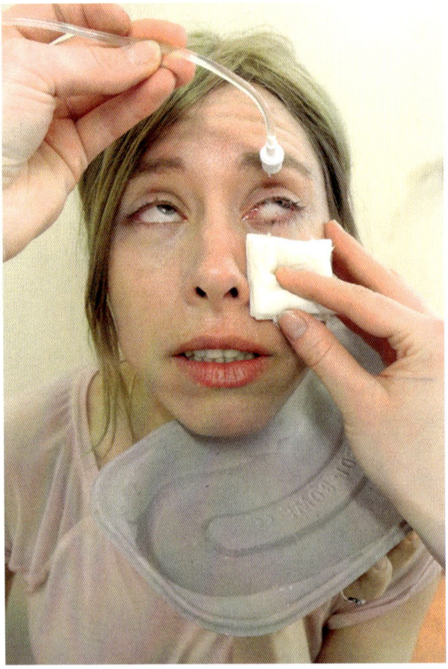

Abb. 1-2 Augenspülung

zeitige Spülen beider Augen, wobei die ggf. vorhandene Hilfsperson angeleitet wird und zwei Spülsysteme verwendet werden.

8. Die Spülung sollte insgesamt über einen Zeitraum von mind. 15 min erfolgen, wobei der Bindehautsack die ersten 3 min mit »sanftem Strahl« gespült wird. Anschließend wird die Spüllösung tropfenweise ca. alle 2 s in den Bindehautsack appliziert.
9. Zeitgleich zur Spülung sollte der Transport des Patienten in eine augenärztliche Notfallambulanz veranlasst werden. Für den Transport darf kein Verband angelegt werden, da während des Transports die Augenspülung tropfenweise fortgesetzt werden sollte. Darauf sollte die Rettungswagenbesatzung entsprechend hingewiesen werden. Je nach Schwere ist ggf. eine Notarztbegleitung indiziert.

- am Anfang für ca. 3 min mit »sanftem Strahl« spülen (Entfernung von Fremdkörpern und Verdünnung des schädigenden Agens)
- danach mind. 15 min lang alle 2 s einen Tropfen applizieren (Kühlung)
- sofortige Einweisung des Patienten in die Augenklinik veranlassen; Rettungswagenbesatzung anweisen, während des Transports tröpfchenweise weiterzuspülen
- bei Verätzungen beider Augen mit dem schwerer betroffenen beginnen; optimal: gleichzeitige Spülung beider Augen

Nachsorge

Die weitere Diagnostik, z. B. mit einer Spaltlampe, und die Festlegung der Therapie müssen durch einen Augenarzt erfolgen.

Tipps und Tricks

Nach Möglichkeit ist eine Hilfsperson zur Spülung hinzuziehen.

Umgang mit Komplikationen

Liegt nicht nur eine lokale Verätzung eines oder beider Augen vor, so gehen Sicherung der Vitalparameter und das Atemwegsmanagement vor. Je nach Situation und verfügbarem Personal kann evtl. auch zeitgleich zur vitalen Erstversorgung mit der Augenspülung begonnen werden.

Weiterführende Literatur

Schrage N, Kuckelkorn R, Redbrake C. Erste-Hilfe-Maßnahmen bei Verätzungen und Verbrennungen der Augen. Dtsch Ärztebl 2000; 97: A-104–9.

1.3 Anlegen eines Augenverbands

Gunnar Ondang und Elisabeth Flum

Hintergrund

Augenverbände werden zur Ruhigstellung des Auges bei Verletzungen oder nach operativen Eingriffen angelegt.
Es werden vier unterschiedliche Augenverbände unterschieden:

- *einfacher Augenverband* (sterile, geschlossene, ovale Augenkompresse; ► Abb. 1-3)
- *Lochkapselverband* (steril verpackte, mit Löchern versehene, vorgewölbte Plastikkapsel; ► Abb. 1-4)
- *Druckverband* (zwei ovale Augenkompressen mit elastischer Binde befestigt)
- *Uhrglasverband* (► Abb. 1-5)

1

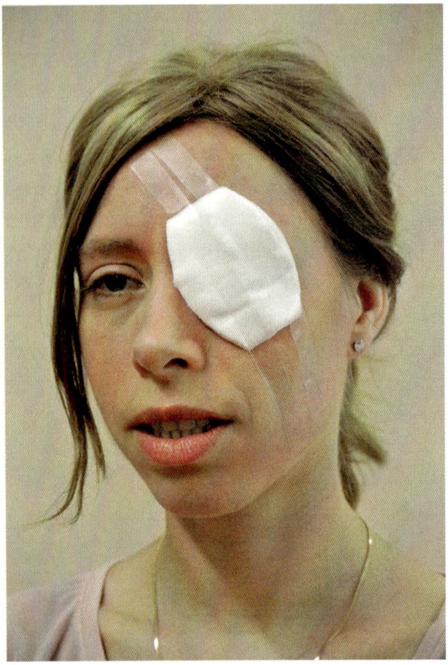

Abb. 1-3 Einfacher Augenverband

Für den Patienten ist nur beim Lochkapsel- und beim Uhrglasverband ein Sehen möglich.

Indikationen

Einfacher Augenverband

- Schutz des Auges vor Infektionen und nach Augenoperationen
- Ruhigstellung des Auges (z. B. nach Fremdkörperentfernung oder bei Hornhauterosionen)

Lochkapselverband

- Schutz insbesondere vor mechanischen Stößen, Zugluft und nach Augenoperationen
- bei Patienten mit funktioneller Einäugigkeit (ermöglicht dem Patienten die Orientierung)

Druckverband

- Schutz vor Nachblutungen und Lidschwellung nach Operationen

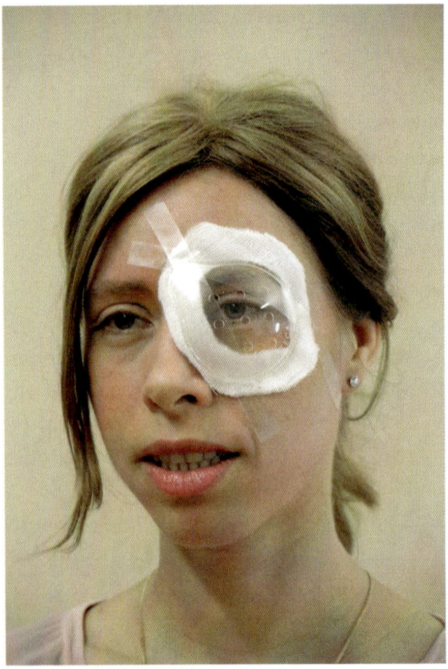

Abb. 1-4 Lochkapselverband

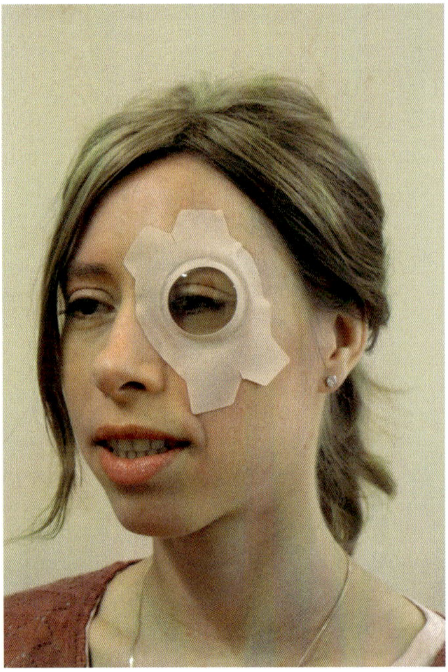

Abb. 1-5 Uhrglasverband

- Schutz nach Verletzungen (z.B. nach perforierenden Hornhautverletzungen)

Uhrglasverband
- bei Lidschlussdefiziten, die zu einer Austrocknung der Hornhaut führen können
- bei durch Lidschlussdefiziten verursachten Hornhautentzündungen (Keratitis e lagophthalmo, z.B. bei Fazialisparese, malignem Exophthalmus, Narbenektropium)
- bei Hornhautentzündungen aufgrund aufgehobener Hornhautsensibilität (Keratitis neuroparalytica)

Kontraindikation

Ein Augenverband sollte bei Kindern unter 6 Jahren vermieden werden, da durch das Abdecken eines Auges, das für einige Tage erfolgt, eine dauerhafte zentrale Sehschwäche (Deprivationsamblyopie) hervorgerufen werden kann.

Aufklärung

Der Patient sollte über den Zweck des Verbands aufgeklärt (▸ Abschn. Indikationen) und nach einer Kontaktallergie (z.B. Pflasterallergie) befragt werden.

Benötigtes Instrumentarium

- einfacher Augenverband: ovale Augenkompressen (wenn nicht vorhanden auch rechteckige Mullkompressen), elastisches Pflaster
- Lochkapselverband: Lochkapsel, zusätzlich ggf. selbst zugeschnittene, rechteckige Mullkompresse
- Druckverband: zwei ovale Augenkompressen und zusätzlich ein breites Spannpflaster
- Uhrglasverbände werden gebrauchsfertig hergestellt

Durchführung

Einfache Augenverbände und Lochkapselverbände

1. Die (Augen-)Kompresse bzw. die Lochkapsel wird locker auf das geschlossene Auge gelegt.
2. Ein Streifen des Pflasters wird vom Wangenknochen ausgehend über die Mitte des Verbands zur Mitte der Stirn geklebt (▸ Abb. 1-3, 1-4).
3. Zur sicheren Fixierung werden 1–2 weitere Klebestreifen parallel zum ersten (▸ Abb. 1-3) bzw. seitlich, in einem leichten Bogen über diesen hinweg geklebt (▸ Abb. 1-4). Die Streifen sollten in etwa gleich lang sein.

Druckverband

1. Mehrere Schichten aus mind. zwei übereinandergelegten Kompressen werden mit Pflasterstreifen und anschließend mit einer breiten elastischen Binde über dem Wundbereich fixiert, wobei bei dem Anlegen des Verbands um den Kopf herum leichter Zug ausgeübt wird.
2. Bei Druckverbänden muss das abgedeckte Lid geschlossen gehalten werden.

Uhrglasverband

1. Eine transparente Plexiglaskappe wird über das betroffene Auge gelegt.
2. Die Kappe wird mit den bereits vorgefertigten Haftstreifen über dem Auge fixiert (▸ Abb. 1-5).

Da der Verband das Auge wie eine Glocke luftdicht abschließt, beschlägt das Glas und es bildet sich eine feuchte Kammer.

Nachsorge

Augenverbände müssen täglich gewechselt werden, weil sich durch den Wärmestau zwischen Auge und Augenverband Bakterien rasch vermehren können.

Tipps und Tricks

- Angenehm für den Patienten sind pflegende Augensalben, die vor Anlegen des Augenverbands in die Lidspalte appliziert werden.
- Bei starken Schmerzen kann das zwischenzeitliche Abdecken des anderen, nicht betroffenen Auges zur Ruhigstellung und damit zur Schmerzlinderung erfolgen.

In Notfallsituationen, wenn die Diagnose nicht eindeutig gestellt werden kann, sollte der Verband ohne Druck locker angelegt werden!

Umgang mit Komplikationen

Ein in unsachgemäßer Weise (ggf. sogar mit Druck) angelegter einfacher Augenverband auf ein nicht vollständig geschlossenes Augenlid kann erhebliche Schmerzen auslösen und zu einer druckbedingten Erosio corneae führen. Sobald Schmerzen bei angelegtem Augenverband auftreten, sollte der Verband abgenommen werden. Eine umgehende ophthalmologische Vorstellung ist zu veranlassen.

Weiterführende Literatur

Schrage NF, Flick S, von Fischern T et al. Temperaturveränderungen der Hornhaut durch Anlegen eines Augenverbandes. Ophthalmologe 1997; 94: 492–5.

Turß R, Teschler H. Die Wirksamkeit von Verbänden und Schutzbrillen bei »trockenem Auge«. Ber Dtsch Ophthalmol Ges 1981; 78: 425–9.

2 Ohren

2.1 Entfernung von Cerumen

Jost Steinhäuser und Anne Kühhirt

Hintergrund

Bei der Entfernung von Cerumen (Ohrenschmalz) handelt es sich um einen häufig in der allgemeinmedizinischen Praxis durchgeführten Eingriff. Cerumen findet sich bei rund einem Drittel der hausärztlichen Patienten (Punktprävalenz) und ist an sich kein pathologischer Befund. Es dient dem Schutz der Ohren vor Fremdkörpern (z. B. Schmutz). Das unsachgemäße Verwenden von Wattestäbchen führt häufig zum Verstopfen (oder Verletzen) des Gehörgangs und sollte daher unterbleiben. Der Befund eines durch Cerumen verstopften Gehörgangs wird »Cerumen obturans« bezeichnet.

Indikationen

Die Entfernung von Cerumen ist dann indiziert, wenn Hörminderungen oder Schmerzen durch Cerumen obturans bestehen *und* gleichzeitig ein dringlicher Behandlungswunsch des Patienten vorliegt.

Kontraindikationen

- vorgeschädigtes Trommelfell (z. B. Trommelfellperforation)
- akute Otitis externa
- Fieber
- Z. n. Otitis media in den letzten 6 Wochen
- Z. n. Komplikationen bei früherer Cerumenentfernung
- Z. n. Ohroperation
- bekannte Gaumenspalte
- zusätzliche HNO-Symptome wie Tinnitus oder Schwindel

In den o. g. Fällen sowie bei Kindern wird eine primäre Vorstellung beim HNO-Arzt empfohlen.

Aufklärung

Komplikationen beim Entfernen von Cerumen treten mit 1/100 bis 1/1 000 auf. Allgemeine Komplikationen sind Verletzungen des Gehörgangs mit resultierender Blutung und Infektion sowie Schmerzen und Schwindelgefühl durch die Prozedur. Die Trommelfellperforation gehört zu den selteneren und gleichzeitig gravierenden Komplikationen im Rahmen einer Ohrspülung. In Einzelfällen sind kardiale Nebenwirkungen durch eine starke Vagusreizung beschrieben worden.

Benötigtes Instrumentarium

- erweichende Ohrentropfen (Olivenöl oder Ölsäure-Polypeptid-Kondensat, z. B. Cerumenex®)
- Otoskop mit Ohrtrichter (► Abb. 2-1a)
- große Spritze (z. B. Ohren- oder Blasenspritze; ► Abb. 2-1b)
- ggf. kleiner Gummischlauch zum Aufsetzen auf die Spritze
- zwei Nierenschalen (► Abb. 2-1c), eine davon gefüllt mit körperwarmem (Leitungs-)Wasser sowie Spritzschutz für den Patienten (z. B. Handtuch)

Durchführung

1. Es sollten immer beide Gehörgänge untersucht und verglichen werden.
2. Grundsätzlich sollte das vermutlich gesunde Ohr zuerst untersucht werden.

2

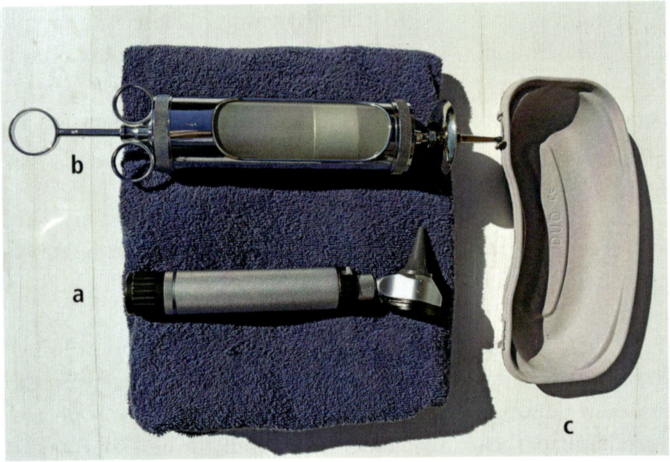

Abb. 2-1 Beispiel für das benötigte Instrumentarium: Otoskop mit Ohrtrichter (**a**); große Spritze (**b**); Nierenschale (**c**)

3. Zur Inspektion des Gehörgangs wird die Ohrmuschel nach hinten oben gezogen.
4. 15–30 min vor der Ohrenspülung sollten bei sehr trocken imponierendem Cerumen ggf. erweichende Ohrentropfen appliziert werden.
5. Die Schulter auf der Seite des zu behandelnden Ohrs wird zum Schutz vor Spritzwasser abdeckt.
6. Die leere Nierenschale sollte durch den Helfer oder den Patienten unterhalb des Ohrs möglichst dicht an den Hals zum Auffangen des Wassers gehalten werden.
7. Körperwarmes (!) Wasser wird z. B. mithilfe einer Ohrenspritze in den Gehörgang eingebracht (► Abb. 2-2).

! Ein zu starker Druckaufbau ist zu vermeiden. Der Wasserstrahl sollte nicht direkt auf das Trommelfell, sondern auf die hintere Gehörgangswand gerichtet werden.

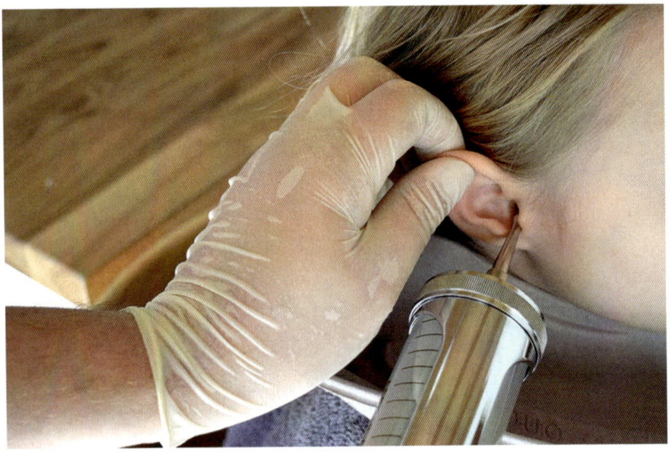

Abb. 2-2 Ansetzen der Ohrenspritze

8. Die Prozedur sollte wiederholt und mit dem Otoskop kontrolliert werden.

Nachsorge

Nach der Spülung sollte eine otoskopische Kontrolle zum Ausschluss von Verletzungen erfolgen.

Tipps und Tricks

- Beim Otoskopieren sollte der Untersucher darauf achten, mit den Fingern der das Otoskop haltenden Hand einen Abstand zwischen dem Otoskop und dem Kopf des Patienten einzuhalten, um bei plötzlichen Bewegungen des Kopfes das Trommelfell nicht versehentlich mit dem Otoskop zu beschädigen (► Abb. 2-3).
- Bei der Ohrspülung selbst kann der Patient den Kopf gegen eine Kopfstütze (Wand) drücken, um unerwartete ruckartige Bewegungen und deren mögliche Folgen abzuwenden.

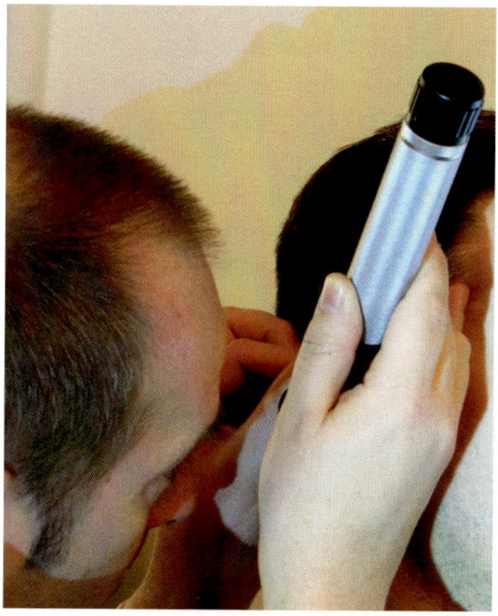

Abb. 2-3 Abstandhalten zum Schutz des Ohrs vor unerwarteten Bewegungen

- In weniger akuten Fällen kann zunächst eine Erweichung des Cerumens mit entsprechenden Tropfen (Olivenöl oder Ölsäure-Polypeptid-Kondensat, z. B. Cerumenex®) über 5 Tage versucht werden.
- Bei wiederholten Problemen mit Cerumen kann präventiv regelmäßig Olivenöl angewendet werden.

Umgang mit Komplikationen

- Falls der Patient Schmerzen während der Spülung angibt, sollte die Prozedur beendet und an den HNO-Kollegen verwiesen werden. Cerumen obturans ist kein Notfall!
- Bei einer leicht blutenden Gehörgangsverletzung kann ein Salbenstreifen mit Dexpanthenol (z. B. Bepanthen®), mit Prednisolon (z. B. Linola®-H-Fett N Creme) oder Flupredniden (z. B. Decoderm® Creme) bis zum nächsten Tag eingelegt werden. Dieser hält den Gehörgang offen und komprimiert meist ausreichend die Blutungsquelle. Wenn dies nicht ausreicht oder wenn Zweifel bestehen, sollte der Fachkollege hinzugezogen werden.
- Tritt nach der Ohrspülung Schwindel auf, muss der Patient zunächst beobachtet werden.
- Der Patient sollte sehr zeitnah beim HNO-Arzt vorstellig werden bei:
  - Trommelfellperforation (Vermeidung eines späteren operativen Eingriffs durch eine zeitnah durchgeführte Trommelfellschienung in einer HNO-Praxis/-Klinik!)
  - Hörverschlechterung nach Ohrspülung (Ausschluss einer Trommelfellperforation oder einer Gehörknöchelchenluxation)

2

Weiterführende Literatur

Deutsche Gesellschaft für Allgemeinmedizin und Familienmedizin. DEGAM-Leitlinie Nr. 7 »Ohrenschmerzen«. S2k-Leitlinie. Stand: November 2014. www.degam.de/files/Inhalte/Leitlinien-Inhalte/Dokumente/DEGAM-S3-Leitlinien/LL-07_Ohrenschmerzen_Langfassung_20141222.pdf (letzter Zugriff: 06.06.2016).

Kruschinski C, Schmiemann G. Art und Häufigkeit von Komplikationen bei der Entfernung von Cerumen: eine systematische Literaturübersicht. ZFA 2010; 86: 236–9.

2.2 Lagerungsübungen beim benignen paroxysmalen Lagerungsschwindel

Elisabeth Flum

Hintergrund

Schwindel ist ein sehr häufiger Beratungsanlass in der Hausarztpraxis. Für die Diagnosestellung von zentraler Bedeutung ist die Unterscheidung in »systematischen« (gerichteten) und »unsystematischen« (ungerichteten, diffusen) Schwindel.

Zum systematischen Schwindel gehören typischerweise der Drehschwindel, der Schwankschwindel und der Liftschwindel. Der *benigne paroxysmale Lagerungsschwindel (BPLS)* ist eine der häufigsten Ursachen eines systematischen Schwindels. Pathogenetisch wird das Kupulolithiasis-Modell nach Schuknecht als Ursache postuliert, wobei traumatisch oder degenerativ gelöste Partikel des Utrikulusotolithen der Cupula in den Bogengang gelangen. Die Partikel können dabei das Lumen des Bogengangs verlegen (Kanalolithiasis) und bei Lageänderung einen Sog in dem Bogengang ausüben. Überwiegend ist dabei der posteriore Bogengang betroffen. In der Anamnese berichten die betroffenen Patienten typischerweise über durch Kopflageänderungen (z. B. Hinlegen, Umdrehen in liegender Position, Bücken, Aufrichten, Kopfreklination) ausgelöste Drehschwindelattacken. Der Schwindel beginnt mit kurzer Latenz zur auslösenden Bewegung und hält Sekunden bis max. eine Minute an. Charakteristisch ist dabei ein Crescendo-Decrescendo-artiger Verlauf. Das erste Auftreten wird häufig morgens beschrieben. Begleitend zu den Schwindelattacken können vegetative Begleiterscheinungen wie z. B. starke Übelkeit auftreten. Weitere neurologische Symptome bestehen typischerweise nicht.

Indikation

Lagerungsübungen sind bei Vorliegen eines benignen paroxysmalen Lagerungsschwindels indiziert.

Kontraindikationen

Der Arzt muss vor Durchführung der diagnostischen und therapeutischen Übungen beurteilen, ob bei dem Patienten ggf. Kontraindikationen wie z. B. Grunderkrankungen mit eingeschränkter Mobilität oder ein reduzierter Allgemeinzustand vorliegen.

Aufklärung

Der Patient muss darüber aufgeklärt werden, dass durch die Lagerungsübungen Schwindel und ggf. vegetative Begleitsymptome wie z. B. Übelkeit und Erbrechen provoziert werden.

Benötigtes Instrumentarium

- Untersuchungsliege

- ggf. Frenzel-Brille zur besseren diagnostischen Beurteilung eines Nystagmus

Durchführung

Diagnostik: Dix-Hallpike-Manöver

Die Diagnose BPLS wird über eine ausführliche Anamnese und eine gründliche körperliche Untersuchung gestellt. Das Dix-Hallpike-Manöver (▶ Abb. 2-4) stellt die klassische diagnostische Lagerungsprobe beim BPLS dar. Durch die Symptome (Auftreten der Schwindelattacke ggf. mit vegetativen Begleitsymptomen und des typischen lateralen Nystagmus mit rotierender Komponente zum betroffenen Ohr hin) wird festgestellt, welche Seite betroffen ist. Auf eine weiterführende apparative Diagnostik kann bei typischer Anamnese und eindeutigem klinischem Untersuchungsbefund verzichtet werden.

Therapie: Lagerungsübungen

Es stehen mehrere Lagerungsübungen zur Therapie des BPLS des posterioren Bogengangs zur Verfügung, deren Wirksamkeit durch verschiedene Studien und Metaanalysen belegt ist. Ziel der wiederholten Durchführung der Übungen durch den Patienten ist eine Abschwächung der Symptome im weiteren Krankheitsverlauf. Alle Manöver sind für die Selbstbehandlung durch den Patienten geeignet. Die Lagerungsmanöver sollen eigenständig von dem Patienten 3-mal täglich 3-mal hintereinander durchgeführt werden. Bis zu 90 % der Patienten sind nach einer Woche Selbstbehandlung beschwerdefrei.

Eine medikamentöse Therapie ist bei BPLS nicht indiziert.

Epley-Manöver Kopf- und Rumpfrotation des liegenden Patienten werden in

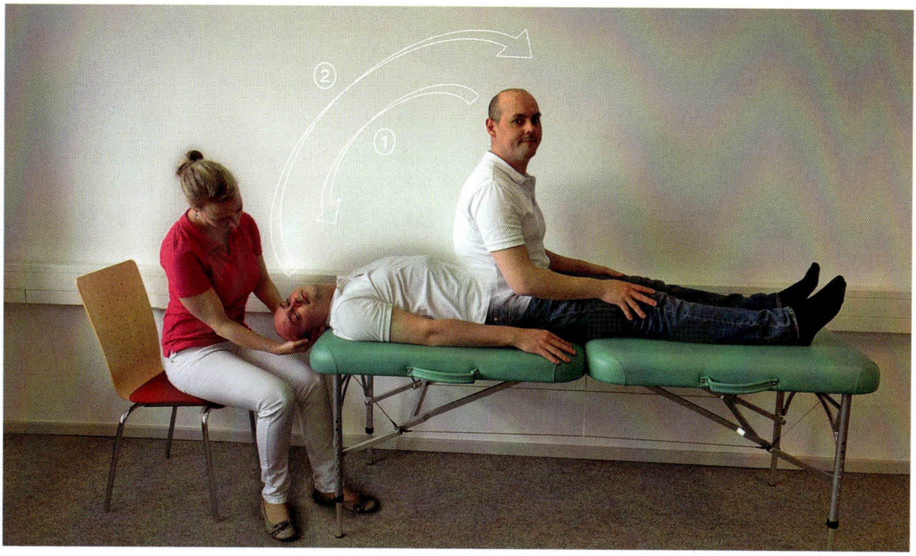

Abb. 2-4 Dix-Hallpike-Manöver für das rechte Ohr

2

leichter Kopfreklination durchgeführt (► Abb. 2-5). Nach der dritten angeleiteten Lagerung sind bis zu 98 % der Patienten beschwerdefrei.

Das Epley-Manöver ist v. a. für bewegungseingeschränkte oder adipöse Patienten geeignet. Für die Selbstbehandlung empfiehlt sich die Verwendung eines Kissens, das für eine erleichterte Kopfreklination unter die Schultern platziert wird.

Semont-Manöver Die Lagerung des Patienten wird mit nach 45 Grad zur nicht betroffenen Seite rotiertem Kopf durchgeführt. Der Patient muss sich aus liegender Position um 180 Grad auf die andere Seite lagern (► Abb. 2-6). Auch hier sind bis zu 98 % der Patienten nach mehrmaliger angeleiteter Durchführung beschwerdefrei.

Das Semont-Manöver wird für Patienten mit Schulter-Nacken-Beschwerden empfohlen.

Brandt-Daroff-Manöver Die Lagerung des Patienten erfolgt ähnlich wie beim Semont-Manöver, ist jedoch einfacher durchzuführen, da der Kopf während

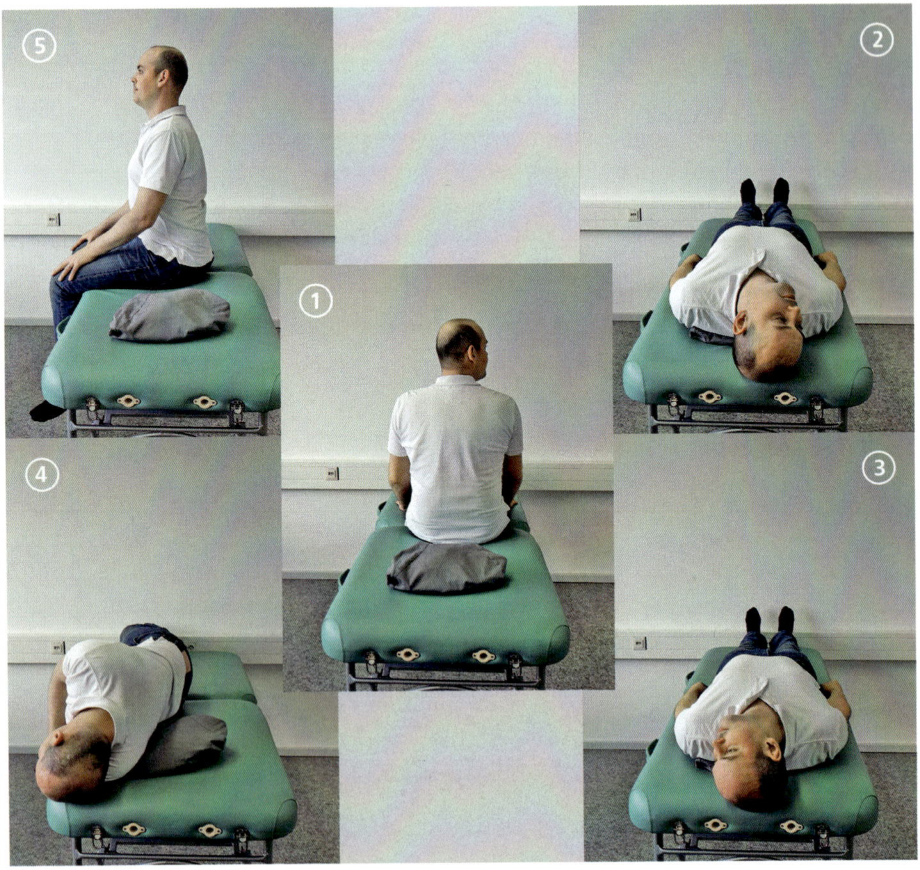

Abb. 2-5 Epley-Manöver für das rechte Ohr

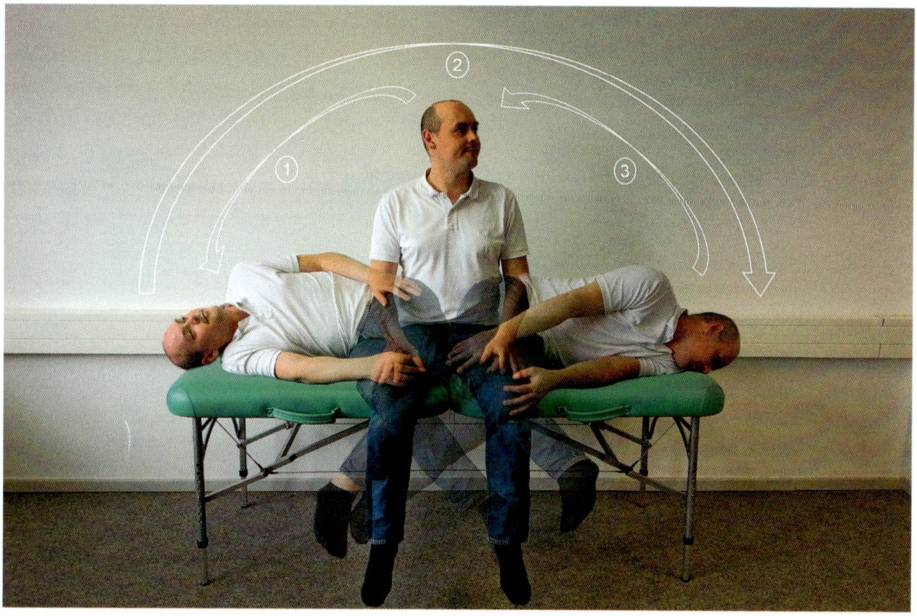

Abb. 2-6 Semont-Manöver für das rechte Ohr

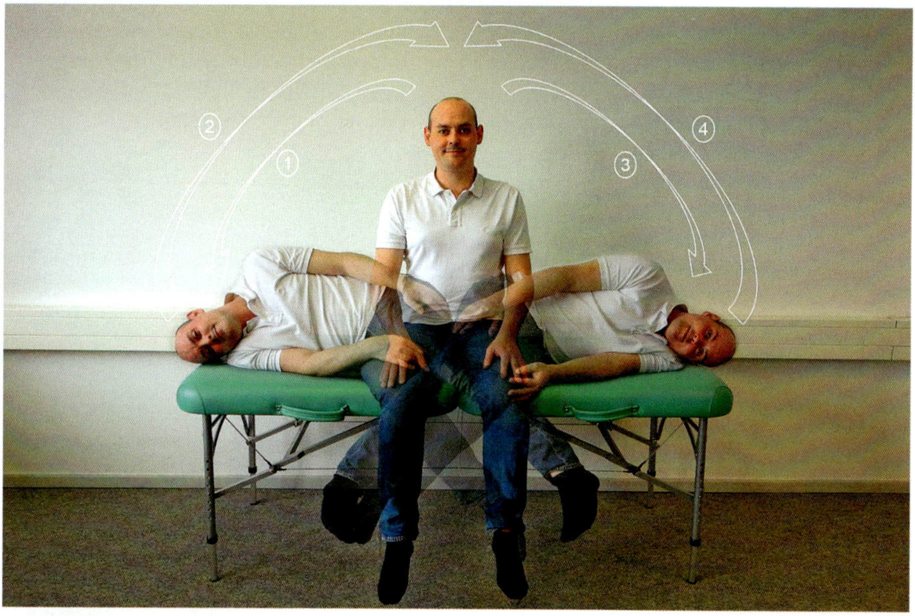

Abb. 2-7 Brandt-Daroff-Manöver

der Übung nicht rotiert wird (► Abb. 2-7). Die Erfolgsrate scheint hierbei etwas geringer im Vergleich zu den anderen Lagerungsübungen zu sein.

> Das von allen Übungen am einfachsten zu erlernende Brandt-Daroff-Manöver ist für Patienten geeignet, die Schwierigkeiten haben, komplexere Bewegungsabfolgen mit Kopfrotation korrekt auszuführen.

Nachsorge

Es empfiehlt sich den Patienten zur Verlaufskontrolle wieder einzubestellen, um die korrekte Durchführung der Lagerungsübungen sowie den Therapieerfolg zu kontrollieren.

Tipps und Tricks

Bei den Lagerungsübungen sollten die Bewegungen zwischen den einzelnen Positionen so rasch wie möglich durchgeführt werden. Wichtig ist eine gute Anleitung der Übungen und Überprüfung der korrekten Durchführung durch den Hausarzt bzw. durch geschultes Praxispersonal.

Umgang mit Komplikationen

Auch wenn während der Lagerungsübungen starke Beschwerden (z. B. Schwindel, Übelkeit, Erbrechen) auftreten, sollten die Patienten trotzdem zur Selbstbehandlung motiviert werden, um so rasch wie möglich Beschwerdefreiheit zu erreichen.

Zusatzmaterial

Video 2-1 bis 2-4 ► unter www.schattauer.de/3140 oder direkt über QR-Code

Weiterführende Literatur

Deutsche Gesellschaft für Neurologie. S1-Leitlinie »Schwindel – Diagnose«. Stand: September 2012. www.dgn.org/images/red_leitlinien/LL_2012/pdf/ll_48_2012_schwindel_-_diagnose.pdf (letzter Zugriff: 06.06.2016).

Deutsche Gesellschaft für Neurologie. S1-Leitlinie »Schwindel – Therapie«. Stand: September 2012. www.dgn.org/images/red_leitlinien/LL_2012/pdf/ll_49_2012_schwindel__therapie.pdf (letzter Zugriff: 06.06.2016).

3 Nase

3.1 Entfernen von Fremdkörpern aus der Nase

Thomas Kötter und Christian Idel

Hintergrund

Gerade bei Kleinkindern sind Fremdkörper in der Nase keine Seltenheit, sie können aber zu großer Beunruhigung aufseiten der Eltern führen. Fremdkörper müssen entfernt werden, um Spätkomplikationen zu vermeiden. Die Größe der Fremdkörper ist durch den Durchmesser der Nasenlöcher limitiert, selten birgt das Einbringen spezieller Gegenstände, wie z. B. Knopfzellen, ein spezifisches Gefahrenpotenzial. Häufig erfolgt die Diagnosestellung verzögert, da viele Kinder (zunächst) asymptomatisch sind. Bei Erwachsenen stellen Fremdkörper in der Nase eine Rarität dar. Wichtigste Basismaßnahme stellt der Versuch dar, den Fremdkörper durch Zuhalten des kontralateralen Nasenlochs auszuschneuzen.

Indikation

Führt die o. g. wichtigste Basismaßnahme nicht zur Entfernung des Fremdkörpers, ist die Indikation zur Entfernung unter Einsatz von Hilfsmitteln gegeben.

Kontraindikationen

Die Überweisung zum HNO-Arzt ist geboten bei:

- mehr als zwei erfolglosen Entfernungsversuchen
- unübersichtlichen Verhältnissen (z. B. Nasenbluten, bei Tumoren)
- Fremdkörpern in der hinteren Nasenhaupthöhle
- runden bzw. kugeligen, scharfkantigen oder gefährlichen Objekten (z. B. Batterien)

Aufklärung

Das Risiko für Komplikationen ist bei der Entfernung von Fremdkörpern aus der Nase minimal. Grundsätzlich kann jeder Entfernungsversuch zu einer Verlagerung des Fremdkörpers in die nicht erwünschte Richtung führen. Selten kann es durch Entfernungsversuche auch zur Aspiration oder zum Verschlucken des Fremdkörpers kommen.

Benötigtes Instrumentarium

- Nasenspekulum (► Abb. 3-1a)
- unterschiedliche Pinzetten (► Abb. 3-1b, c)
- Häkchen (► Abb. 3-1d)
- Zängelchen (► Abb. 3-1e)

Durchführung

1. Vor dem Entfernungsversuch kann zur Vermeidung von Schmerzen während der Prozedur die Nasenschleimhaut durch Anwendung von Lidocain-Gel (z. B. Xylocain®, Dynexan®) unempfindlich gemacht und durch Gabe von α_1-Sympathomimetika-haltigem Nasenspray (Xylometazolin, z. B. Otriven®, Nasic®) die Schleimhaut zum Abschwellen gebracht werden.
2. Viele Fremdkörper können mithilfe des Nasenspekulums unter Sicht mittels Zängelchen oder Häkchen direkt entfernt werden. Zur Entfernung gut zugänglicher Fremdkörper eignet sich, wenn kein Zängelchen oder Häk-

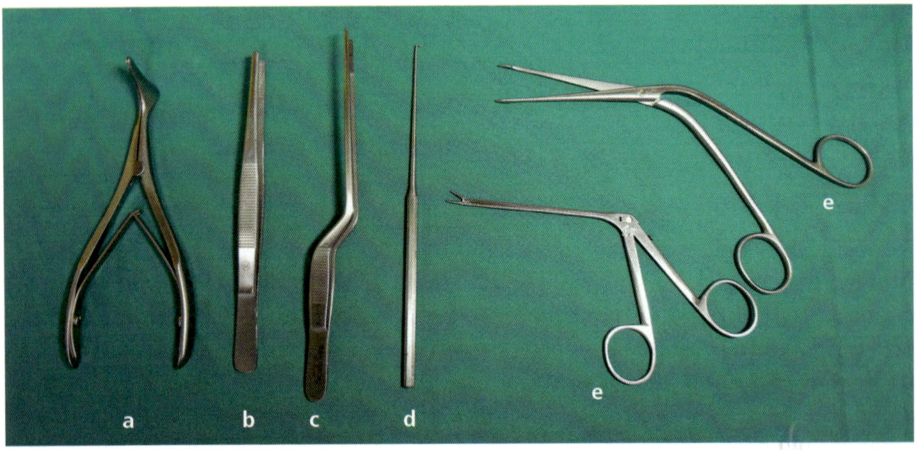

Abb. 3-1 Benötigtes Instrumentarium: Nasenspekulum (**a**); Pinzette (**b**); Bajonettpinzette (**c**); Häkchen (**d**); verschiedene Zängelchen (**e**)

chen verfügbar ist, auch die Pinzette bzw. die Bajonettpinzette.

3. Häkchen eignen sich in der Regel dazu, einen eingeklemmten Fremdkörper (► Abb. 3-2) hervorzuluxieren. Das Häkchen wird dabei unter Sichtkontrolle in die Nasenöffnung eingeführt, das gebogene Ende unter oder hinter dem Fremdkörper platziert.
4. Der Fremdkörper kann dann leichter mit einem Zängelchen gegriffen und herausgezogen werden.
5. Gelingt dies nicht, kann – sofern vorhanden – versucht werden, den Fremdkörper mit einem Absaugkatheter anzusaugen und zu entfernen.

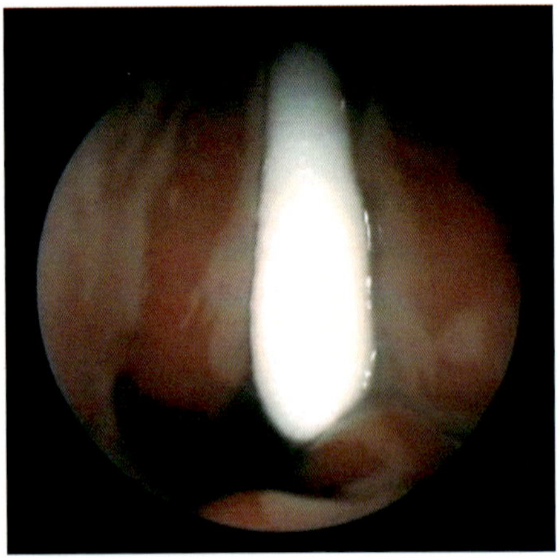

Abb. 3-2 Fremdkörper im rechten Nasenloch, zwischen unterer Nasenmuschel und Septum verklemmt (Loco typico)

Nachsorge

Ist der Fremdkörper erfolgreich entfernt, ist meist keine spezielle Nachsorge erforderlich. Eine Schleimhautpflege (z. B. mittels Nasensalbe) ist ggf. sinnvoll.

Tipps und Tricks

- Eine Mund-zu-Mund-Beatmung des Kindes durch einen Elternteil zur Entfernung des Fremdkörpers (»parent's kiss«) ist aufgrund der Belastung von Eltern und Kindern sowie des Risikos der fehlerhaften bzw. frustranen Anwendung in einer ohnehin bereits emotional aufgeladenen Situation nicht ratsam.

- Ein Nasenfremdkörper muss am gleichen Tag entfernt werden, um eine Aspiration im Schlaf zu vermeiden.
- Falls eine Überweisung zum HNO-Arzt erfolgen muss (► Abschn. Kontraindikationen), sollten die Patienten oder die Eltern angewiesen werden, nüchtern zu bleiben bzw. ihr Kind nüchtern zu lassen. Für eine erfolgreiche Entfernung des Fremdkörpers ist beim HNO-Arzt ggf. eine kurze Narkose notwendig.

Umgang mit Komplikationen

Wird der Fremdkörper beim Entfernungsversuch in die falsche Richtung geschoben, ist in der Regel die Überweisung zum HNO-Arzt unumgänglich. Im Falle einer Aspiration und in Abhängigkeit von der Art des Fremdkörpers auch beim Verschlucken sollte die stationäre Einweisung erfolgen.

Weiterführende Literatur

Gilgen-Anner Y. Fremdkörper in Ohr und Nase. Pädiatrie 2012; 3: 19–21.

Heim SW, Maughan KL. Foreign bodies in the ear, nose, and throat. Am Fam Physician 2007; 76: 1185–9.

3.2 Tamponieren der Nase

Thomas Kötter und Christian Idel

Hintergrund

Nasenbluten (Epistaxis) ist ein häufiger Beratungsanlass in der Hausarztpraxis bzw. im Bereitschaftsdienst. Meist handelt es sich um eine Blutung im Bereich des vorderen Abschnitts des Nasenseptums (Locus Kiesselbachi). Risikofaktoren für die Entstehung von Nasenbluten sind u.a. Verkrümmungen der Nasenscheidewand, Bluthochdruck, der ggf. durch geeignete Maßnahmen gesenkt werden sollte, und Blutgerinnungsstörungen (letztere häufig durch Antikoagulanzien hervorgerufen). Wichtigste Basismaßnahmen bei Nasenbluten sind das Vornüberbeugen des Kopfes (damit das Blut nicht verschluckt wird), die manuelle Kompression der Nasenflügel sowie das Auflegen eines mit kaltem Wasser getränkten Waschlappens in den Nacken (welches über eine Verengung der Blutgefäße oft bereits zum Sistieren der Blutung führt).

Indikation

Die vordere Nasentamponade ist bei Nasenbluten aus dem vorderen Nasenabschnitt, das nicht durch die o. g. Basismaßnahmen zu stillen ist, indiziert.

Kontraindikationen

- Bei großem Blutverlust, Schockzeichen und Bewusstseinsstörung sowie bei schweren Begleiterkrankungen des Patienten sollten eine (notfallmäßige) Krankenhauseinweisung sowie stabilisierende Sofortmaßnahmen erfolgen. Ein Versuch der Blutstillung mithilfe der vorderen Nasentamponade sollte in diesen Fällen nur unternommen werden, wenn er die Zeit bis zur Aufnahme in einem Krankenhaus nicht wesentlich verlängert.
- Bei ausgeprägten Verkrümmungen der Nasenscheidewand sollte das Einbringen einer Tamponade in der Hausarztpraxis unterbleiben.
- Bei Blutungen aus dem hinteren Nasenabschnitt ist eine *hintere* Nasentamponade (mithilfe eines Rüsch-Katheters oder Choanal-Ballons und in Ausnahmefällen bei intubierten Pati-

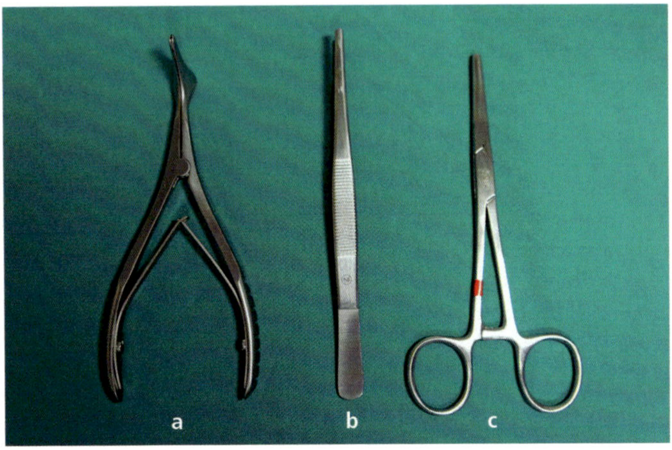

Abb. 3-3 Benötigtes Instrumentarium: Nasenspekulum (**a**); Pinzette (**b**); Péan-Klemme (**c**)

enten mithilfe der Bellocq-Tamponade) notwendig, welche einem entsprechend qualifizierten Arzt vorbehalten ist.

Aufklärung

Regelmäßig kommt es durch die behinderte Nasenatmung zur Austrocknung im Mund- und Rachenbereich. Den Patienten sollte daher empfohlen werden, Bonbons zu lutschen. Bei einer Nasentamponade kann es zur vermehrten Bildung (auch blutigen) Schleims kommen. Weitere unerwünschte Effekte sind Druckgefühl im Kopf, ein unangenehmer Geruch aus der Nase und eine Rezidivblutung bei Entfernung (► Abschn. Nachsorge). Selten bis sehr selten kommt es zu allergischen Reaktionen und Drucknekrosen der Nasenscheidewand. Schwere Komplikationen sind Erstickung infolge Verschluckens der Tamponade sowie Infektionen bis hin zur Sepsis.

Benötigtes Instrumentarium

- Nasenspekulum (► Abb. 3-3a)
- Pinzette (► Abb. 3-3b)
- Péan-Klemme (► Abb. 3-3c)

Durchführung

Meistens müssen beide Nasenlöcher tamponiert werden, damit ein Gegendruck von der nicht betroffenen Seite entsteht.

Gazestreifentamponade

1. Unter Sicht werden salbengetränkte, fortlaufende Gazestreifen in die Nasenlöcher eingebracht, bis der vordere Nasenabschnitt vollständig ausgefüllt ist. Hierfür sollen mehrere Lagen des Gazestreifens als Schlaufen (ca. 6 cm Länge) etwa 3- bis 4-mal übereinander gestapelt werden. Dieser Stapel wird, wie in Abbildung 3-4 gezeigt, mit der Pinzette knapp hinter dem vorderen Ende gefasst. Dieses Fassen verringert das Risiko, die innere Nase mit der Pinzette beim Einlegen der Tamponade zu verletzen, da die überhängende Tamponade die Spitzen der Pinzettenbranchen überdeckt.
2. Das Nasenloch kann jetzt mit einem Nasenspekulum oder einer Péan-Klemme aufgehalten werden und die mit der Pinzette gefasste Tamponade kann unter Sicht parallel zum unteren Nasenboden zwischen das Septum und die untere Muschel eingelegt werden.

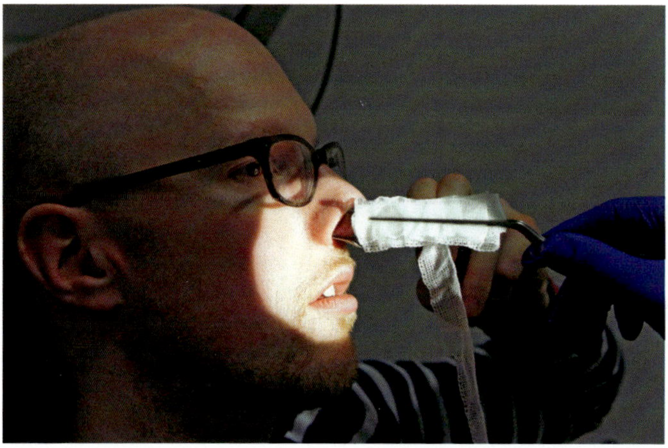

Abb. 3-4 Die Pinzette mit der Tamponade wird immer am Nasenboden entlang in Richtung Rachenhinterwand eingeführt.

3. Beim Herausziehen der Pinzette sollte die Tamponade mit den Fingern festgehalten werden, um eine Dislokation zu vermeiden.
4. Die liegende Tamponade kann jetzt mit dem Nasenspekulum oder der Péan-Klemme heruntergedrückt werden. Die jeweils nächste Schlaufe des aus der Nase heraushängenden Gazestreifens wird mithilfe einer Pinzette auf den liegenden Tamponadenteil gelegt.
5. Dieses wird so oft wiederholt, bis die komplette vordere Nasenhaupthöhle gefüllt ist.
6. Erst dann wird der restliche Gazestreifen mit der Schere abgeschnitten und das freie Ende der liegenden Tamponade auf dem Nasenrücken mit einem Pflasterstreifen armiert, um eine komplette dorsale Dislokation und Aspiration zu vermeiden.

Fingerling- bzw. Ballontamponade

Alternativ können sog. Fingerlingtamponaden oder aufblasbare Tamponaden (► Abb. 3-5) zum Einsatz kommen.

1. Auch diese werden knapp hinter dem vorderen Ende der Tamponade mit der Pinzette gefasst, um das Risiko einer Verletzung der inneren Nase beim Legen der Tamponade zu verringern. Auf die Tamponade sollte dann Lidocain-Gel (z. B. Xylocain®, Dynexan®) als Gleitmittel aufgebracht werden.
2. Anschließend kann sie so wie die Salbenstreifentamponade parallel zum unteren Nasenboden zwischen Septum und unterer Muschel eingelegt werden, bis sie komplett in der Nasenhaupthöhle liegt.
3. Beim Herausziehen der Pinzette müssen auch diese Tamponaden mit dem Finger festgehalten werden, um sie nicht zu dislozieren.
4. Die Fingerlingtamponade entfaltet sich durch den inneren Schaumstoff selbstständig. Die Ballontamponade kann mit Wasser für medizinische Zwecke (Aqua ad iniectabilia, diverse Hersteller) oder mit Luft (► Herstellerangaben) aufgepumpt werden, sodass die Nasenhaupthöhle direkt ausgefüllt wird.
5. Auch diese Tamponaden müssen mit einem Pflasterstreifen am Nasenrücken armiert werden, um einer Dislokation und Aspiration vorzubeugen.

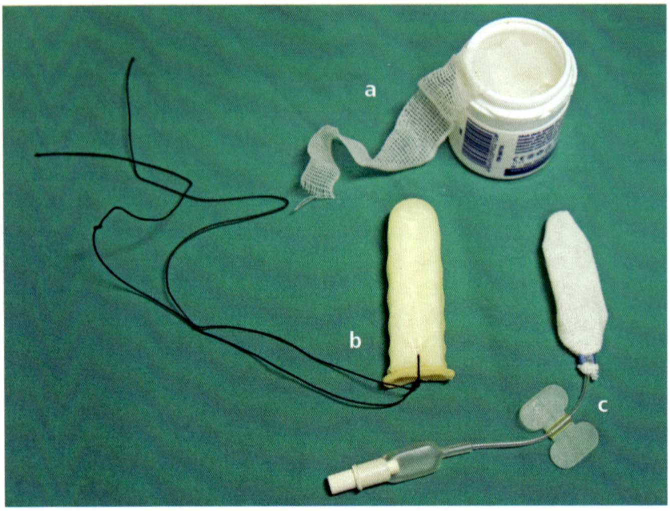

Abb. 3-5 Verschiedene Arten von Nasentamponaden: Gazestreifen (**a**); Fingerling (**b**); Ballontamponade (**c**)

Nachsorge

Nasentamponaden werden nach 2–3 Tagen entfernt. Nach der Entfernung kommt es nur in seltenen Fällen zum Rezidiv. Durch eine anschließende Schleimhautpflege (mithilfe einer Nasensalbe; Dexpanthenol, z. B. Bepanthen®, Panthenol Nasencreme Jenapharm®) wird diese Gefahr weiter minimiert.

Tipps und Tricks

- Da das Verschlucken von Blut Übelkeit verursachen kann, sollten Patienten mit Nasenbluten explizit angewiesen werden, das Blut auszuspucken. So können Komplikationen wie Erbrechen und Aspiration vermieden werden.
- Eine Tamponade beider Nasenlöcher wird von einigen Patienten aufgrund subjektiv zu stark behinderter Atmung nicht toleriert. Beide Nasenlöcher sollten daher nur nach Absprache mit dem Patienten tamponiert werden; ggf. wird trotz fehlenden Gegendrucks nur die betroffene Seite tamponiert.
- Jede Art der Tamponade sollte anschließend ausreichend gegen Herausrutschen oder -niesen gesichert werden. Hierzu werden die aus der Nase herausragenden Gazeenden oder Rückholfädchen (Fingerlingtamponade) sorgfältig (ggf. mehrlagig) auf der Nasenhaut fixiert.

Umgang mit Komplikationen

Seltene und schwere Komplikationen stellen Infektionen bis hin zur Sepsis, schwere Blutungen mit Schockzeichen sowie Ersticken beim Verschlucken der Tamponade dar. Eine notfallmäßige stationäre Einweisung sowie kreislaufstabilisierende Basismaßnahmen sind bis zur Übergabe des Patienten an den Rettungsdienst geboten.

Weiterführende Literatur

Kucik CJ, Clenney T. Management of epistaxis. Am Fam Physician 2005; 71: 305–11.

Leong SCL, Roe RJ, Karkanevatos A. No frills management of epistaxis. Emerg Med J 2005; 22: 470–2.

4 Haut

4.1 Allgemeines zur »Kleinen Chirurgie«

Kirsten Börner und Bertram Illert

Vor jedem operativen Eingriff stehen das Prüfen der Indikation und das Einbeziehen von alternativen Vorgehensweisen. Es gilt, Kontraindikationen zu berücksichtigen und zusammen mit dem Patienten das bestmögliche Vorgehen in einem Aufklärungsgespräch zu erörtern. Grundsätzlich sollte jeder operativ tätige Arzt seine chirurgischen Fertigkeiten klar einschätzen können und ggf. die Hilfe weiterer Fachdisziplinen in Anspruch nehmen.

4.1.1 Wundheilung

Die Wundheilung lässt sich in folgende Stadien einteilen:

- **exsudative Phase** (1–4 Tage): Durch austretendes Blut wird die Gerinnung in Gang gesetzt und es bildet sich ein Fibrinnetz. Es kommt zum Einwandern von zellulären Strukturen wie Granulozyten und Monozyten, die zu Makrophagen heranreifen. Diese Zellen sezernieren Wachstumsfaktoren und stimulieren die Zellproliferation. Nekrotisches Gewebe wird phagozytiert und Mikroorganismen werden beseitigt.
- **proliferative Phase** (Tage bis Wochen): Im Anschluss an die exsudative Phase beginnt die Proliferationsphase. Es kommt zur Gefäßneubildung durch einwandernde Endothelzellen. Fibroblasten bilden ein neues Bindegewebe. Es entsteht das sog. Granulationsgewebe. Makroskopisch ist dieses rötlich, leicht verletzlich und besitzt eine unebene Oberfläche.
- **regenerative Phase** (Wochen bis Monate): Nach der proliferativen Phase setzt die auch reparativ genannte Phase ein. Die Wunde epithelialisiert vom Rand her und kontrahiert sich dadurch, dass das neue Narbengewebe im Gegensatz zum Granulationsgewebe zunehmend wasser- und gefäßärmer wird.

4.1.2 Instrumentenkunde

Chirurgische Instrumente wie Scheren, Haken und Klemmen tragen z. T. Namen der Chirurgen, die sie entwickelt haben (z. B. Kocher- oder Overholt-Klemme, Roux-Haken, Metzenbaum- oder Cooper-Schere).

Die Instrumente können eingeteilt werden in gewebedurchtrennende und gewebefassende, klemmende und gewebevereinigende Instrumente.

Fast alle Instrumente sind als Einweginstrumente erhältlich und bieten zu wiederverwendbaren Instrumenten den Vorteil, dass die zeit- und kostenintensive Wiederaufbereitung entfällt. Im Einzelfall ist zu prüfen, welche der beiden Alternativen die beste Lösung für die Praxis darstellt und ob bei wiederverwendbaren Instrumenten die gültigen Hygienevorschriften umgesetzt werden können.

Ein chirurgisches Basis-Set zur Wundversorgung enthält Pinzette, Schere, Nadelhalter, Kompressen und eine sterile Abdeckung (► Abb. 4-1).

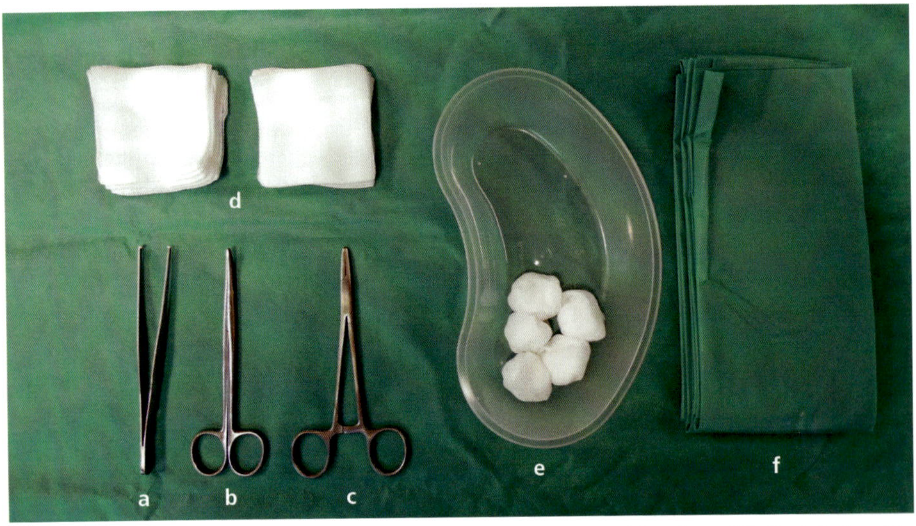

Abb. 4-1 Chirurgisches Basis-Set zur Wundversorgung: Pinzette (**a**); Schere (**b**); Nadelhalter (**c**); Kompressen (**d**); Nierenschale mit Pflaumentupfern (**e**); sterile Abdeckung (**f**)

Gewebedurchtrennende Instrumente

- Skalpelle: Es gibt diverse Klingenformen auf dem Markt, welche mit Nummern beziffert sind. Für die Praxis ist es sinnvoll, je nach Vorliebe des Operateurs, ein Skalpell mit einer runden und einer spitzen Klinge vorzuhalten (z. B. Nr. 21 und Nr. 11).
- Scheren: Je nach Anwendung sind Scheren spitz oder stumpf, mit gebogenen oder geraden Blättern. *Materialscheren* haben eine stumpf-stumpfe oder stumpf-spitze Konfiguration. *Präparierscheren* nach Mayo, Weller oder Metzenbaum sind stumpf-stumpf, z. T. gebogen. Die *Metzenbaum-Schere* (► Abb. 4-2) ist die beliebteste Schere. Sie zeichnet sich im Vergleich zu den Blättern durch einen relativ langen Griff aus und ermöglicht eine feine Präparation.
- Elektrokauter

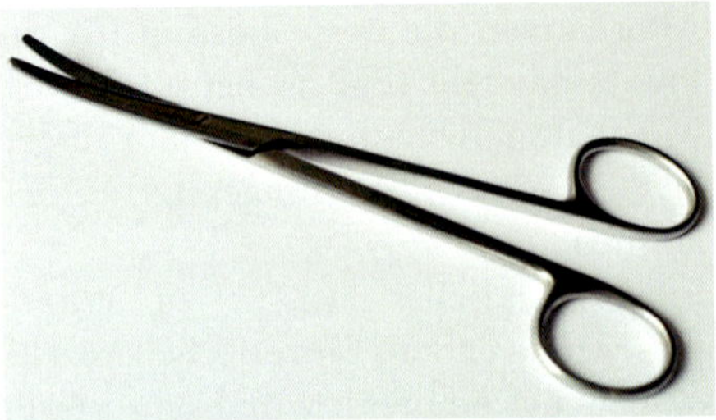

Abb. 4-2 Metzenbaum-Schere

Gewebefassende Instrumente

- Pinzetten: *Chirurgische* Pinzetten (► Abb. 4-3a) haben ineinandergreifende Zähne an den Backen, mit welchen Gewebe gut fixiert werden kann, ohne dass ein deutlicher Druck auf die Pinzette ausgeübt werden muss. *Anatomische* Pinzetten (► Abb. 4-3b) besitzen Haltebacken mit Querrillen. Dies ermöglicht das schonende Fassen von verletzlichen Strukturen.
- Klemmen

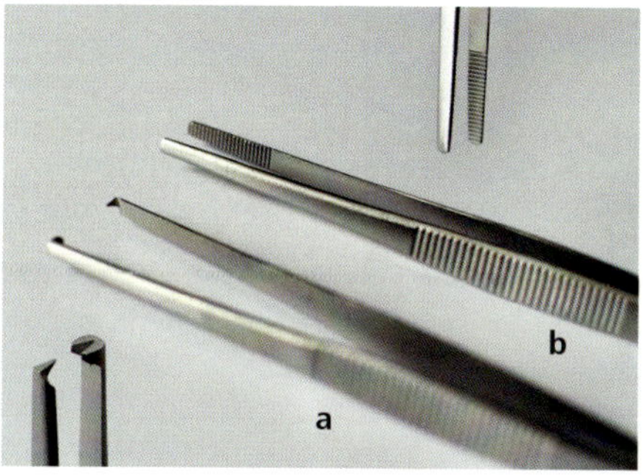

Abb. 4-3 Unterschiedliche Pinzetten: chirurgische Pinzette (**a**); anatomische Pinzette (**b**)

Gewebevereinigende Instrumente

- Nadeln: Unter der großen Anzahl von Nadeln seien hier die für den allgemeinmedizinischen Bereich relevanten Nadeln mit Faden-Nadel-Kombination genannt. Atraumatisches Nahtmaterial zeichnet sich dadurch aus, dass die Nadel direkt in den Faden übergeht. Der Faden füllt damit den Stichkanal aus, ohne das umliegende Gewebe zu traumatisieren. Die Nadel wird mit dem Nadelhalter im Verhältnis ⅓ zu ⅔ im hinteren Drittel der Nadel gegriffen (► Abb. 4-4).

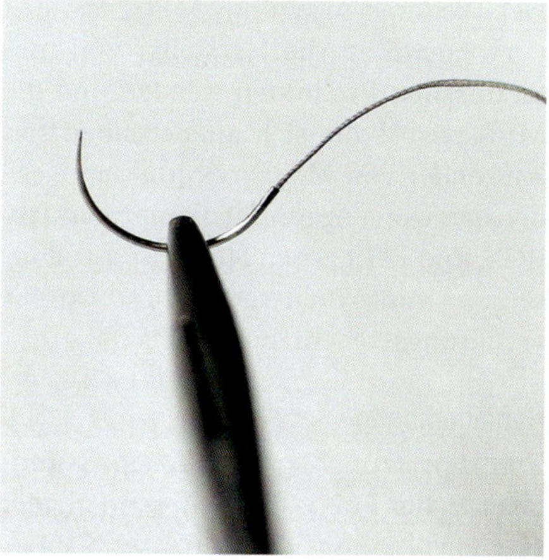

Abb. 4-4 Korrektes Einspannen der Nadel in den Nadelhalter

! Niemals den Faden selbst mit dem Nadelhalter greifen! Es entstehen Schäden am Fadenmaterial und dieses verliert dadurch seine Reißfestigkeit. Auch die Nadelspitze nicht mit dem Nadelhalter greifen!

- Nadelhalter: Zum sicheren Führen des Nadelhalters ist die richtige Haltung und Handhabung wichtig (► Abb. 4-5). Daumen und Ringfinger halten den Nadelhalter, der Zeigefinger stabilisiert die Bewegung.
- Klebstoffe
- Klebestreifen
- Klammernahtgeräte

4.1.3 Hygienevorschriften

Rechtliche Grundlagen

Die Hygienevorschriften für Arztpraxen unterliegen mehreren Gesetzen und Verordnungen:

- Infektionsschutzgesetz (IfSG)
- Hygieneverordnungen der Länder
- Medizinproduktegesetz (MPG)
- Medizinprodukte-Betreiberverordnung (MPBetreibV)
- berufsgenossenschaftliche Vorschriften (BGV) und Regeln (BGR)

Das IfSG dient dem Zweck, übertragbaren Krankheiten beim Menschen vorzubeugen, Infektionen frühzeitig zu erkennen und deren Weiterverbreitung zu verhindern (§ 1).

Die Hygieneverordnungen der Länder regeln den Infektionsschutz auf Länderebene und gelten in den meisten Bundes-

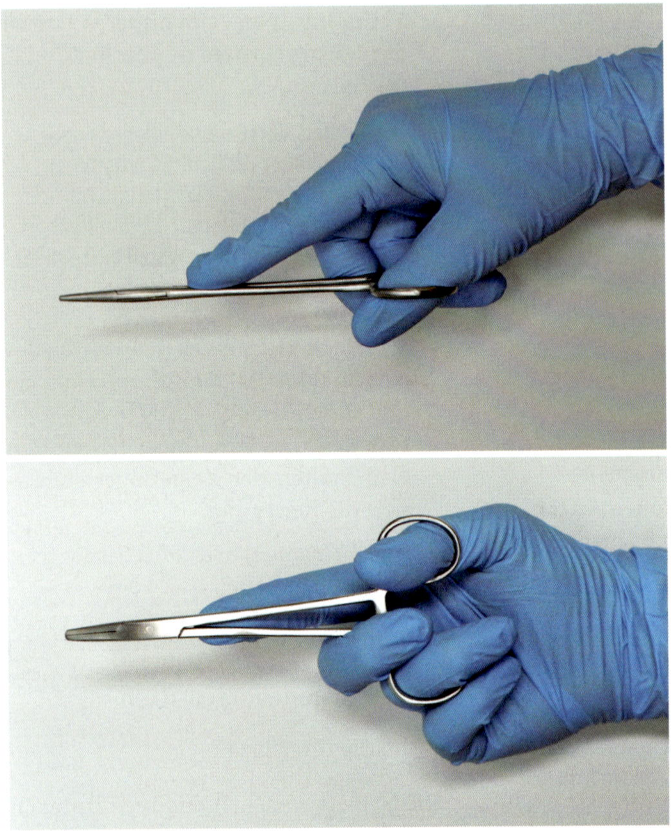

Abb. 4-5 Handhabung Nadelhalter

ländern nicht nur für den stationären, sondern auch für den ambulanten Bereich, allerdings sind die Anforderungen der einzelnen Länderhygieneverordnungen zum Teil unterschiedlich. Eine Übersicht findet sich auf der Homepage der Deutschen Gesellschaft für Krankenhaushygiene (DGKH). Die Kommission für Krankenhaushygiene und Infektionsprävention (KRINKO) vom Robert Koch-Institut (RKI) erstellt Empfehlungen zu betrieblich-organisatorischen und baulich-funktionellen Maßnahmen und zur Prävention von nosokomialen Infektionen, die auch für den ambulanten Bereich gelten.

Des Weiteren regeln das MPG, das sich vorwiegend an die Hersteller von medizinischen Produkten wendet, und die MPBetreibV, die sich an Betreiber und Anwender von Medizinprodukten wendet, den Umgang mit Medizinprodukten. BGV und BGR geben Hinweise zur Umsetzung von Arbeitsschutz- und Unfallverhütungsvorschriften.

Hygienemanagement

Zur Umsetzung der rechtlichen Grundlagen in der Praxis muss ein schriftlicher Hygieneplan mit Richtlinien und Empfehlungen zur Hygiene sowie zu Unfallverhütungsmaßnahmen erstellt sein. Dieser beinhaltet z. B. die Personalhygiene, Umgebungshygiene, Hygienemaßnahmen bei der Behandlung von Patienten, den Umgang mit Medikamenten und Impfstoffen, die Aufbereitung von Medizinprodukten und die Meldung von Krankheiten.

An wichtigen Stellen wie Händewaschplatz (z. B. im Vorraum für kleinere Eingriffe), Labor, Waschbecken und Sterilisationsraum muss ein Reinigungs- und Desinfektionsplan aushängen, der für die jeweilige Arztpraxis modifiziert sein sollte.

Die Ausstattung der Waschplätze sollte fließend Warm- und Kaltwasser, handbedienungsfreie Desinfektionsspender und einen Spender für Einmalhandtücher sowie einen Hautschutzplan enthalten. Die Desinfektionsmittel sollten von dem Verbund für Angewandte Hygiene (VAH) zertifiziert bzw. vom RKI gelistet sein.

Die Namen der für Hygienemaßnahmen verantwortlichen Personen sind schriftlich festzulegen, eine mind. jährliche Hygieneunterweisung über Maßnahmen der Flächenreinigung und -desinfektion sowie Händehygiene und -desinfektion ist durchzuführen.

Eine schriftliche Anordnung für die Aufbereitung von Instrumenten und Materialien inkl. Ablaufbeschreibung sollte sichtbar aushängen und den Mitarbeitern vertraut sein.

Die Händehygiene spielt eine wichtige Rolle in jeder Allgemeinarztpraxis. Der genauen Durchführung der korrekten Händedesinfektion widmet sich mit entsprechender Bebilderung u. a. die »Aktion Saubere Hände« – eine nationale Kampagne zur Verbesserung der Compliance der Händedesinfektion in deutschen Gesundheitseinrichtungen. Auf den Webseiten der »Aktion Saubere Hände« finden sich Arbeitsmaterialien mit genauer Beschreibung zur hygienischen und chirurgischen Händedesinfektion sowie deren Indikationen.

Weiterführende Literatur

Gastmeier P. Aktion Saubere Hände. Stand: 08.11.2014. www.aktion-sauberehaende.de/ash (letzter Zugriff: 06.06.2016).

Kassenärztliche Bundesvereinigung. Mein PraxisCheck Hygiene. Stand: 11.07.2014. www.kbv.de/html/6484.php (letzter Zugriff: 06.06.2016).

Kompetenzzentrum Hygiene und Medizinprodukte der Kassenärztlichen Vereinigungen und der kassenärztlichen Bundesvereinigung. Hygiene in der Arztpraxis. Ein Leitfaden. Stand: Mai 2014. www.hygiene-medizinprodukte.de/fileadmin/user_upload/dokumente/Hygieneleitfaden/Hygiene_in_der_Arztpraxis_Ein_Leitfaden.pdf (letzter Zugriff: 06.06.2016).

Michelsen A, Kujath P. Grundlagen der Wundversorgung in Klinik und Praxis. Krankenh.hyg.up2date 2014; 09: 265–81.

Robert Koch-Institut. Liste der vom Robert Koch-Institut geprüften und anerkannten Desinfektionsmittel und -verfahren. Stand: 31. August 2013. Bundesgesundheitsbl 2013; 56: 1706–28. www.rki.de/DE/Content/Infekt/Krankenhaushygiene/Desinfektionsmittel/Desinfektionsmittelliste.pdf?__blob=publicationFile (letzter Zugriff: 06.06.2016).

4.2 Infiltration mit Lokalanästhetikum

Kirsten Börner und Bertram Illert

Hintergrund

Die Infiltration mit einem Lokalanästhetikum dient zum einen der Herstellung von Schmerzfreiheit für einen chirurgischen Eingriff und zum anderen der Therapie von Schmerzen.

Lokalanästhetika reduzieren örtlich begrenzt und reversibel die Erregbarkeit sensibler Nervenfasern. Nach Infiltration kommt es zur Ausschaltung der Empfindung in folgender Reihenfolge: Schmerz, Temperatur, Berührung, Druck. Die meisten Lokalanästhetika sind schwache Basen, die nur in undissoziierter Form in die lipophilen Nervenfasern eindringen können, jedoch in dissoziierter Form am Nerven wirken. In saurem, z. B. entzündetem Gewebe mit einem niedrigen pH-Wert kann der Wirkstoff daher nicht von intrazellulär die Natriumkanäle blockieren. Lokalanästhetika wirken, indem sie den Einstrom von Natriumionen blockieren, sodass das Aktionspotenzial nicht weitergeleitet wird.

Man unterscheidet Lokalanästhetika vom Ester- und Amid-Typ. Am häufigsten werden Lokalanästhetika vom Amid-Typ eingesetzt.

Die Wirkdauer und damit das Anhalten der Betäubung sind abhängig von der Konzentration des Lokalanästhetikums und der Durchblutung des Gewebes.

Zur Verfügung stehen verschiedene Lokalanästhetika mit und ohne vasokonstriktive Zusätze.

Eine spezielle Form der lokalen Betäubung ist der Oberst-Block (▶ Abschn. 4.3).

Indikationen

- Versorgung von Platz- und Risswunden
- kleinere chirurgische Eingriffe (z. B. die Entfernung von Lipomen, Atheromen, pigmentierten Hautarealen)

Kontraindikationen

- Allergie gegen das Lokalanästhetikum (Anamnese vor Anwendung!)
- keine Injektion in infiziertes Gewebe (keine Wirkung in entzündetem Gewebe)
- Antikoagulanzienbehandlung (genaue Abwägung)
- keine Injektion von Lokalanästhetika mit *vasokonstriktiven Zusätzen* in Gebiete mit Endarterienversorgung wie z. B. Akren, Ohren und Penis, da hier die Gefahr einer Nekrose besteht
- Infiltration von Lokalanästhetika bei Schwangeren nur bei absoluter Notwendigkeit (keine elektiven Eingriffe!)

Aufklärung

Bei einem versehentlichen systemischen Anfluten des Lokalanästhetikums kann es zu Herzrhythmusstörungen oder zentralnervösen Intoxikationserscheinungen (z. B. Krämpfen) kommen. Eine – wenn auch sehr selten auftretende – allergische Reaktion kann bis zum anaphylaktischen Schock führen.

Benötigtes Instrumentarium

- Desinfektionsmittel
- Spritze
- Kanüle (z. B. 21 G)
- Lokalanästhetikum (Lidocain 1 %, z. B. Xylocain®)

Durchführung

1. Das zu betäubende Gebiet wird sorgfältig desinfiziert.
2. Zunächst erfolgt eine intracutane Injektion zur Betäubung der Einstichstelle. Dabei entsteht eine Quaddel in der Haut.
3. Nun wird nach Aspiration, um eine intravenöse oder -arterielle Injektion zu vermeiden, der zu betäubende Bereich fächerförmig mit dem Lokalanästhetikum infiltriert.

Nachsorge

Die Betäubung hält, je nach verwendetem Lokalanästhetikum, unterschiedlich lange an. Je nach Indikation ist es sinnvoll, ein orales Schmerzmittel postoperativ zu verordnen.

Tipps und Tricks

- Zur Reduzierung von Angst ist die Aufklärung darüber wichtig, dass zuerst der Schmerz und danach die Berührung ausgeschaltet wird. Der Patient spürt möglicherweise noch die Behandlung, allerdings ohne dabei Schmerzen zu empfinden.
- Das Vorhalten von Lokalanästhetika mit vasokonstriktiven Zusätzen ist für den Einsatz in der Allgemeinmedizin nicht notwendig; so können daraus entstehende Komplikationen (► Abschn. Kontraindikationen) verhindert werden.

Umgang mit Komplikationen

Bei einer systemischen Wirkung des Lokalanästhetikums aufgrund versehentlicher intravasaler Injektion ist eine Überwachung des Patienten notwendig.

Weiterführende Literatur

Dill-Müller D. Lokale Anästhesieverfahren in der Dermatologie. Hautarzt 2012; 63: 53–64.

Larsen R. Anästhesie. 10. Aufl. München: Urban & Fischer bei Elsevier 2014.

Striebel HW. Die Anästhesie. 3. Aufl. Stuttgart: Schattauer 2014.

4.3 Oberst-Block

Bertram Illert und Kirsten Börner

Hintergrund

Der Oberst-Block ist ein Leitungsanästhesieverfahren zur Schmerzausschaltung an Fingern oder Zehen und eignet sich zur Versorgung bei Verletzungen distal der Grundphalanx. Durch Injektion eines Lokalanästhetikums im Versorgungsgebiet der Nn. digitales dorsales et palmares bzw. plantares an beiden Seiten kann innerhalb weniger Minuten eine komplette Schmerzfreiheit in dem zu betäubenden Bereich erreicht werden, um so Wunden bzw. Verletzungen zu versorgen oder kleinere Eingriffe durchzuführen.

Indikationen

- Versorgung von Verletzungen
- Elektiveingriffe distal der Grundphalanx an Fingern und Zehen

Kontraindikationen

- bekannte Allergien gegen das verwendete Lokalanästhetikum
- mangelnde Compliance des Patienten
- Durchblutungsstörungen
- Antikoagulationstherapie
- ausgedehnte entzündliche Veränderungen der zu behandelnden Akren
- Diabetes mellitus (relative Kontraindikation)

Aufklärung

- allergische Reaktion
- Gefahr der Gefäß- und Nervenverletzung
- bleibende neurologische Defizite
- unzureichende Schmerzausschaltung
- Blutung
- Infektion

Benötigtes Instrumentarium

- Desinfektionsmittel
- Kompressen
- ggf. steriles Abdeckmaterial
- 10-ml-Spritze
- Injektionskanüle
- 5–10 ml Lokalanästhetikum (kurze bis mittlere Wirkdauer: Lidocain, z. B. Xylocain®, Versatis®, oder Mepivacain, z. B. Scandicain®, Meaverin®; lange Wirkdauer: Bupivacain, z. B. Bucain®, Carbostesin®)

Durchführung

1. Die Haut wird gesäubert und desinfiziert. Die zu behandelnde Region wird ggf. abgedeckt.
2. Der zu versorgende Bereich sollte sowohl für den Behandelnden als auch den Patienten so gelagert sein, dass ein entspanntes Arbeiten möglich ist.
3. An der Grundphalanx wird dorsalseitig unter Aspiration an der Seite einer Zehe bzw. eines Fingers eingestochen. Durch schrittweises Applizieren eines Lokalanästhetikums wird beidseits der Grundphalanx von dorsal nach plantar bzw. palmar ein Depot der Substanz gesetzt. Dies kann auch von einer Einstichstelle aus erfolgen. Hierzu wird zunächst ein Depot gesetzt, die Nadel bis knapp unter die Haut zurückgezogen und dann subcutan auf die Gegenseite vorgeschoben, wo das weitere Depot gesetzt wird (► Abb. 4-6). Alternativ kann für jedes Nervenbündel separat an der Basis eingestochen werden (► Abb. 4-7).

Nachsorge

Sensibilität und Durchblutung werden im Verlauf überprüft. Bei systemischen Nebenwirkungen ist der Patient bis zum vollständigen Abklingen der Symptome zu überwachen.

Tipps und Tricks

- Da das Setzen des Oberst-Blocks schmerzhaft sein kann, sollte der Patient darüber informiert sein, um so ein schreckhaftes Zurückziehen der Hand

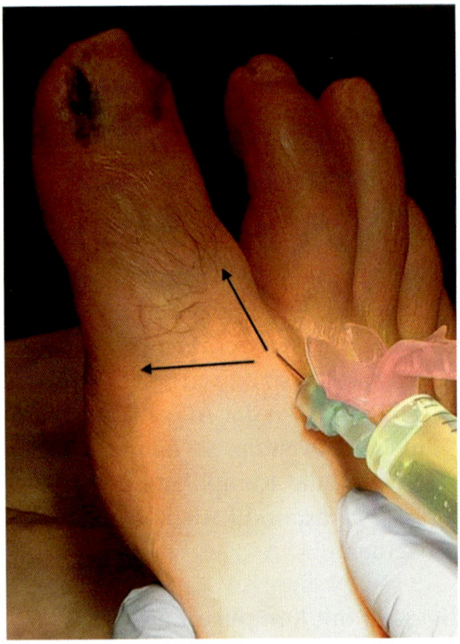

Abb. 4-6 Setzen eines Oberst-Blocks an der Großzehe.
Von einer Injektionsstelle aus werden die Nervenbündel beidseits der Grundphalanx durch Setzen eines Depots von Lokalanästhetikum versorgt (Pfeilrichtung).

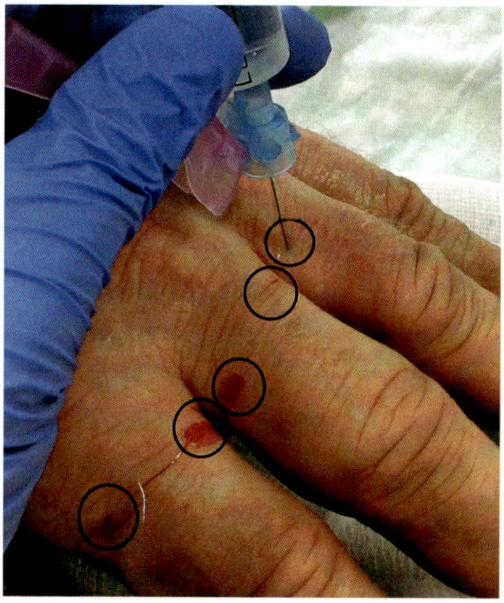

Abb. 4-7 Setzen eines Oberst-Blocks an drei Fingern durch Injektion von Lokalanästhetikum (markierte Kreise) jeweils beidseits der Grundphalanx

oder des Fußes zu vermeiden. Durch *langsames* Setzen des Depots kann unter Wirkungseintritt schmerzschonend schrittweise die Grundphalanx infiltriert werden. Es sollte bis zur vollständigen Betäubung gewartet werden, d.h. ca. 7–10 min. Die Überprüfung der Wirkung erfolgt durch leichtes Manipulieren mit einer Kanüle seitlich an der Endphalanx – am besten so, dass der Patient die Berührung nicht sehen kann!

- Wichtig für den Patienten ist der Hinweis, dass zunächst das Schmerzempfinden bei erhaltenem Berührungsempfinden ausgeschaltet wird. Das bedeutet, dass der Patient u.U. eine Manipulation bemerkt, dabei aber keine Schmerzen verspürt.
- Sofern eine Versorgung in Blutleere erforderlich ist, lässt sich mit einem an der Spitze abgeschnittenen Fingerling, der über den Finger gezogen wird und dann zur Fingerbasis abgerollt wird, eine effektive Blutleere herstellen.

> **!** Eine Blutsperre muss am Ende des Eingriffs wieder entfernt werden!

- Die Wahl des Anästhetikums richtet sich besonders danach, wie schnell die Wirkung eintritt und wie lange sie vorhalten soll. Weiterhin ist die geringstmögliche Toxizität für das erforderliche Volumen des Lokalanästhetikums zu berücksichtigen, wobei die toxischen Grenzdosierungen bei Betäubungen im Bereich der Akren praktisch nicht erreicht werden. Daher sind bei Oberst-Anästhesien oftmals höherprozentigere Wirkstoffe einsetzbar als bei großflächigen Leitungsanästhesien. Die Praxis zeigt, dass man aus der Vielzahl der Substanzen meist mit ein bis zwei unterschiedlich lange wirksamen Substanzen gut auskommt. So werden für eine kurze- bis mittlere Wirkdauer z.B. Lidocain oder Mepivacain häufig eingesetzt, während für eine lange Wirkdauer Bupivacain das Mittel der Wahl ist.

> **!** Bei der Oberst-Anästhesie sollten keine Vasokonstriktoren zugesetzt werden, da sonst die Gefahr der Ischämie von Fingern oder Zehen besteht!

- Je nach Eingriff und zu erwartenden postoperativen Schmerzen sollte rechtzeitig vor Ende der Wirkung des Oberst-Blocks mit einer oralen Schmerztherapie begonnen werden.

Umgang mit Komplikationen

Bei nicht ausreichender Anästhesie sollte das Lokalanästhetikum nachgespritzt werden. Sofern neurologische Defizite im Verlauf auffällig werden, sind diese sorgfältig zu dokumentieren und der Verlauf zu beobachten, inwieweit sich die Symptome zurückbilden.

4.4 Chirurgische Nahttechniken

Kirsten Börner und Bertram Illert

Hintergrund

Bei chirurgischen Eingriffen in der Allgemeinmedizin geht es v. a. um Hautverschlüsse bei Platzwunden oder Schnittverletzungen. Nach Exzisionen von z. B. pigmentierten Hautarealen oder Entfernung von Lipomen bzw. Atheromen können subcutane Nähte notwendig werden, um die spannungsfreie Adaptation der Hautränder zu gewährleisten. Zur Adaptation von Wundrändern stehen unterschiedliche Nahttechniken zur Verfügung. Der Verschluss kann durch Einzelknopfnähte oder mit einer fortlaufenden Naht erfolgen. Hierfür liegen unterschiedliche Nahtmaterialen vor.

Eine primär verschlossene Wunde heilt schnell und im Idealfall bleibt eine nur sehr kleine Narbe zurück. Sekundär heilende Wunden brauchen ein Vielfaches länger, es entsteht Granulationsgewebe und es bleiben breite, ungleichmäßige Narben zurück.

Indikationen

Primärer Wundverschluss bei:

- aseptischen Bedingungen
- OP-Wunden
- gut durchbluteten Wundrändern

Ein sekundärer Wundverschluss kann nach Abheilen von Infektionen, ggf. durch Ausschneiden von älteren Wunden durchgeführt werden. Hierzu sind gut durchblutete, saubere Wundränder erforderlich.

Kontraindikationen

Kein primärer Wundverschluss bei:

- schlecht durchbluteten Hauträndern
- infizierten und verschmutzten Wunden
- Bissverletzungen

Aufklärung

In der Praxis wird nicht über eine Nahttechnik aufgeklärt, sondern über den entsprechenden Eingriff.

Benötigtes Instrumentarium

- Nadelhalter
- chirurgische Pinzette
- Nahtmaterial

Fadeneigenschaften Zunächst sind *resorbierbare* und *nichtresorbierbare* Fäden zu unterscheiden. Da jeder Fremdkörper eine Entzündungsreaktion hervorrufen kann, ist die Entfernung von Hautnähten sinnvoll. Aus kosmetischen Gründen können aber auch resorbierbare intracutane Nähte verwendet werden.

Fadenoberfläche Eine weitere Unterteilung der Fäden in monofile, polyfile und pseudomonofile Fäden ist möglich. *Monofile* Fäden besitzen eine glatte Oberfläche und gleiten gut durch das Gewebe, allerdings ist das Knoten erschwert. *Polyfile* Fäden sind geflochten, dadurch geschmeidiger und leichter zu knoten. Das Gewebedurchzugsverhalten ist allerdings traumatisch. *Pseudomonofile* Fäden sind beschichtete geflochtene Fäden und vereinen ein gutes Gewebedurchzugsverhalten bei erhaltener Geschmeidigkeit.

Fadenstärke Die Fadenstärke sollte so gering wie möglich sein, um beim Nähen eine möglichst niedrige Gewebeschädigung zu verursachen.
Sinnvoll erscheint das Vorhalten von nichtresorbierbaren Fäden in den Fadenstärken 2-0 bis 4-0, wobei die Verwendung von 4-0er Fäden eher dem Gesichtsbereich vorbehalten ist. Hautareale mit dickerer Cutis wie Kopfschwarte und Rücken benötigen eher Fadenstärken von 3-0 bis 2-0 (Polyamid, z. B. Ethilon®).
Bei der subcutanen Adaptation vor dem Hautverschluss empfiehlt sich resorbierbares Nahtmaterial der Fadenstärke 2-0 und 3-0 (Polyglactin, z. B. Vicryl®, Safil®).
Alternativen Als Alternative zur Naht stehen Wundnahtstreifen zur Verfügung. Auch Gewebekleber (Cyanoacrylat, z. B. Dermabond™ oder Histoacryl, z. B. Epiglu®) können verwendet werden (► Abschn. 4.6).

Durchführung

Nahttechnik

Einzelknopfnaht Die Wundadaptation kann durch Einzelknopfnähte erfolgen (► Abb. 4-8). Hierbei sollte die Entfernung der Ein- und der Ausstichstelle der Nadel den gleichen Abstand vom Wundrand haben, damit die Wundränder genau aneinanderliegen. Beim Nähen wird der Biegung der Nadel gefolgt.
Donati-Rückstichnaht Bei der Donati-Rückstichnaht (► Abb. 4-9) wird der erste Stich genau wie bei der Einzelknopfnaht ausgeführt, allerdings liegen die Ein- und Ausstichstelle weiter vom Wundrand entfernt. Der Rückstich wird in derselben Achse ausgeführt, diesmal jedoch oberflächlicher in der Intracutanschicht. Die Haut hebt sich bei der Donati-Rückstichnaht. Die aneinanderliegenden Hautränder sind jedoch besser durchblutet, da die Ischämiezone, die durch den Druck des Fadens entsteht, nicht den direkten Wundrand betrifft.
Allgöwer-Rückstichnaht Um eine Wunde mit einer Allgöwer-Rückstichnaht (► Abb. 4-10) zu verschließen, wird zuerst wundfern dem Verlauf der Nadel folgend eingestochen, die Nadel beschreibt am gegenüberliegenden Wundrand, der mit einer Pinzette leicht ausgekrempelt wird, einen Halbkreis und wird intracutan ausgestochen. Danach wird erneut auf der ersten Seite intracutan eingestochen und wundrandnah ausgestochen.

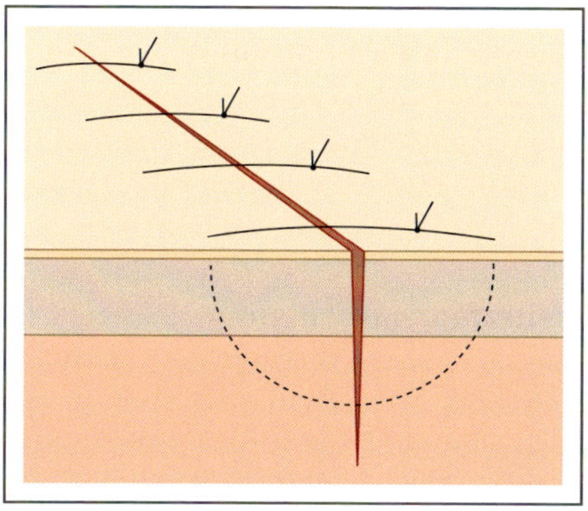

Abb. 4-8 Einzelknopfnaht

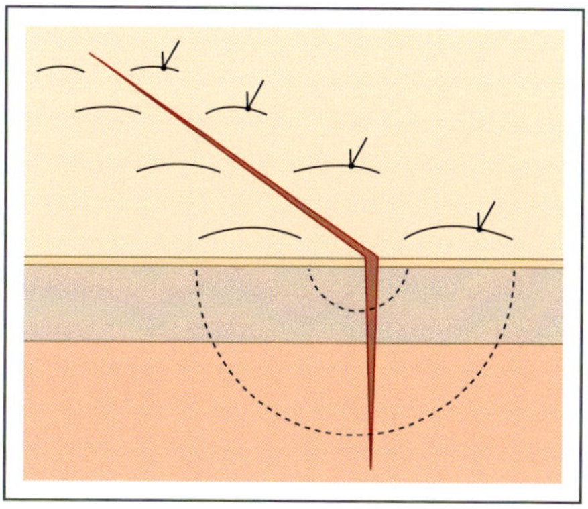

Abb. 4-9 Donati-Rückstichnaht

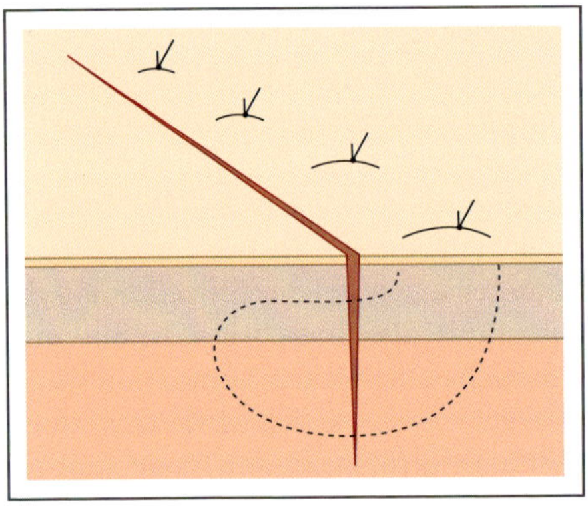

Abb. 4-10 Allgöwer-Rückstichnaht

4

Intracutannaht Bei der intracutanen, fortlaufenden Naht (► Abb. 4-11) wird am Ende der Wunde eingestochen und der Faden geknotet. Nun folgt ein wellenförmiges Einstechen an den gegenüberliegenden Wundrändern. Dabei ist darauf zu achten, dass immer in gleicher Höhe der Cutis eingestochen wird, da ansonsten ein Versatz entsteht und die Hautränder nicht gut adaptiert sind.

Knotentechnik

Zum einen kann eine sog. maschinelle Knotentechnik mit dem Nadelhalter angewendet werden. Zum anderen kann das Knoten der Fäden per Hand erfolgen. Bei kleineren Eingriffen bietet sich das Knoten mit dem Nadelhalter an, da es »fadensparender« und leichter zu erlernen ist als das Knoten per Hand. Eine gute Anleitung zu beiden Techniken findet sich auf der Webseite, die im Abschnitt Weiterführende Literatur erwähnt ist.

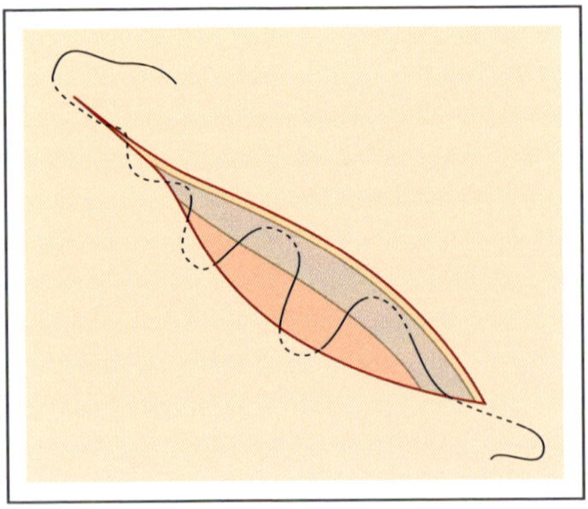

Abb. 4-11 Fortlaufende Intracutannaht

Nachsorge

Die Nachsorge richtet sich nach Körperregion und Eingriffsart.

Tipps und Tricks

- Starke Blutungen, die häufig bei Platzwunden am Kopf auftreten, können durch tiefgreifende Nähte gestillt werden.
- Tangentiale Verletzungen der Haut im Rahmen von Schnittverletzungen sind häufig schwer zu adaptieren. Der Knoten der Naht sollte daher auf der »unteren« Seite liegen. Dies verhindert das Reißen der dünnen Haut der Gegenseite und ermöglicht durch ein langsames Anziehen des Knotens ein Aneinanderlegen der Hautränder.

Umgang mit Komplikationen

Ein Ausreißen von Fäden kann auf eine nicht spannungsfreie Naht hindeuten. Hier ist je nach chirurgischen Fähigkeiten entweder eine subcutane Naht oder das Mobilisieren der Hautränder sinnvoll; ggf. kann die Vorstellung beim Chirurgen notwendig werden.

Weiterführende Literatur

Ethicon Products. Chirurgische Knotentechnik. Stand: April 2003. www.mecum-mentor.de/dateien/mentor/download/2014/Skript%20Naht-und%20Knotentechnik%20(ethicon).pdf (letzter Zugriff: 06.06.2016).

4.5 Entfernen von Nähten

Kirsten Börner und Bertram Illert

Hintergrund

Im Rahmen der Nachsorge operierter Patienten erfolgt die Entfernung von Nahtmaterial immer häufiger in der Hausarztpraxis. Dies erfordert seitens des Hausarztes die Kompetenz zur Begutachtung von Wunden und zur Entscheidung über den Zeitpunkt, wann das Nahtmaterial entfernt werden soll.

Indikationen

Nach Verheilen einer Wunde wird folgendes Fremdmaterial entfernt:

- nichtresorbierbares Nahtmaterial
- resorbierbares Nahtmaterial, wenn dieses z. B. bei Vorliegen von Wundheilungsstörungen sichtbar ist (resorbierbare Fäden lösen sich nur im Gewebe auf)
- Klammern

Kontraindikationen

- Wundheilungsstörungen, ggf. frühzeitige Vorstellung beim Operateur in der Chirurgie
- Infektionen mit Abszessbildung

Bei Infektionen mit Abszessbildung ist die Entfernung des Nahtmaterials schon zu einem früheren Zeitpunkt notwendig, um den Abszess zu entlasten. Es greift das alte lateinische Sprichwort: »Ubi pus, ibi evacua.« – »Wo Eiter (ist), dort entleere (ihn).« *Ausgenommen* hiervon ist die Entfernung von Fäden bei infizierten Wunden, die sich über einliegendem Osteosynthesematerial befinden. Durch Eröffnung würde hier eine mögliche Freilegung des Materials bzw. eine Erregereintrittspforte geschaffen. Hier sollte eine *sofortige* Vorstellung bei dem behandelnden Chirurgen zur Revision erfolgen.

Aufklärung

Eine Aufklärung erfolgt je nach Art des Eingriffs.

Benötigtes Instrumentarium

Entfernung nichtresorbierbarer Fäden

- Stitch-Cutter
- anatomische Pinzette

Entfernung resorbierbarer Fäden

- Schere
- anatomische Pinzette

Klammernaht

- Klammernahtentferner

Durchführung

Entfernung nichtresorbierbarer Fäden

1. Das Fadenende wird mit einer Pinzette gefasst und der Knoten leicht angehoben.
2. Unterhalb des Knotens wird der Faden durchgeschnitten. Es ist wichtig, darauf zu achten, nur *einen* Faden zu durchtrennen (► Abb. 4-12a). Beim Abschneiden des Knotens verbleiben ansonsten Fadenreste im Gewebe. Diese können z. B. zu Granulomen oder Infektionen führen. Die entfernten Fäden einer Einzelknopfnaht sollten unter dem Knoten ein langes und ein kurzes Ende aufweisen (► Abb. 4-12b).

Entfernung einer intracutanen Naht Bei einer Intracutannaht mit sichtbaren Knoten an beiden Enden der Wunde wurde entweder ein resorbierbarer oder ein nichtresorbierbarer Faden verwendet. Ein resorbierbarer Faden ist häufig nahezu durchsichtig.

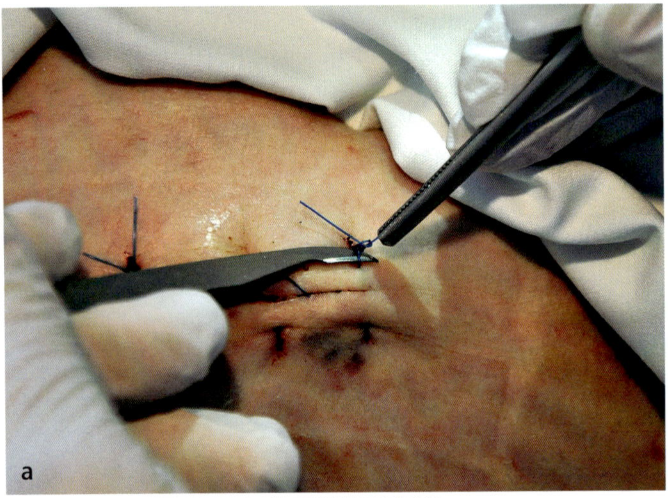

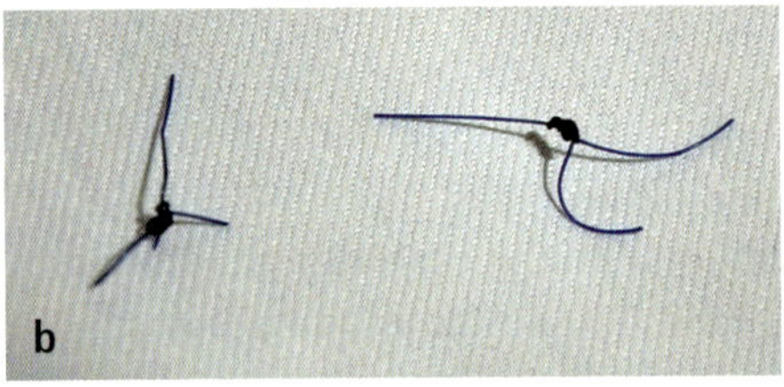

Abb. 4-12 Entfernung einer Hautnaht mithilfe einer anatomischen Pinzette und eines Stitch-Cutters (**a**); entfernte Fäden einer Einzelknopfnaht (**b**)

Entfernung eines *resorbierbaren* Fadens:

1. Es erfolgt das Anheben des Knotens und das Kürzen des Fadens auf Hautniveau auf der einen Seite.
2. Die o. g. Prozedur wird auf der anderen Seite ggf. wiederholt.

Entfernung eines *nichtresorbierbaren* Fadens:

1. Der Knoten *darf nur* an einem Ende der Wunde abgeschnitten werden.
2. Das Nahtmaterial wird durch Zug am anderen Ende des Fadens aus der Wunde entfernt.

Entfernung von Klammernähten Für das Entfernen von Klammernähten ist ein entsprechender Klammerentferner notwendig.

1. Die beiden unteren Branchen des Klammernahtentferners werden unter die Klammer geschoben (► Abb. 4-13a).
2. Beim Zusammendrücken beider Arme des Klammernahtentferners wird die Klammer aufgebogen und kann herausgezogen werden (► Abb. 4-13b, c).

Nachsorge

Eine spezielle Nachsorge nach Fadenentfernung ist nur bei kritischen Wunden notwendig. Ansonsten wird zum Schutz bei minimaler Traumatisierung und möglicher Blutung noch eine Wundauflage, Pflaster o. Ä. verwendet.

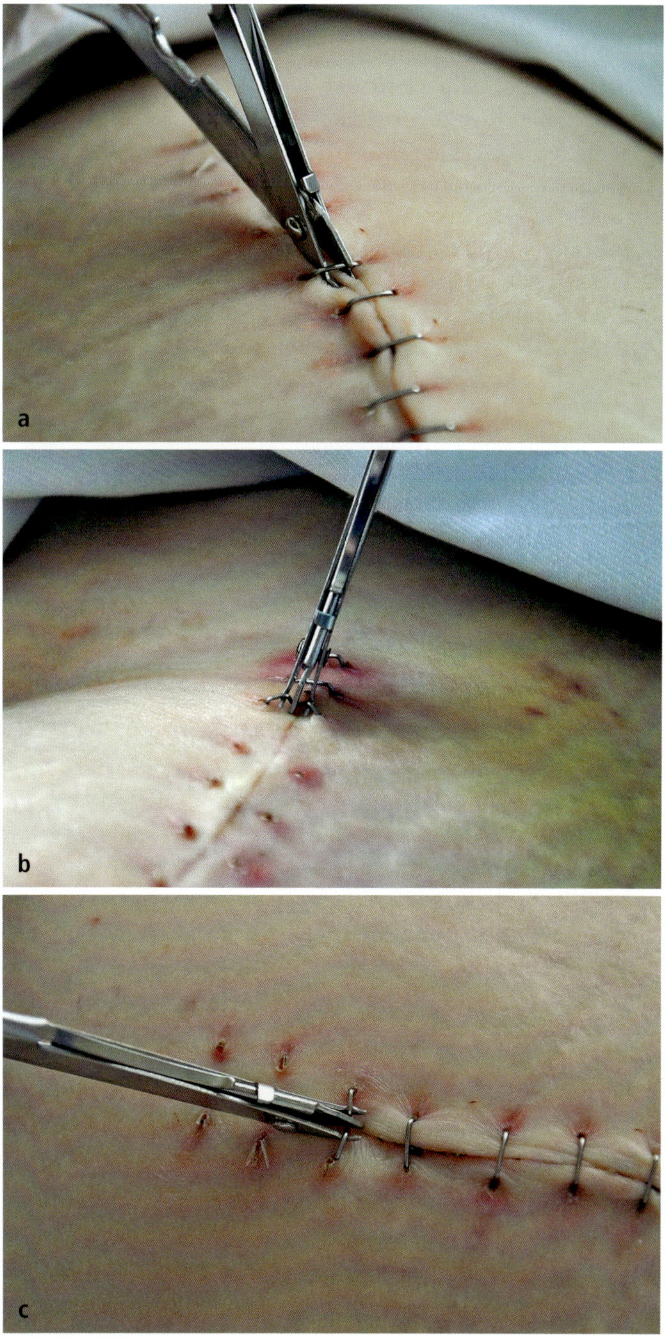

Abb. 4-13 Entfernung von Klammern:
1. Schritt (**a**);
2. Schritt (**b**);
3. Schritt (**c**)

Tipps und Tricks

- Bei Donati-Rückstichnähten kann es beim Entfernen, wenn der Knoten sehr tief in der Haut sitzt, hilfreich sein, auf der gegenüberliegenden Hautseite den Faden zu durchtrennen (► Abb. 4-14).
- Wunden im Kopf- und Halsbereich heilen schneller und weisen früher eine Festigkeit auf als Wunden im Rumpf- und Extremitätenbereich. Folgende Verweildauern der Fäden können für den Normalfall angenommen werden:
  - Gesicht und Hals: 4–6 Tage
  - Rumpf- und Leistenregion: 8–10 Tage
  - obere Extremität: 10–12 Tage
  - untere Extremität: 12–14 Tage

  Tatsächlich sollen diese Angaben nur als Richtwerte gesehen werden. Im Zweifelsfall, z. B. bei kritischen Wundverhältnissen, können Fäden auch länger verweilen. Bei Unsicherheit ist es ratsam, den Patienten beim zuvor behandelnden Chirurgen vorzustellen.

Umgang mit Komplikationen

Sollte es unbeabsichtigt zum Verbleiben eines Fadenrestes in der Haut oder dem Unterhautfettgewebe kommen, weil z. B. beide Fäden eines Knotens auf Hautniveau abgetrennt wurden, kann dieser belassen werden. Der Versuch, den Faden komplett zu entfernen, richtet häufig mehr Gewebeschaden an. Im Verlauf schimmert der Faden in vielen Fällen durch die Haut und kann dann durch eine vorsichtige Hautinzision entfernt werden.

4.6 Kleben von Wunden

Bertram Illert, Hanno von Koschitzky und Kirsten Börner

Hintergrund

Die Versorgung kleinerer Wunden mittels Kleber stellt mitunter eine gute Alternative zu den Nahttechniken dar. Wesentliche Vorteile sind dabei die weitgehend schmerzfreie Adaptation der Wundränder und der dadurch mögliche

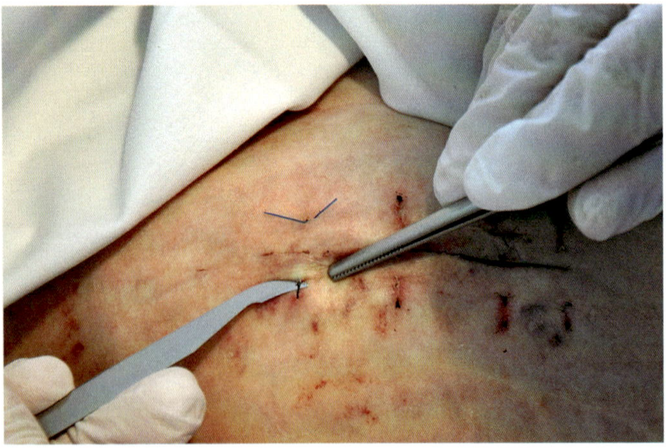

Abb. 4-14 Durchtrennen des Fadens einer Donati-Rückstichnaht bei sehr tief in der Haut liegendem Knoten

Verzicht auf eine lokale Betäubung. Zudem entfällt die Entfernung von Fadenmaterial. Gerade bei der Wundversorgung von kleinen Kindern kann dies von großem Vorteil sein.

Indikation

Eine typische Indikation stellen unkomplizierte, oberflächliche Hautwunden dar, die sauber und nicht infiziert sind, wie z. B. kleinere traumatische Lazerationen oder Inzisionen (► Abb. 4-15).

Kontraindikationen

- weit klaffende Wunden, die unter Spannung stehen
- stark zerfetzte Wundränder
- stark blutende Wunden
- Infektionen
- chronische Wunden
- Schleimhäute oder Übergangsbereiche zu Schleimhäuten
- bekannte Unverträglichkeiten gegen Inhaltsstoffe (Cyanoacrylat, Formaldehyd)

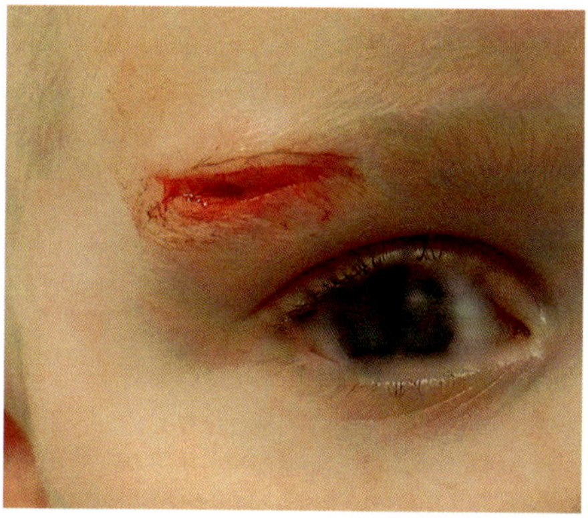

Abb. 4-15 Unkomplizierte Augenbrauenplatzwunde eines Kindes; ideal geeignet für eine Wundklebung (Foto: Hanno von Koschitzky)

Aufklärung

- unzureichende Adaptation
- ggf. sekundär notwendige chirurgische Naht
- allergische Reaktion
- Infektion

Benötigtes Instrumentarium

- Hautkleber (Cyanoacrylat, z. B. Dermabond™; Histoacryl, z. B. Epiglu®)
- Handschuhe
- Kompressen
- ggf. Klammerpflaster

Durchführung

1. Es gelten zunächst die gleichen Bedingungen wie für die chirurgische Wundversorgung. Das bedeutet, die Wunden sollten sorgfältig gereinigt und desinfiziert werden. Die zu klebende Haut sollte trocken sein.
2. Der Patient wird in eine bequeme Lagerung gebracht. Die Wunde sollte dabei flach bzw. horizontal gelagert sein, um ein Verlaufen des Klebers bis zum kompletten Aushärten zu vermeiden. Bei Kindern sollte ggf. die zu klebende Region (z. B. Kopf, Hände) durch Halten gegen unbeabsichtigte Bewegung fixiert werden.
3. Der Kleber wird in dünnen Schichten aufgetragen.

> **!** Der Kleber darf nicht in die Wunde gelangen, sonst kann diese nicht verheilen und es entwickelt sich eine Wundheilungsstörung!
> Auf eine sorgfältige Adaptation der Wundränder ist zu achten, da nach dem Aushärten (innerhalb von Sekunden!) keine Korrektur der Wundränder mehr möglich ist.

4

Nachsorge

Wundkontrollen abhängig von der Lokalisation, Compliance des Patienten und Wundgröße sind erforderlich. Klammerpflaster werden für einige Tage oder bis zum spontanen Ablösen belassen.

Tipps und Tricks

- Beim Kleben sollten Handschuhe getragen werden.
- Die Wunde sollte während des Klebens und der Aushärtung bewegungsfrei gelagert sein und horizontal liegen, da der Kleber sehr leichtflüssig ist und dementsprechend verlaufen kann.
- Es muss darauf geachtet werden, dass der Kleber nicht in die Umgebung der Wunde gelangt. Dies ist insbesondere im Gesichtsbereich wichtig.
- Durch zusätzliches Aufbringen von Klammerpflastern wird die Adaptation der Wunde gefördert. Ist die Wunde von Hand nicht gut zu adaptieren, kann auch vor dem Kleben schon unterstützend ein Klammerpflaster eingesetzt werden (► Abb. 4-16).
- Bei kleinen Kindern sollte ggf. die zu versorgende Region (z. B. Kopf) gut festgehalten werden, um ein plötzliches Bewegen während des Klebevorgangs zu vermeiden.
- Durch zusätzlich aufgebrachte Pflaster kann die Wunde nach dem Kleben geschützt werden. Pflaster sollten aber erst nach vollständiger Trocknung des Klebers (ca. 5 min) aufgebracht werden.
- Es sollten keine Salben oder flüssige Medikamente auf die geklebte Wunde aufgebracht werden, da diese die Wundheilung beeinflussen und stören können. Dies kann zu Wundheilungsstörungen und vermehrter Narbenbildung führen.
- Nach der Polymerisation des Hautklebers entsteht ein Film. Dieser darf nicht abgezogen werden, da dadurch die Klebewirkung abgeschwächt oder aufgehoben werden kann, sodass die Wunde evtl. wieder aufgehen könnte.

Umgang mit Komplikationen

Wenn sich die Wunde durch Klebung nicht adäquat adaptieren lässt, ist es erforderlich, die Wunde mit einer Naht zu verschließen.
Bei Infektionen sollte die Wunde revidiert werden, die Wundränder sollten angefrischt und neu vernäht werden. Ist dies nicht mehr möglich, so ist u. U. nur eine sekundäre Wundheilung möglich.

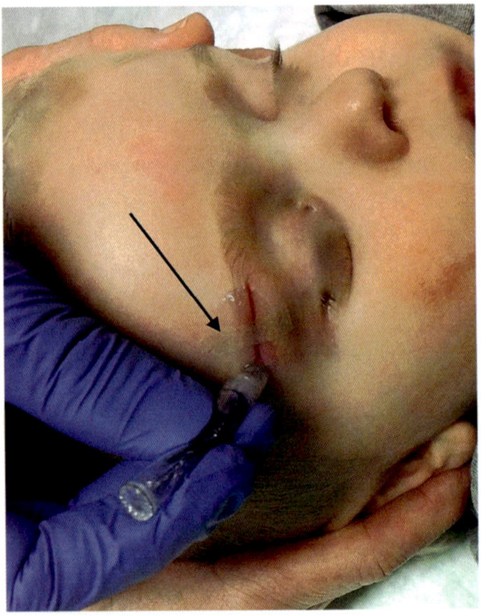

Abb. 4-16 Wundklebung.
Der Kopf des Kindes ist seitlich durch Hände eines Helfers gesichert. Die leicht klaffende Wunde wurde vorab durch ein Klammerpflaster (Pfeil) adaptiert. Der Kleber wird in dünnen Schichten aufgetragen (Foto: Hanno von Koschitzky).

Diese hat einen verzögerten Heilverlauf und meist eine kosmetisch weniger zufriedenstellende Abheilung zur Folge. Daher ist bei der primären Versorgung der Wunde größte Sorgfalt erforderlich.

4.7 Lipomentfernung

Kirsten Börner und Bertram Illert

Hintergrund

Ein Lipom ist eine gutartige Neubildung des Fettgewebes und prozentual der am häufigsten vorkommende Weichteiltumor. Zum größten Teil treten Lipome im subcutanen Gewebe auf. Die Geschwulst ist gegen den Untergrund verschieblich und klar abgegrenzt.

! Eine nicht verschiebliche Schwellung oder ein Rezidiv nach erfolgter Lipomentfernung bedürfen der Abklärung durch Schichtaufnahmen, da eine bösartige Veränderung (z. B. Liposarkom) vorliegen kann.

Im Normalfall machen Lipome keine Beschwerden, können aber ab einer gewissen Größe als störend empfunden werden, durch Reibung zu Hautirritationen oder durch Druck auf Nerven zu Schmerzen führen. Derartige Lipome sollten in einer chirurgischen Abteilung entfernt werden.

Indikationen

- Wunsch des Patienten bzw. kosmetischer Eingriff
- mechanische Irritation
- gut erreichbare Lokalisation des Lipoms
- Abklärung der Dignität durch histologische Untersuchung

Kontraindikationen

- Lage und Größe, die eine Entfernung in Lokalanästhesie nicht zulassen
- infizierte Umgebung
- unklare Dignität (z. B. bei Nichtverschieblichkeit, harter Oberfläche): hier Vorschalten von Diagnostik vor Entfernung

Aufklärung

- Verletzung von Nachbarstrukturen, Nerven und Gefäßen
- Blutung
- Wundheilungsstörungen
- Infektion
- Hämatombildung
- Serombildung
- Notwendigkeit von Folgeeingriffen (z. B. Nachresektion)
- Rezidiv

Benötigtes Instrumentarium

- Desinfektionsmittel
- sterile Abdeckung, sterile Handschuhe
- Lokalanästhetikum, Spritze und Kanüle
- Skalpell
- Präparierschere (z. B. Metzenbaum-Schere)
- chirurgische Pinzette
- Nadelhalter
- Subcutannaht
- Hautnaht
- ggf. nichtresorbierbares Nahtmaterial als Haltefäden
- ggf. Klemmchen
- ggf. Redondrainage
- Pflaster

Durchführung

1. Bei der Entfernung eines Lipoms empfiehlt es sich, im Verlauf der

Hautspaltlinien zu schneiden. Ein Zusammenschieben der Haut vor dem Eingriff zeigt dabei den Verlauf der Hautspaltlinien (► Abb. 4-17).
2. Die Schnittführung und das zu entfernende Gewebe kann vorher mit einem sterilen Hautmarkierungsstift angezeichnet werden.
3. Die Haut wird sorgfältig desinfiziert, der Operationsbereich steril abgedeckt.
4. Ein Lokalanästhetikum wird appliziert.
5. Die Hautinzision erfolgt direkt über der Geschwulst.
6. Vorsichtig wird durch Spreizen des Gewebes präpariert; das Lipom wird *in toto* entfernt. Dieses kann auch durch Druck exprimiert werden.
7. Häufig hat das Lipom einen Gefäßstiel, welcher mit einer resorbierbaren Naht (► Abschn. 4.4) unterbunden wird, um Nachblutungen zu vermeiden.
8. Eventuell bestehende Blutungen werden gestillt.
9. Bei einer größeren Wundhöhle empfehlen sich die Einlage einer Redondrainage und ein zweischichtiger Verschluss mit Subcutan- und Hautnähten.

Das entfernte Gewebe muss grundsätzlich zur histologischen Untersuchung eingeschickt werden!

Nachsorge

- Beurteilung der Wunde 1. Tag postoperativ
- Wiedervorstellung bei Problemen
- Fadenentfernung je nach Körperregion (► Abschn. 4.5)

Tipps und Tricks

Auch Atherome können in einer Hausarztpraxis problemlos entfernt werden. Hier ist es umso wichtiger, diese *in toto* ohne Eröffnung des Atheroms zu entfernen. Verbliebene Anteile der Atheromkapsel, die häufig sehr zart ist, können sehr schnell zu Rezidiven und Komplikationen führen.

Bei infizierten und vereiterten Atheromen ist auch ein zweizeitiges Vorgehen möglich. Zunächst erfolgt eine Abszess-

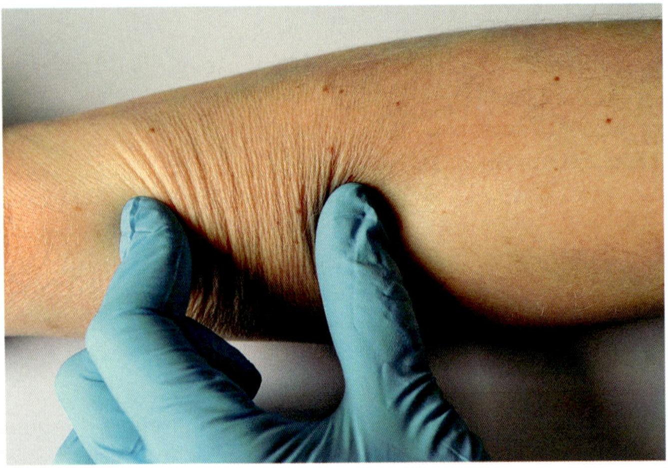

Abb. 4-17 Hautspaltlinien.
Unter Zusammenschieben der Haut bildet sich eine Fältelung; diese zeigt den Verlauf der Hautspaltlinien an.

entlastung und nach Abklingen der Infektion das Entfernen des nun bereits eröffneten Atheroms mit sämtlichen Kapselanteilen.

Umgang mit Komplikationen

Bei Rötung der Wunde sollte zunächst versucht werden, diese zu kühlen. Bei Fluktuation beim Betasten der Wunde empfiehlt es sich, die Naht zu entfernen und die Wunde zu eröffnen. Danach sollten engmaschige Wundkontrollen mit zu Beginn täglicher, dann zweitäglicher Spülung erfolgen.

Weiterführende Literatur

Schumpelick V, Kasperk R, Stumpf M. Operationsatlas Chirurgie. 4. Aufl. Stuttgart: Thieme 2013.

4.8 Entfernung von pigmentierten Hautveränderungen

Kirsten Börner und Bertram Illert

Hintergrund

Umwelteinflüsse und Sonneneinstrahlung führen zu unterschiedlichen, auch pigmentierten Hautveränderungen. Im Rahmen des Hautkrebs-Screenings werden bereits bestehende Pigmentflecken, die sich in Größe und Form verändert haben, sowie neu aufgetretene Pigmentierungen untersucht. Ziel ist es, Melanome oder Präkanzerosen frühzeitig zu entfernen. Die Beurteilung erfolgt nach der ABCD-Regel:

- Asymmetrie: ungleichmäßige bzw. unregelmäßige Form
- Begrenzung: unscharfer, ausgefranster, verwaschener Rand mit Ausläufern
- Color: Farbveränderungen, mehrere Farbtönungen
- Durchmesser: > 5 mm

Verdächtige Läsionen können durch eine Exzision entfernt und histologisch abgeklärt werden.
Auch bei einer permanenten mechanischen Reizung der Pigmentierung durch z. B. Kleidung oder Schmuck besteht die Indikation zur Entfernung eines Pigmentflecks.

Indikationen

- Abklärung der Dignität durch histologische Untersuchung
- mechanische Irritation einer bestehenden Pigmentierung
- Wunsch des Patienten bzw. kosmetischer Eingriff

Kontraindikationen

Bei besonders großen Hautveränderungen besteht bei kompletter Exzision die Gefahr, dass kein primärer Wundverschluss erfolgen kann. Daher sollte die Exzision von großen Hautveränderungen in fachchirurgische Hände gegeben werden.
Die operative Therapie von malignen Melanomen gehört in die Hand des Spezialisten.

Aufklärung

- Blutung
- Verletzung von Nachbarstrukturen, Nerven und Gefäßen
- Wundheilungsstörung
- Narbenbildung
- mögliche Malignität
- Rezidiv
- Nachresektion

Benötigtes Instrumentarium

- Desinfektionsmittel
- sterile Handschuhe, sterile Abdeckung
- Lokalanästhetikum, Spritze, Kanüle
- Skalpell
- Präparierschere
- chirurgische Pinzette
- Nadelhalter
- Kompressen
- Subcutannaht
- Hautnaht
- Pflaster

Durchführung

1. Die Haut wird sorgfältig desinfiziert.
2. Der Operationsbereich wird steril abgedeckt.
3. Ein Lokalanästhetikum wird appliziert.
4. Das Hautareal wird weitestgehend im Verlauf der Hautspaltlinien nach Langer (► Abschn. 4.7) spitz-ovalär ausgeschnitten. Exzidierte Hautspindeln müssen mind. doppelt so lang wie breit sein, um eine problemlose Adaptation der Haut zu gewährleisten. Bei V. a. eine maligne Entartung ist ein Sicherheitsabstand zu berücksichtigen.
5. Das pigmentierte Hautareal wird unter leicht trichterförmiger Mitnahme des Subcutangewebes exzidiert.
6. Die Wundränder werden mobilisiert, um einen spannungsfreien Wundverschluss zu ermöglichen.
7. Die Wunde sollte zunächst ggf. mit einer Subcutannaht, dann mit einer Hautnaht verschlossen werden.

Bei V. a. maligne Veränderungen ist das Präparat mit Fäden zu kennzeichnen. Auch eine Fotodokumentation vor Entfernung kann hilfreich sein.

Nachsorge

- Beurteilung der Wunde 1. Tag postoperativ
- Wiedervorstellung bei Problemen
- Fadenentfernung je nach Körperregion (► Abschn. 4.5)

Tipps und Tricks

Der Patient sollte während der Exzision je nach Körperregion bequem sitzen oder liegen. Gleichzeitig muss das Operationsfeld für den Operateur optimal erreichbar sein. Es sollte immer Assistenzpersonal zugegen sein, welches ggf. weitere sterile Materialien anreichen kann.

Umgang mit Komplikationen

Bei malignen Veränderungen, die nicht in toto entfernt wurden, gehört die Nachresektion in fachchirurgische Hände. Zum Umgang mit postoperativer Infektion ► Abschnitt 4.7 Umgang mit Komplikationen.

Weiterführende Literatur

Deutsche Krebsgesellschaft, Deutsche Krebshilfe, AWMF. S3-Leitlinie »Prävention von Hautkrebs«. Stand: April 2014. www.awmf.org/uploads/tx_szleitlinien/032-052OLl_Prävention_von_Haut krebs_2014-04.pdf (letzter Zugriff: 06.06.2016).

Schumpelick V, Kasperk R, Stumpf M. Operationsatlas Chirurgie. 4. Aufl. Stuttgart: Thieme 2013.

4.9 Wunddébridement

Kirsten Börner und Bertram Illert

Hintergrund

Definitionen Wunddébridement bedeutet die Reinigung einer Wunde, bei der avitales, oft infiziertes und nicht heilendes Gewebe entfernt wird. Bei chronischen Wunden sollen dabei der Wundgrund für die weitere Heilung vorbereitet und das Fortschreiten einer Infektion verhindert werden. Ziel ist, eine Wunde mit einer vollständigen Epithelialisierung der Wundfläche ausheilen zu lassen oder einen Wundgrund zu schaffen, der eine Sekundärnaht oder eine Deckung, z. B. mit einer Meshgraft-Plastik oder einem Vollhauttransplantat, erlaubt. Somit sollen die Wundheilungsdauer verkürzt, ein dauerhafter Wundverschluss sowie eine möglichst hohe Lebensqualität und Zufriedenheit des Patienten erreicht werden. Die Definitionen des Begriffs »chronische Wunde« gehen je nach Leitlinien auseinander. So werden für die Definition einer chronischen Wunde Zeiträume von 4 bis 8 Wochen angegeben, in denen eine Wunde nicht zur Abheilung gekommen ist.

Formen der Wundheilung Es werden zwei Formen der Wundheilung unterschieden:

- **primäre Wundheilung:** Eine primäre Wundheilung findet bei glatten Wundrändern, die eng aneinanderliegen, statt. Eine gute Durchblutung und saubere Wundverhältnisse sind hierfür notwendig. Derartige Wundverhältnisse bestehen bei Wunden, die im Rahmen von Verletzungen durch scharfkantige Gegenstände oder bei chirurgischen Eingriffen entstanden sind.
- **sekundäre Wundheilung:** Bei kontaminierten Wunden mit nekrotischen, ausgefransten oder schlecht durchbluteten Wundrändern oder einem Gewebedefekt heilen Wunden sekundär. Der Defekt wird mit Granulationsgewebe aufgefüllt und die Wunde epithelialisiert. Am Rand bildet sich ein feines Häutchen, dieses muss beim Débridement geschont werden (► auch Abb. 4-18a, b).

Voraussetzungen Bevor ein Wunddébridement durchgeführt wird, muss zunächst die Ursache für eine Wundheilungsstörung abgeklärt und behandelt werden.

Um die Heilung einer Wunde sicherzustellen, muss eine ausreichende Durchblutung des vitalen Gewebes gewährleistet sein. Bei der **peripheren arteriellen Verschlusskrankheit (pAVK)** steht somit eine Revaskularisation *vor* dem chirurgischen Débridement. Beim **diabetischen Fußsyndrom** muss parallel eine Verbesserung der Blutzuckereinstellung versucht werden, das (ggf. vorhandene orthopädische) Schuhwerk muss auf mögliche Druckstellen untersucht bzw. angepasst werden. Eine **chronisch venöse Insuffizienz** sollte operativ saniert bzw. mit einer Kompressionstherapie behandelt werden. Bei nicht ausreichender Heilungstendenz ist eine erneute differenzialdiagnostische Abklärung (z. B. Malnutrition) zu erwägen, ggf. ist eine weitere fachspezifische Behandlung anzustreben.

Bei einer 6 Wochen lang behandelten Wunde ohne Heilungstendenz mit auffälliger morphologischer Struktur ist eine Probe zur histologischen Untersuchung zu entnehmen, um eine vaskulitische oder maligne Erkrankung auszuschließen.

Arten Das Débridement kann auf unterschiedliche Weise erfolgen:

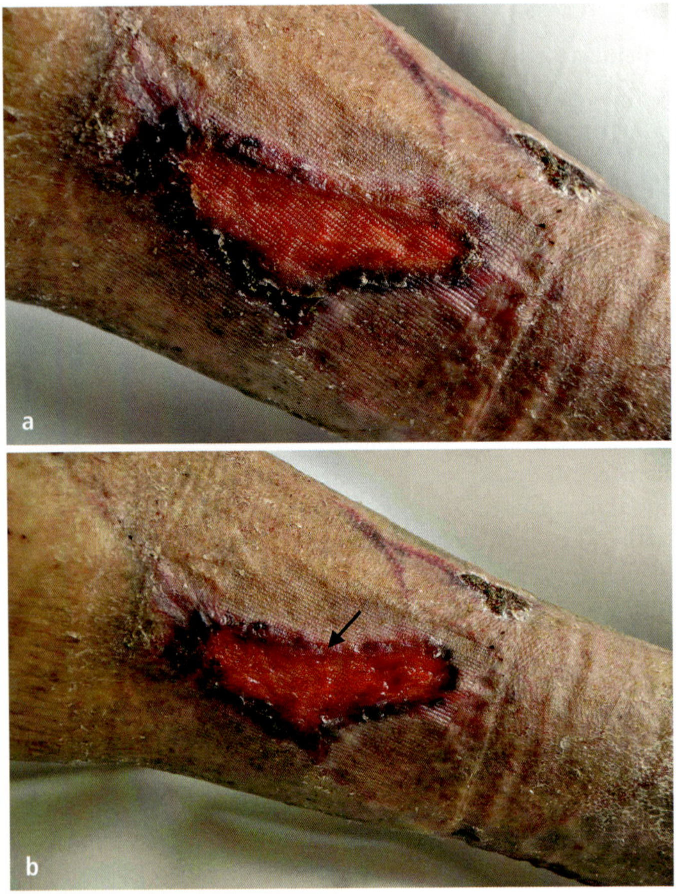

Abb. 4-18 Wunde vor (**a**) und nach mechanischer Reinigung (**b**). Nach mechanischer Reinigung ist das feine Häutchen (Pfeil) – die Epithelialisierung vom Wundrand – gut zu erkennen.

- chirurgisch
- mechanisch
- enzymatisch
- autolytisch
- biochirurgisch

In diesem Abschnitt wird auf die **chirurgische** – bis *in* intakte anatomische Strukturen – und die **mechanische** Reinigung einer Wunde – eine gewebeschonendere Möglichkeit zur Entfernung des Biofilms und Zelldetritus bis *an* intakte anatomische Strukturen unter Erhalt des Granulationsgewebes – eingegangen.

Die **enzymatische** Wundreinigung ist in der modernen Wundbehandlung in den Hintergrund getreten. **Autolytische** Wundreinigung wird durch Wundauflagen erzielt, die abgestorbenes Gewebe leichter entfernen lassen. Das **biochirurgische** Débridement durch Larven ist mit aufwendigen Verbandwechseln einem stationären Patienten vorbehalten.

Eine weitere Unterscheidung ist möglich in *aktive periodische* Wundreinigung und *passive periodische* Wundreinigung. Die aktive periodische Wundreinigung findet im Rahmen der Verbandwechsel mit mechanischer Reinigung und Spülung statt. Bei der passiven periodischen Wundreinigung findet ein fortlaufender Reinigungsprozess unter dem Verband statt. Hierzu zählen Hydrogele und Fliegenlarven.

Vorbereitung Vor jedem Débridement ist möglichst für eine *Schmerzfreiheit* bzw. *-armut* zu sorgen. Dies kann mit oraler analgetischer Medikation erfolgen oder mit lokalanästhesiehaltigen Cremes (z. B. solche mit Lidocain und Prilocain, z. B. Emla® Creme), die mit ausreichend langer Einwirkzeit vor dem Eingriff auf die Wunden aufgetragen werden. Die Wirkung dieser Cremes setzt nach ungefähr einer halben bis einer Stunde ein. Bei parallel bestehender Polyneuropathie kann eine analgetische Therapie ggf. entfallen.

Dokumentation Sinnvoll ist eine Wunddokumentation. Diese umfasst die Diagnose, die Wundlokalisation, eine Größenbestimmung der Wunde, die Beschreibung des Wundrands, der Wundumgebung, die Beschaffenheit des Wundgrunds und die Angabe über Wundgeruch, Entzündungszeichen und Schmerzen.

Indikationen

Chirurgisches Débridement

- lokale Entzündungszeichen
- von der Wunde ausgehende systemische Infektionserkrankung
- großflächige Nekrosen, Nekrosenanteile und Beläge

Mechanisches Débridement

- Behinderung der Wundheilung durch Beläge, Detritus, avitales Gewebe

Kontraindikationen

Bei pAVK dürfen trockene Nekrosen ohne Infektionszeichen *nicht* entfernt werden.

Aufklärung

Beim *chirurgischen* Débridement können folgende Komplikationen auftreten, über die aufgeklärt werden sollte:

- Verletzung von Nerven und Gefäßen
- Blutung
- Voranschreiten einer Infektion

Beim *mechanischen* Débridement ist eine Aufklärung im eigentlichen Sinne nicht notwendig. Sinnvoll ist das Erklären des Vorgehens, um den Patienten zu beruhigen.

Benötigtes Instrumentarium

Mechanisches Débridement

- Kompressen
- unsterile, bei tieferen Wunden ggf. sterile Handschuhe
- Spüllösung (0,9%ige NaCl-Lösung; ggf. antiseptische Lösungen [Octenidin, Phenoxyethanol, z. B. Octenisept®])
- Wundrand- und Umgebungsschutz zur Vorbeugung von Austrocknung und Mazeration des Wundrands und der Wundumgebung mit Salben oder Sprays (z. B. ureahaltige Salben, Hautschutzsprays und -salben, z. B. Cavilon™ oder Cutimed® protect)
- ggf. scharfer Löffel

Chirurgisches Débridement

Zusätzlich werden beim chirurgischen Débridement benötigt:

- Skalpell
- Kürette
- scharfer Löffel

Durchführung

1. Zu Beginn der Behandlung einer Wunde ist die Entnahme eines Abstriches für die Mikrobiologie zu empfehlen. Eine systemische Behandlung

mit einem Antibiotikum ist nicht zwangsweise erforderlich, da der auf der Wunde bestehende Biofilm mit Keimen besiedelt ist und das Débridement die Therapie der Wahl ist. Bei Fortschreiten der Infektion ist allerdings antibiogrammgerecht eine antibiotische Therapie einzuleiten.

2. Die *initiale* Wundreinigung einer chronischen Wunde sollte *chirurgisch* erfolgen, die weitere Reinigung mechanisch (▸ Abb. 4-18a, b).

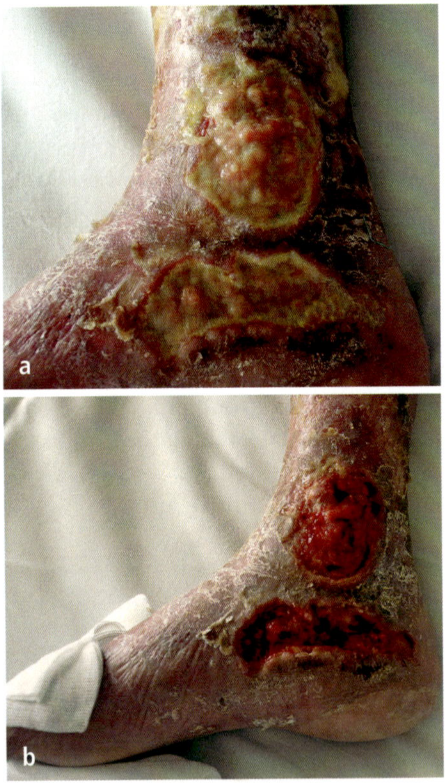

Abb. 4-19 Gemischt arteriell-venöses Ulcus mit schmierig belegter Wunde *vor* chirurgischem Débridement (**a**) und *nach* chirurgischem Débridement (**b**). Wichtig ist die Pflege der umgebenden Haut.

3. Nach ausreichender Analgesie erfolgt ggf. die Dekontamination durch Behandlung mit antiseptischer Spüllösung, z. B. durch Auflegen getränkter Kompressen.
4. Nekrosen, avitales Gewebe und der Biofilm werden mithilfe eines scharfen Löffels, ggf. Skalpells, soweit der Patient es toleriert, entfernt (▸ Abb. 4-19a, b).

! Trockene Nekrosen bei pAVK ohne Infektionszeichen müssen belassen werden.

5. Bevor ein neuer Verband angelegt wird, ist für ausreichenden Wund- und Umgebungsschutz zu sorgen (▸ Abschn. Benötigtes Instrumentarium).

Nachsorge

Eine regelmäßige Wundreinigung ist zwingend erforderlich.

Eine chronische Wunde braucht viel Zeit und Pflege!

Tipps und Tricks

Gesundes Gewebe kann *nicht* mit einem »scharfen Löffel« entfernt werden.

Umgang mit Komplikationen

Aus Sorge, gesundes Gewebe zu zerstören, werden Wunden häufig durch den chirurgisch Unerfahreneren nicht gesäubert. Die Komplikationen sind jedoch sehr gering. Sollte es zu einer Blutung kommen, kann diese durch Druck mit Kompressen gestillt werden.

Weiterführende Literatur

Deutsche Gesellschaft für Wundheilung und Wundbehandlung. Kurzfassung

S3-Leitlinie »Lokaltherapie chronischer Wunden bei Patienten mit den Risiken periphere arterielle Verschlusskrankheit, Diabetes mellitus, chronische venöse Insuffizienz«. Stand: September 2014. http://dgfw.de/web/files/2014_S3_Kurzfassung_CVI_PAVK.pdf (letzter Zugriff: 06.06.2016).

Michelsen A, Kujath P. Grundlagen der Wundversorgung in Klinik und Praxis. Krankenh.hyg. up2date 2014; 09: 265–81.

4.10 Entfernen von Fremdkörpern

Bertram Illert und Kirsten Börner

Hintergrund

Fremdkörper in Fingern, Händen oder Füßen sind ein häufiger Beratungsanlass in der allgemeinmedizinischen Hausarztpraxis, es können jedoch alle Körperregionen betroffen sein. Besonders in den Sommermonaten steigt die Zahl solcher Verletzungen durch häufigen Aufenthalt im Freien, Tätigkeit im Garten oder Barfußlaufen (► Abb. 4-20).

Bei Fremdkörperverletzungen ist neben Tetanusschutz ggf. auch auf eine Antibiotikatherapie zu achten!

Darüber hinaus sind bei handwerklich Tätigen eingedrungene Fremdkörper in Form von Metall-, Stein-, Holz- oder Glassplittern häufig zu finden. Solche Befunde sind mitunter Zufallsbefunde bei Röntgenuntersuchungen der Hände oder Finger und erfordern bei Beschwerdefreiheit keine Entfernung der Fremdkörper. Ähnliches gilt für lange bestehende und oftmals schon bekannte Fremdkörper infolge kriegsbedingter Verletzungen (z. B. Granatsplitter).

4

Indikationen

- frisch eingedrungener Fremdkörper
- bestehende oder drohende Infektion
- Schmerzen; gilt auch für länger bestehende Fremdkörper

Kontraindikationen

- ausgedehnte Infektion (stationär oder unter i. v. Antibiose)

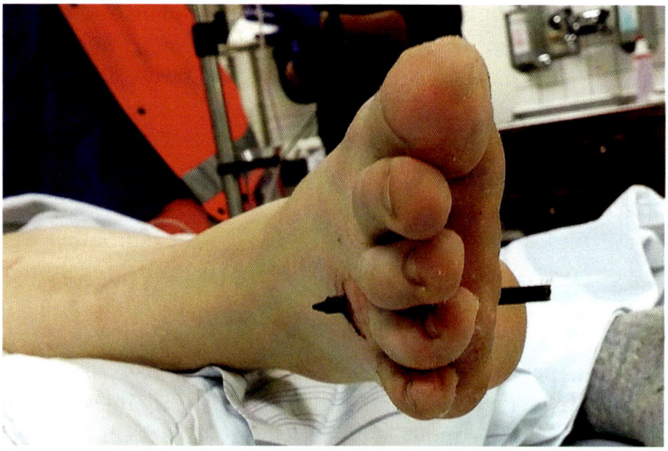

Abb. 4-20 Penetrierender Metallnagel durch den Vorfuß nach Barfußlaufen

- Blutungsneigung bzw. Antikoagulation
- tief eingedrungene Fremdkörper

Aufklärung

- unvollständige Entfernung
- weitere Eingriffe, ggf. Entfernung in Narkose
- Infektion
- Gefäß- und Nervenverletzungen

Benötigtes Instrumentarium

- chirurgisches Basis-Set bzw. Wundversorgungs-Set
- ggf. lokale Betäubung
- ggf. Splitterpinzette

Durchführung

1. Vor jeder Maßnahme ist eine sorgfältige *Inspektion* der Wunde erforderlich. Sofern die Inspektion der Wunde keinen eindeutigen Hinweis auf die Art des Fremdkörpers gibt, darauf wie tief die Wunde und der Fremdkörper reichen und ob es sich um einen oder mehrere Bestandteile handelt, sollte eine gezielte *Anamnese* erfolgen. Diese kann hilfreich sein, um nähere Umstände (Verschmutzung, Untergrund, Unfallhergang) zu erfahren.
2. Fremdkörper, die an der Oberfläche sicht- und tastbar sind, können oftmals bereits durch *einfachen Zug* entfernt werden. Die Zugrichtung sollte der Eindringrichtung entgegengesetzt sein, um dadurch Hebelwirkungen auf und durch den Fremdkörper zu vermeiden. Eine lokale Betäubung ist meist nicht vonnöten. Schmerzen sind nach der Entfernung des Fremdkörpers meist bereits deutlich reduziert.
3. Schwieriger wird es, wenn der Fremdkörper in der Wunde nicht sichtbar ist. Dann ist eine den Umständen entsprechende *Wundrevision* erforderlich. Dafür kann eine lokale Betäubung erforderlich sein. Die Art der lokalen Betäubung sollte sich nach der Lokalisation richten (z. B. Feldblockanästhesie, Oberst-Leitungsanästhesie).
4. Handelt es sich um eine *penetrierende Fremdkörperverletzung*, so sollte die Entfernung in der Richtung erfolgen, bei der möglichst kein weiteres oder größeres Trauma entsteht. Prinzipiell sollte versucht werden, mit kleinstmöglichem Trauma zu arbeiten. Es kann ggf. notwendig sein, einen Teil eines Fremdkörpers abzutrennen, um dann den verbliebenen Rest des Fremdkörpers aus der Wunde zu entfernen. Angelhaken sollten aufgrund ihrer Widerhaken am besten in Einstichrichtung entfernt werden, ggf. auch mittels einer Gegeninzision. Ähnliches gilt für penetrierende Fremdkörper wie z. B. Nägel, die großteils schon durchgedrungen sind. So kann es u. U. weniger traumatisch sein, den Fremdkörper komplett durch die Wunde zu entfernen, als ihn zurückzuziehen.

Nachsorge

Nach Entfernung des Fremdkörpers wird die verletzte Region auf ihre Funktion (Motorik, Sensibilität) untersucht. Kleine, oberflächennahe Fremdkörper, die nicht verschmutzt waren und die problemlos entfernt werden konnten, bedürfen keiner weiteren Nachsorge.

Bei ausgedehnteren, verschmutzten oder tief eingedrungenen Fremdkörpern sind nach der Entfernung lokale Wundkontrollen zu empfehlen: initial nach 24 h und im weiteren Verlauf je nach klinischem Befund.

Bei bestehender oder drohender Infektion der Weichteile kann ein orales Antibiotikum aus der Gruppe der *Cephalosporine* (Cefpodoxim, z. B. Orelox®, Podomexef®) oder ein *β-Lactam-Antibiotikum* (Amoxicillin und Clavulansäure, z. B. Augmentan® oder Sulbactam und Ampicillin, z. B. Unacid®) indiziert sein.

Bei verschmutzten Wunden ist immer auf einen ausreichenden Tetanusschutz zu achten und ggf. sind auch Dreifach- oder Vierfachimpfungen, je nach Impfstatus, zu ergänzen.

Tipps und Tricks

- Auf *vollständige* Entfernung der Fremdkörper ist zu achten (► Abb. 4-21).
- Länger anhaltende Wundheilungsstörungen können auf verbliebenes Fremdmaterial hinweisen. Dann kann eine Röntgen(weichteil)aufnahme hilfreich sein, sofern es sich um strahlendichtes Material handelt. Eine erneute chirurgische Exploration unter optimalen Bedingungen, d. h. insbesondere Schmerzfreiheit, ausreichendes Instrumentarium und vernünftige Arbeitsumgebung, sollte ggf. erfolgen. Ist eine ausreichende Exploration der Wunde hausärztlich nicht möglich, muss der Patient zur weiteren Behandlung an jemanden mit entsprechender Expertise weitergeleitet werden.
- Eine funktionelle Ruhigstellung nach der Fremdkörperentfernung, z. B. durch Verband oder Schiene, kann hilfreich sein und sowohl Schmerzen im Verlauf reduzieren als auch einer Infektionsausbreitung vorbeugen.
- Sofern ein Fremdkörper in der Praxis nicht entfernt werden kann, sollte er steril abgedeckt und fachchirurgisch weitergeleitet werden.

Umgang mit Komplikationen

Zu den möglichen Komplikationen einer Fremdkörperentfernung gehören der Verbleib von Restfremdkörpern und Entzündungen. Eine erneute Revision, ggf. auch in Narkose, ist möglich. Der Patient sollte bei Bedarf rechtzeitig an einen Chirurgen überwiesen werden.

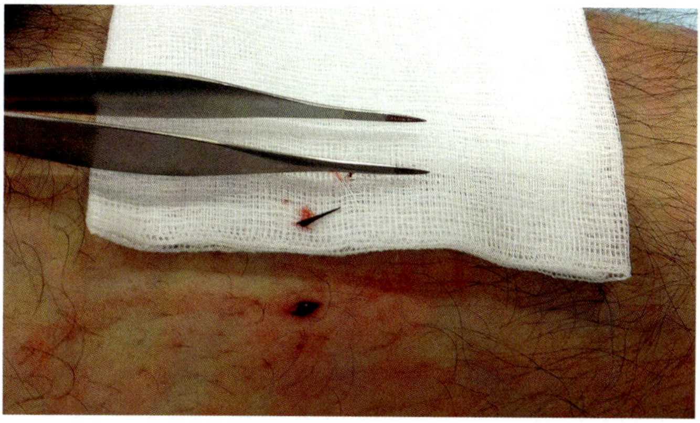

Abb. 4-21 Fremdkörperverletzung an der Tibiavorderkante bei der Gartenarbeit. Der eingedrungene Weißdornstachel wurde komplett entfernt (Foto: Dr. Christoph Grobe).

4.11 Entlastung eines subungualen Hämatoms

Bertram Illert und Kirsten Börner

Hintergrund

Verletzungen durch Einklemmungen oder Quetschungen im Bereich der Fingerendglieder treten gerade bei Kindern häufig auf. Kommt es dabei zu Einblutungen unter den Nagel, so führt die damit einhergehende Schwellung zu einer heftigen Schmerzverstärkung. Durch eine zügige Entlastung kann eine sofortige Schmerzlinderung erreicht werden. Liegt die Verletzung bereits längere Zeit zurück (> 48 h), so sind die Hämatome häufig organisiert, d. h. der Bluterguss ist von teilweise festen Gewebebestandteilen durchsetzt. Diese lassen sich durch Punktion nicht entlasten.

Indikation

Die Entlastung eines subungualen Hämatoms ist bei schmerzhaftem Bluterguss unter dem Nagelbett indiziert.

Kontraindikationen

- grobe Verschmutzung
- mangelnde Compliance
- Verletzung älter als 48 h

Aufklärung

- unvollständige Entlastung
- Infektion
- vorübergehender Verlust des Nagels (bis zum Ersatz durch nachwachsenden Nagel)

Benötigtes Instrumentarium

- Desinfektionsmittel
- sterile Kanüle (gelb)
- Kompressen
- alternativ: Büroklammer und Feuerzeug

Durchführung

1. Der Nagel wird desinfiziert.
2. Es erfolgt mittig über dem Hämatom die Trepanation des Nagels: Durch leicht rotierende Bewegung der Kanüle wird vorsichtig der Nagel durchbohrt, bis das Blut austritt.

Nachsorge

In den ersten Tagen ist darauf zu achten, dass keine Verschmutzung ins Nagelbett gelangt. Da sich der Nagel im Bereich des Hämatoms im Verlauf vom Nagelbett löst, kann es je nach Größe des Hämatoms zum Nagelverlust kommen. Der Nagel sollte so lange wie möglich erhalten werden, da er den besten Schutz für das empfindliche Nagelbett darstellt.

Tipps und Tricks

- Bei der Trepanation ist darauf zu achten, dass man mit der Kanüle nicht das unter dem Nagel gelegene Nagelbett trifft (schmerzhaft!). Dieses Vorgehen sollte dem Patienten genau erklärt werden. Es kann hilfreich sein, bei der Maßnahme einen Sichtschutz für den Patienten einzurichten, um zu verhindern, dass der Patient erschrickt und versehentlich die Extremität zurückzieht.
- Alternativ kann man eine Büroklammer aufbiegen, ein Ende mit einem Feuerzeug bis zur Glut erhitzen und damit den Nagel trepanieren. Diese Form der Trepanation mutet martialisch an, lässt sich aber problemlos durchführen!

Umgang mit Komplikationen

Verschmutzungen des Nagels sollten vermieden werden, da daraus resultierende Infektionen zum vorzeitigen Nagelverlust führen können. Bei Verlust des Nagels sollte das Nagelbett ggf. mit einem Kunstnagel abgedeckt werden.

4.12 Eröffnen eines Abszesses

Bertram Illert und Kirsten Börner

Hintergrund

Abszesse sind Eiteransammlungen in nichtpräformierten Körperhöhlen. Oberflächliche Abszesse können vielfältige Ursachen haben und sich dementsprechend überall am Körper ausbilden (► Abb. 4-22). Häufige Lokalisationen sind behaarte Intertriginärbereiche wie z. B. Achselhöhlen, Leistenregionen oder der Anogenitalbereich. Während die akute Behandlung eines Abszesses oftmals durch eine einfache Entlastung zu einer zügigen Besserung der Beschwerden führt, sollte im weiteren Verlauf die Abszessursache untersucht (z. B. Ausschluss eines Fistelleidens bei perianalen Abszessen, Erstmanifestation eines Morbus Crohn, Acne inversa, parasitäre Ursache) und ggf. eine spezifische Therapie eingeleitet werden.

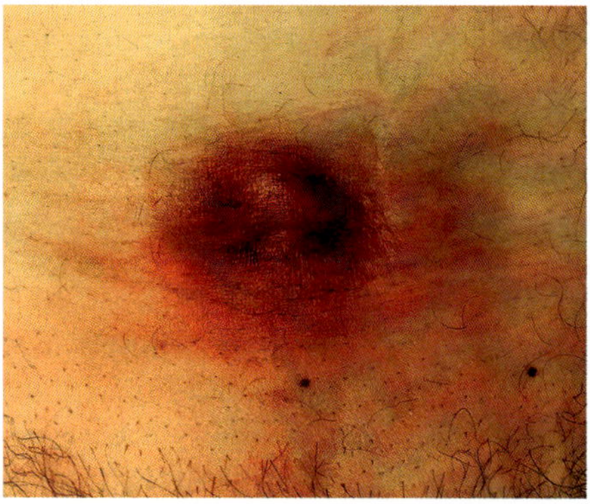

Abb. 4-22 Oberflächlicher Abszess der Bauchwand.
Am Punctum maximum des Abszesses ist die Haut ausgedünnt und scheint hell durch. Die Umgebung ist phlegmonös gerötet und induriert.

Indikation

Das Eröffnen eines Abszesses ist bei oberflächennahen Abszessen mit Fluktuation indiziert.

Kontraindikationen

- tiefliegende Abszesse
- begleitende ausgedehnte phlegmonöse Entzündungen, die einer systemischen intravenösen Antibiotikatherapie bedürfen

Aufklärung

- weiterer Eingriff, ggf. in Narkose
- unvollständige Entlastung, Rezidiv
- Ausbreitung der Infektion mit funktionellen Einschränkungen

Benötigtes Instrumentarium

- Desinfektionsmittel
- Abdeckmaterial
- chirurgisches Basis-Set bzw. Stichskalpell
- Pinzette
- Schere
- Spritze, evtl. mit Knopfkanüle
- physiologische NaCl-Lösung bzw. Aqua ad iniectabilia
- Kompressen, Verbandmaterial

Durchführung

1. Eine lokale Infiltration und Betäubung (► Abschn. 4.2) ist bei akuten Abszessen meist nicht erfolgreich.
2. Sofern der Abszess kurz vor einer Spontanperforation steht und die Haut bereits stark ausgedünnt ist, ist

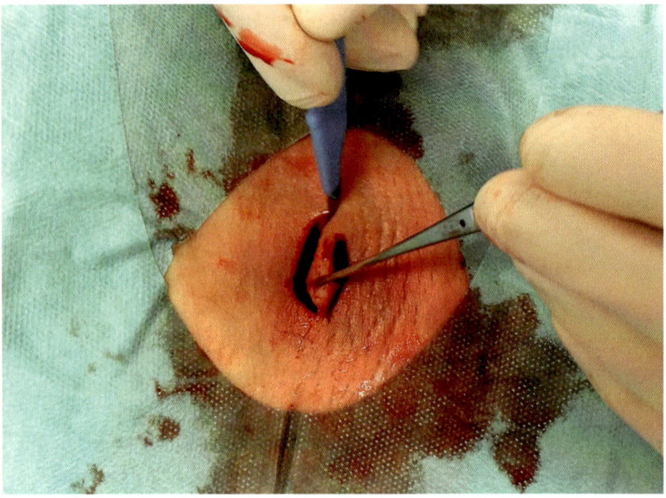

Abb. 4-23 Spindelförmige Hautexzision am Punctum maximum der Abszessvorwölbung. Durch diese Schnittführung bleibt die Wunde leicht klaffend und ein vorzeitiges Verkleben und Verschließen wird verhindert (Foto: Hanno von Koschitzky).

4

der erforderliche Hautschnitt meist nicht schmerzhaft. Eine lokale Betäubung mit einem handelsüblichen Eisspray (Ethylchlorid, z. B. Metacool) kann gute, kurzfristige Schmerzfreiheit erreichen, die ausreichend für die Schnittentlastung ist. Die Abszessentlastung bringt oftmals eine sofortige und erhebliche Schmerzlinderung.

3. Die spindelförmige Hautexzision am Punctum maximum der Abszessvorwölbung ist besser als eine einfache Inzision, da durch die spindelförmige Exzision die Wunde spontan offen bleibt und damit besser abheilen kann (► Abb. 4-23).
4. Nach Eröffnung muss die komplette Entlastung der Wunde abgewartet und die Wunde ausgespült werden.
5. Je nach Wundgröße erfolgt eine digitale Exploration der Wunde, um eventuelle Membranen und Restverhalte zu eröffnen und somit einen kompletten Abfluss zu schaffen.
6. Durch lockeres Einlegen einer salbengetränkten Kompresse (z. B. mit Povidon-Iod, ► auch S. 58) wird die Wunde offen gehalten (► Abb. 4-24).

Eine systemische antibiotische Therapie ist nach suffizienter Entlastung meist nicht erforderlich. Sofern eine ausgedehnte umgebende Weichteilphlegmone besteht, ist eine antibiotische Therapie mit einem *Cephalosporin* (Cefpodoxim, z. B. Orelox®, Podomexef®) oder einem *β-Lactam-Antibiotikum* (Amoxicillin und Clavulansäure, z. B. Augmentan® bzw. Sulbactam und Ampicillin, z. B. Unacid®) zu empfehlen.

Nachsorge

Eine regelmäßige, anfangs engmaschige Wundkontrolle sollte erfolgen. Am Folgetag der Abszessentlastung wird die eingelegte Streifenkompresse entfernt. Danach steht die Wundhöhle meist spontan offen und kann im Verlauf durch Ausduschen mit klarem, fließendem Wasser gereinigt werden.

Bei unzureichender Abheilung oder erneuter Abszedierung ist eine weitere, meist großzügigere Abszessentlastung er-

Abb. 4-24 Nach Entlastung der Abszesshöhle.
Eine Streifentamponade wird locker in die Wunde eingelegt, um ein vorzeitiges Verschließen zu vermeiden (Foto: Hanno von Koschitzky).

4

forderlich. Der Abszessursache ist auf den Grund zu gehen; systemische Krankheiten sollten ausgeschlossen werden (z. B. Diabetes, Morbus Crohn bei wiederholten perianalen Abszessen, Parasitosen).

> Bei wiederholten Abszessen der Perianalregion ist immer eine proktologische Untersuchung erforderlich.

Tipps und Tricks

Eine weitreichende Eröffnung des Abszesses ist zu beachten, da eine unzureichende Eröffnung leicht zu einem frühzeitigen Verschluss der Abszesshöhle führt. Spindelförmige Hautexzisionen sind einfachen Stichinzisionen vorzuziehen (► Abb. 4-23). Die suffiziente Eröffnung und Exploration der Abszesswunde erspart oft einen Folgeeingriff. Rezidive sind meist Folge einer unzureichenden und zu wenig beherzten Erstversorgung; insbesondere bei Abszessen im Perianalbereich trifft dies häufig zu.

Umgang mit Komplikationen

Bei anhaltender Entzündung oder unzureichender Abheilung erfolgt ggf. ein großräumigeres Débridement in Narkose.

4.13 Drainage bei akuter Paronychie

Bertram Illert und Kirsten Börner

Hintergrund

Bei der akuten Paronychie handelt es sich um eine Entzündung des Nagelwalls an Fingern oder Zehen. Ursächlich sind meist Staphylokokken, die in Folge von Mikroverletzungen (Maniküre, Pediküre, Nägelkauen) in den Nagelfalz eingetreten sind. Gelegentlich können auch Pilzinfektionen oder virale Infekte ursächlich vorliegen. Besonders gefährdet für solche Infektionen sind Patienten mit geschwächter Immunabwehr, wie z. B. Diabetiker. Sofern es sich um ein frühes Stadium ohne Abszedierung handelt, kann eine konservative Thera-

pie mit desinfizierenden Salben, Bädern und Ruhigstellung erfolgreich sein. Bei Abszedierung ist die chirurgische Sanierung indiziert. Die Paronychie kann im Verlauf in einen Unguis incarnatus übergehen. Insofern ist eine rechtzeitige und adäquate Therapie sinnvoll.
Ziele der Therapie sind die Abszessentlastung durch Drainage und die Infektsanierung.

Indikation

Die Drainage ist bei einer abszedierten Infektion des Nagelwalls indiziert.

Kontraindikation

Bei zu weit für eine lokale Therapie fortgeschrittener Entzündung des Nagelwalls ist die Drainage kontraindiziert.

Aufklärung

- unvollständige Sanierung
- weitere Eingriffe
- Verletzung des Nagelbetts
- vorübergehender Nagelverlust (bis zum kompletten Nachwachsen eines neuen Nagels)
- Ausbreitung der Entzündung
- Gefäß- und Nervenschäden
- mögliche Amputation bei fortgeschrittenen Befunden
- längerfristige Ruhigstellung

Benötigtes Instrumentarium

- chirurgisches Basis-Set bzw. Wundversorgungs-Set
- desinfizierende oder proteolytische Salben (Povidon-Iod, z. B. Betaisodona® Salbe); Clostridium histolyticum-Filtrat, z. B. Iruxol® N Salbe)
- Fettgaze
- Verbandmaterial

Durchführung

Aufgrund der akuten Entzündung ist die Paronychie schmerzhaft. Für die chirurgische Therapie ist meist eine Oberst-Leitungsanästhesie (► Abschn. 4.3) ausreichend und praktikabel. Beispielhaft wird eine Entlastung zwischen Nagelwall und dem seitlichen Phalanxendglied beschrieben:

1. Nach Anlegen eines Hautschnitts unterhalb, seitlich und parallel zum Nagelwall erfolgt die Tunnelung der Weichteile in Richtung des Nagelwalls. Dabei ist der Abstand vom Hautschnitt zum Nagelwall ausreichend groß zu wählen, sodass die Hautbrücke eine ausreichende Durchblutung aufweist (► Abb. 4-25).

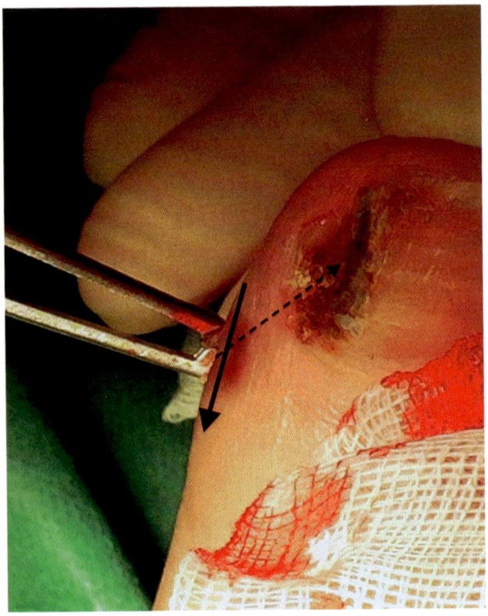

Abb. 4-25 Schnittführung bei der Paronychie. Der Hautschnitt erfolgt seitlich unterhalb des Nagelwalls (durchgezogener Pfeil). Dann erfolgt die Gewebeuntertunnelung in Richtung Nagelwall (gestrichelter Pfeil).

2. In die untertunnelte Gewebelücke wird eine sterile Lasche (z. B. ein Streifen Latexhandschuh) eingelegt, um einen Abfluss des eitrigen Sekrets und ein Offenhalten der Wunde zu gewährleisten.
3. Der Verband erfolgt mit desinfizierender Salbe und Fettgaze, um das Verkleben der Wunde mit den Kompressen zu verhindern und den ersten Verbandwechsel zu erleichtern.
4. Eine begleitende Antibiotikatherapie ist nicht unbedingt erforderlich, sollte jedoch je nach Ausprägung immer in Erwägung gezogen werden (fortgeschrittene Entzündung, abgeschwächte Immunabwehr).

Nachsorge

- Regelmäßige, anfangs engmaschige Wundkontrollen sind erforderlich. Bei unzureichender Abheilung oder Fortschreiten der Entzündung sollte zügig eine Revision oder Vorstellung beim Chirurgen erfolgen. Die Antibiotikatherapie ist zu überprüfen.
- Eine eingebrachte Lasche sollte nach 2–3 Tagen gezogen werden. Die Wunde kann frühzeitig mit fließendem Wasser gereinigt werden. Längere Fußbäder sind ungünstig, da hierbei die Haut unnötig mazeriert werden kann, sodass weitere Infekte begünstigt werden.
- Enges Schuhwerk ist zu vermeiden.

Tipps und Tricks

- Sofern eine Blutleere gewünscht ist, kann eine solche durch Anlegen eines Tourniquets mithilfe eines Handschuhs erfolgen. Hierzu wird der Finger eines Handschuhs z. B. über die Zehe gestülpt, die Kuppe abgeschnitten und der Fingerling abgerollt (► Abb. 4-26).

> **!** Nach Abschluss des Eingriffs muss das Tourniquet entfernt werden, da sonst Ischämien mit schwerwiegenden Folgen der Minderdurchblutung (Funktionseinschränkung bis zum kompletten Verlust des Fingers oder der Zehe) entstehen!

- Eine vorübergehende postoperative Ruhigstellung durch Verband, Schiene oder sogar Gips kann eine zügige

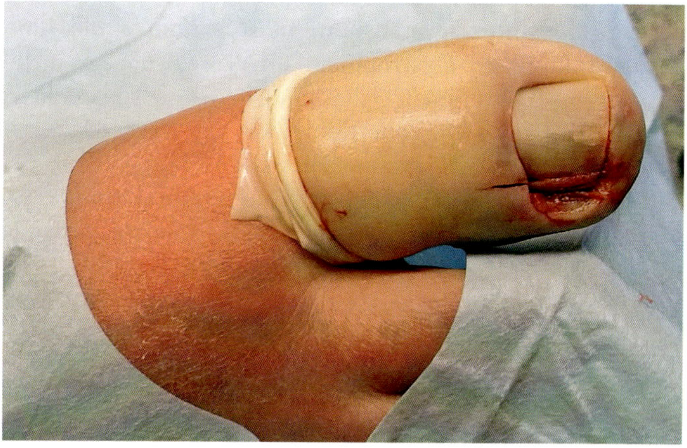

Abb. 4-26 Tourniquet an der Großzehe aus einem Latexfingerling (hier bei Emmert-Nagelplastik). Gut zu erkennen ist die Blutleere distal des Tourniquets.

4

Abheilung begünstigen und Schmerzen lindern.
- Beim ersten Verbandwechsel ist der Verband gut zu befeuchten; dadurch lässt sich ein evtl. angeklebter Verband besser lösen.
- Frühzeitig sollte mit dem Abduschen bzw. Reinigen der Wunde unter fließendem Wasser begonnen werden.
- Die gezielte Anamnese nach der Ursache der Entzündung hilft u. U., Rezidive zu vermeiden (z. B. übereifrige Mani- oder Pediküre, Manipulationen am Nagel, enges Schuhwerk, feuchtes Milieu).
- Die Krankheitsbilder der akuten Paronychie und des Unguis incarnatus weisen viele Parallelen auf, die Übergänge sind oftmals nicht scharf zu trennen. Entsprechendes gilt für die Therapien dieser Erkrankungen.

Umgang mit Komplikationen

Bei unzureichender Therapie oder mit Fortschreiten der Entzündung besteht die Gefahr einer Beteiligung des Nagelbetts oder des Übergriffs auf Gelenke und Sehnenfächer. Durch einen Übergriff der Entzündung auf die Sehnenfächer oder Gelenke kann eine Phlegmone der Hand mit schweren Funktionseinschränkungen, Dystrophien oder Versteifungen resultieren. Dabei handelt es sich um schwerwiegende Komplikationen, die unbedingt zu vermeiden sind.

4.14 Teilentfernung eines Zehennagels

Bertram Illert, Hanno von Koschitzky und Kirsten Börner

Hintergrund

Entzündungen im Bereich des Nagelwalls betreffen meist die Zehen. Dabei ist die Großzehe am häufigsten betroffen. Die Entzündung ist in den meisten Fällen Folge einer Verletzung des Nagelbetts im Randbereich der Zehennägel, z. B. infolge von Manipulationen wie Fußpflege, Nägelschneiden, Druck durch enges Schuhwerk oder Bagatellverletzungen. Durch die bakterielle Besiedlung und das feuchtwarme Milieu wird die Infektion begünstigt. Ohne adäquate Behandlung resultieren meist lange anhaltende Infekte mit Ausbildung eines schmerzenden, phlegmonös veränderten Nagelwalls mit eitriger Sekretion und überschießendem Granulationsgewebe, welches über den Nagel wächst.

Indikation

Die Teilentfernung eines Zehennagels ist bei Vorliegen von phlegmonös entzündlichem Granulationsgewebe am Nagelwall indiziert.

Kontraindikationen

- Diabetes mellitus (!)
- periphere arterielle Verschlusskrankheit (pAVK)

Aufklärung

- unzureichender Heilerfolg
- Rezidiv
- vorübergehender Komplettverlust des Nagels
- Wuchsstörungen des Nagels

Benötigtes Instrumentarium

- Desinfektionsmittel
- sterile Spritze und Kanüle
- 10–20 ml Lokalanästhetikum (Prilocain, z. B. Xylonest®, oder Bupivacain, z. B. Carbostesin®, Bucain®)
  Bei der initialen Versorgung reichen 5–10 ml eines Lokalanästhetikums. Für den Fall, dass diese Menge nicht ausreicht, sollte eine Reserve zur Verfügung stehen, um rechtzeitig nachinjizieren zu können.
- Abdeckmaterial
- Kompressen
- Stichskalpell
- Schere
- Pinzette
- Verbandmaterial (desinfizierende Salbe [► S. 62], Fettgaze, Verbandmull)

Durchführung

1. Die Haut wird sorgfältig desinfiziert.
2. Ein Oberst-Block wird gesetzt (► Abschn. 4.3). Hierzu wird ca. 5–10 ml Lokalanästhetikum an der Phalanxbasis beidseits injiziert.
3. Die Anästhesie wird durch leichtes Berühren der zu betäubenden Region mit Pinzette oder Injektionskanüle überprüft.
4. Sobald eine ausreichende Anästhesie vorliegt, erfolgt ein steriles Abstreichen mit desinfektionsmittelgetränkten Kompressen. Anschließend wird die Phalanx abgedeckt.
5. Sofern die Entzündung und eine überschießende Granulation noch nicht allzu stark ausgeprägt sind, genügen oft eine Inzision im Nagel, die um 90 Grad nach lateral reicht und somit den Nagelwall seitlich miterfasst, und das vollständige Abtragen des entzündlichen Granulationsgewebes so weit, dass der prominente Nagelwall seitlich des Nagels abgetragen wird. Der Nagel selbst wird nur etwas verschmälert, ohne das Nagelbett zu resezieren (► Abb. 4-27). Liegt eine fortgeschrittene Entzündung mit starkem Granulationsgewebe und prominentem Randwall vor, so sollte der seitliche Nagel bis in das Nagelbett mitreseziert werden. Hierzu kann am besten mit einer Schere unter den Nagel eingegangen werden. Der seitliche Nagel wird inkl. Nagelbett reseziert (► Abb. 4-28); die Resektion des

4

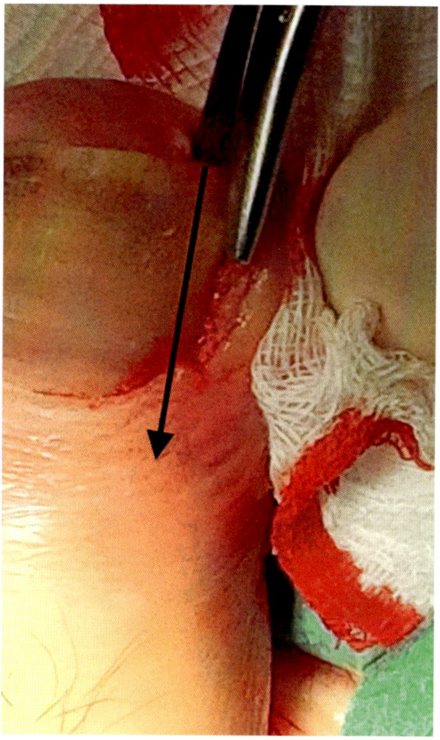

Abb. 4-27 Schnittführung bei gering eingewachsenem Zehennagel.
Hier reicht eine Entfernung des granulomatös aufgeworfenen Randwalls und eines schmalen Keilsegments des Nagels ohne Resektion des Nagelbetts.

proximalen Nagelbetts gelingt besser mit dem Skalpell. Die Resektion der proximalen Nagelmatrix stellt sicher, dass kein neuer Nagel in diesem Bereich nachwächst, der ein Rezidiv begünstigen würde.

Bei sehr klaffender Wunde kann eine adaptierende Naht mit einem monofilen Faden (Stärke 2-0) hilfreich sein. Diese erfolgt vom lateralen Weichgewebe durch den verbliebenen Nagel oder proximal davon.

Der Verband besteht aus Fettgaze, desinfizierender Salbe (Clostridium histolyticum-Filtrat, z.B. Iruxol® N Salbe, oder Povidon-Iod, z.B. Betaisodona® Salbe), Kompressen und Verbandmull.

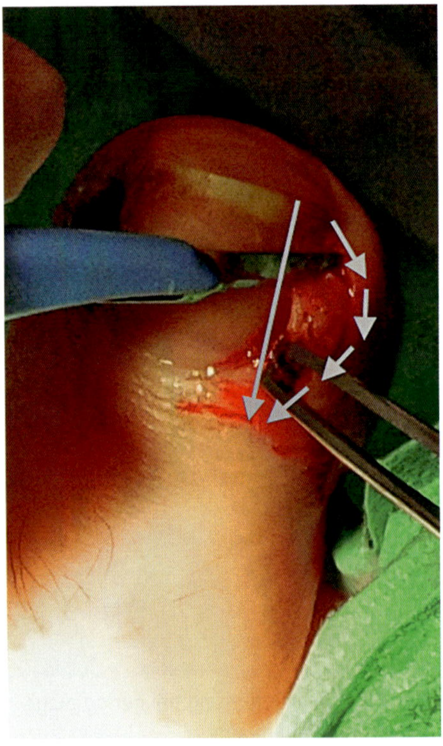

Abb. 4-28 Schnittführung bei stärker eingewachsenem Zehennagel.
Hier ist die seitliche Entfernung des Nagels und des Nagelbetts erforderlich.

Nachsorge

- Nach operativer Sanierung wird der erste Verbandwechsel am Folgetag durchgeführt. Im Verlauf kommen Fußbäder oder ein Abduschen der Wunde hinzu, Pflaster werden gewechselt.
- Wurde eine Naht verwendet, sollten die Fäden nach 8–10 Tagen entfernt werden.
- Zur Rezidivvermeidung muss auf ausreichend weites Schuhwerk und Vermeidung von Verletzungen geachtet werden.

Tipps und Tricks

- Nach dem Eingriff sollte der Patient die Extremität hochlagern. Ein Durchbluten des Verbands ist häufig, ggf. sollte weiteres Verbandmaterial zum zusätzlichen Aufbringen dem Patienten mitgegeben werden.
- Diabetes mellitus oder anderweitige Immunsuppression begünstigt die Entstehung von Entzündungen des Nagelwalls. Daher ist bei den entsprechenden Personengruppen eine umfassende Information und Schulung (tägliche sorgfältige Selbstinspektion der Füße) wichtig. Aus scheinbar harmlosen Entzündungen können schwere Infekte entstehen, die bis zur Amputation der Zehen und darüber hinaus führen können.

Fußpflege sollte nur durch geschulte Personen erfolgen! Auf ausreichend weites Schuhwerk ist zu achten.

Umgang mit Komplikationen

Bei fortschreitenden Entzündungen ist eine zügige Überweisung des Patienten zu einem Chirurgen oder einem Wundspezialisten anzustreben. Verschleppte Infekte sowie eine unzureichende Sanierung können gerade bei Diabetikern erhebliche Folgen bis hin zu Amputationen bedingen.

4.15 Kryotherapie

Benjamin K. Durani

Hintergrund

Kältebehandlung mit flüssigem Stickstoff kann in der allgemeinmedizinischen Hausarztpraxis schnell, effektiv und kostengünstig eingesetzt werden. Man benötigt hierzu keine Analgesie. Sie kann mit dem Sprayverfahren oder dem Kontaktverfahren (Wattestäbchen oder Metallstempel) durchgeführt werden. Mit dem Wattestäbchen können aufgrund der mangelnden Tiefenwirkung jedoch nur sehr oberflächige Läsionen behandelt werden.

Indikationen

Die häufigsten Indikationen für die Kryotherapie sind:

- Verrucae vulgares
- Verrucae palmoplantares

Kontraindikationen

Die Dignität der zu behandelnden Läsion sollte vor der Therapie geklärt sein. Vorsichtig sollte bei Neigung zu Wundheilungsstörungen, gebräunter oder stärker pigmentierter Haut und über knöchernen Arealen behandelt werden. Blutverdünnende Medikamente sind bei kurzen Vereisungszeiten kein Problem.

Aufklärung

Komplikationen bei der Stickstoffbehandlung sind abhängig von dem behandelten Areal, der Länge der Einwirkzeit der Kälte und der Läsion, die behandelt wird. Plantar wird man bei ausgeprägtem Stratum corneum bei gleicher Einwirkzeit weniger Nebenwirkungen sehen als im Gesicht. Stärker pigmentierte Haut neigt schneller zu postinflammatorischer Pigmentverschiebung. Zu den möglichen Komplikationen gehören Schmerzen, Krusten, Blasen, Ulzerationen, Blutungen, Wundinfektionen, Hyper- oder Hypopigmentierungen sowie Narben. Bei zu tiefer Vereisung periungualer Läsionen kann es zu Nagelwachstumsstörungen kommen.

4

Benötigtes Instrumentarium

- Vorratsbehälter für flüssigen Stickstoff
- Kryosprayflasche mit Aufsatz (► Abb. 4-29)

Abb. 4-29 Stickstoffbehälter zur Durchführung der Kryotherapie im Sprühverfahren

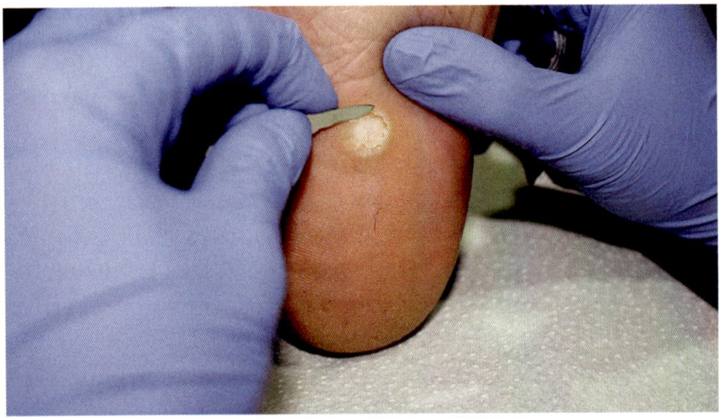

Abb. 4-30 Bei stärkerer Verhornung der Warze sollte vor der Kryotherapie die Hyperkeratose abgetragen werden.

- Skalpellklinge oder Kürette zum Abtragen der Hornhaut
- ggf. Wattestäbchen

Durchführung

1. Der hyperkeratotische Anteil der Warze sollte mit einem Skalpell oder einer Kürette vor der Kryotherapie abgetragen werden (► Abb. 4-30).
2. Der Sprühkopf der Kryosprayflasche wird in einem Abstand von ca. 1–2 cm vor die zu behandelnde Hautläsion gehalten und der flüssige Stickstoff im Sprayverfahren appliziert (► Abb. 4-31). Die Sprühzeit richtet sich nach der Dermatose. Eine grobe Richtlinie für *Plantarwarzen* liegt zu Beginn bei ca. 3–10 s, bei *palmaren Warzen* und *aktinischen Keratosen* bei ca. 1–5 s. An Hand- und Fußinnenflächen kann generell länger vereist werden als an Hand- und Fußrücken.
3. Eventuell kann nach dem Auftauen (Verschwinden der weißlichen Färbung der Haut) ein zweiter Sprühstoß erfolgen.

Bei Warzen werden oft mehrere Behandlungen im Abstand von 1–3 Wochen benötigt.

Nachsorge

Der Patient sollte darauf hingewiesen werden, dass nach dem Vereisen evtl. Krusten, Blasen und leichte Schmerzen auftreten können.

Bei Kältetherapie in lichtexponierten Arealen sollte Sonneneinstrahlung zur Verhinderung von Pigmentverschiebungen für 4–6 Wochen gemieden werden.

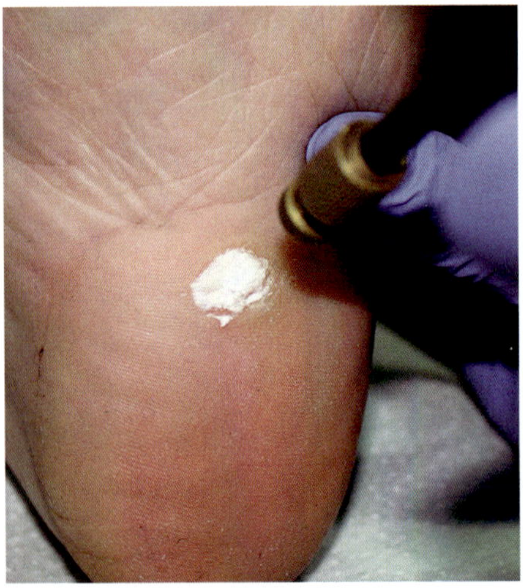

Abb. 4-31 Im Abstand von 1–2 cm wird der flüssige Stickstoff auf die Hautläsion gesprüht.

Tipps und Tricks

Die Kryotherapie erfordert etwas Erfahrung. Daher sollte man zunächst erst mit kurzen Sprühzeiten beginnen, um größere Nebenwirkungen zu vermeiden. Die angegebenen Sprühzeiten sind nur Richtwerte und können abhängig von der Läsion länger sein. Der Abstand der Sprühflasche zur Haut sollte nicht zu groß gewählt werden, da sonst die besprühte Fläche größer sein kann als die Hautläsion, die getroffen werden soll. Auch die Behandlung von aktinischen Keratosen (Sprühzeit ca. 1–5 s) und Keloiden (Sprühzeit ca. 10–60 s) ist möglich. Der flüssige Stickstoff kann meistens als Sprechstundenbedarf bestellt werden.

Umgang mit Komplikationen

Blasen können steril angestochen werden; Krusten sollten belassen werden. Sie lösen sich etwas schneller mit einer fettenden Salbe. Bei Überpigmentierungen muss Lichtexposition vermieden werden. Die Patienten sollten bei der Vereisung von Plantarwarzen darauf hingewiesen werden, dass nach der Kryotherapie vorübergehend für ein paar Tage ein Druckschmerz beim Laufen auftreten kann.

Zusatzmaterial

Video 4-1 und 4-2 ▸ unter www.schattauer.de/3140 oder direkt über QR-Code

Weiterführende Literatur

Zimmermann EE, Crawford P. Cutaneous cryosurgery. Am Fam Physician 2012; 15: 1118–24.

5 Muskuloskelettalsystem

5.1 Einrenken eines dislozierten Fingers

Wolfgang König und
Dagmar Schneider

Hintergrund

Die Dislokation eines Fingergelenks ist eine häufige Verletzung durch direkten Schlag gegen den ausgestreckten Finger bei Ballspielen oder auch durch einen Sturz vom Fahrrad. Betroffen sind vorwiegend die Fingermittelgelenke, seltener Fingergrund- oder Endgelenke. Die nach dem Unfall einsetzenden ausgeprägten Schmerzen erfordern unmittelbare Hilfe durch schnelles Reponieren. Die Diagnose ist durch die typische Bajonettstellung und die federnd fixierte Bewegungseinschränkung leicht zu stellen (► Abb. 5-1).

Indikation

Das Einrenken eines dislozierten Fingers ist indiziert, wenn nach akutem Trauma eine Bajonettstellung des Fingers mit erheblichen Schmerzen vorliegt und der Transport in eine Klinik oder in eine chirurgische bzw. orthopädische Praxis unzumutbar lange erscheint.

Kontraindikationen

- V. a. Frakturen (erkennbar an Fehlstellungen oder massiven Schmerzen bei der Palpation)
- offene Verletzungen

Aufklärung

Der Patient muss damit einverstanden sein, dass das Repositionsmanöver zwar kurz, aber schmerzhaft ist und u. U. auch fehlschlagen kann.

Benötigtes Instrumentarium

- Eine Lokalanästhesie nach Oberst wird durchgeführt, alternativ können auch orale Analgetika gegeben werden.
- Wenn der Transport in eine Praxis oder in ein Krankenhaus kurzfristig nicht möglich ist, kann die Reposition aber auch ohne Hilfsmittel versucht werden.

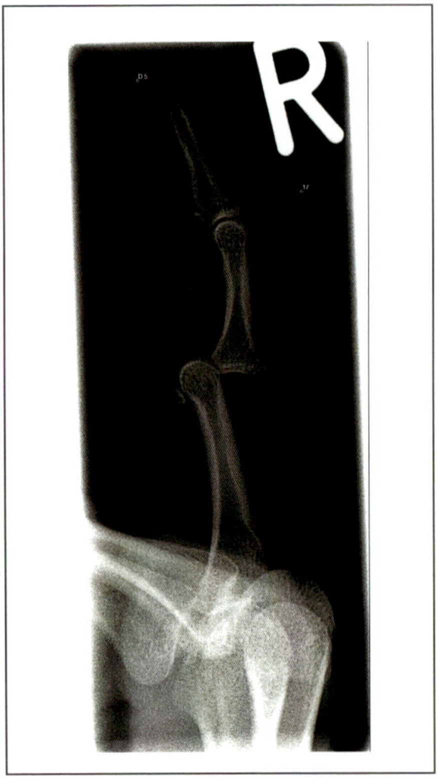

Abb. 5-1 Luxation des proximalen Interphalangealgelenks (Foto freundlicherweise von Herrn Dr. Casper Grim zur Verfügung gestellt)

Durchführung

Dorsale Luxation

Das Mittelgelenk ist gestreckt, die Mittelphalanx steht in Längsachse zur Grundphalanx in typischer Bajonettstellung nach dorsal versetzt.

1. Mit einer Hand wird die Grundphalanx fixiert.
2. Mit der anderen Hand wird die Mittelphalanx gefasst und mit einem energischen Ruck nach distal in Längsachse des Fingers gezogen.

Wenn keine Begleitfrakturen vorliegen, ist das Manöver nur sehr kurz schmerzhaft und wird gut toleriert, da die Schmerzen nach der Reposition deutlich nachlassen.

Volare Luxation

Das Mittelgelenk ist etwa 45 Grad gebeugt, die Mittelphalanx nach volar versetzt.

1. Mit einer Hand wird die Grundphalanx fixiert.
2. Mit der anderen Hand wird die Mittelphalanx unter Zug gestreckt.

Bei dieser Luxation können Weichteile interponiert sein, sodass die Reposition scheitern kann.

> Misslingt das Einrenken des Fingers bei volarer Luxation, dürfen keine weiteren Repositionsversuche unternommen werden!

Nachsorge

- Wichtig ist eine Kühlung des dislozierten Fingers.
- Die Ruhigstellung ist für einige Tage notwendig und erfolgt auf einer Schiene in der sog. Intrinsic-plus-Stellung. Dabei sind Mittel- und Endgelenke voll gestreckt und im Grundgelenk 70 Grad gebeugt. Andernfalls droht eine Beugekontraktur im Mittelgelenk.
- In jedem Fall sollten zeitnah eine Röntgenkontrolle zum Ausschluss von Frakturen sowie eine fachorthopädische Kontrolle zum Ausschluss von Sehnen- oder Bandverletzungen erfolgen.
- Bei einfachen Luxationen ohne Instabilität oder Begleitverletzungen sollte nach einigen Tagen nur noch das Mittelgelenk in Streckung geschient werden (Orthese oder Tapeverband), um eine aktive Bewegung in Grund- und Endgelenk zu ermöglichen; zusätzlich wichtig ist eine konsequente Physiotherapie (► Abb. 5-2, 5-3).

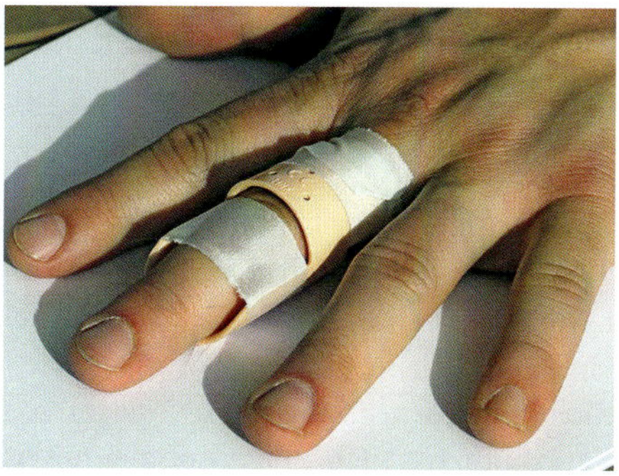

Abb. 5-2 Fingerorthese

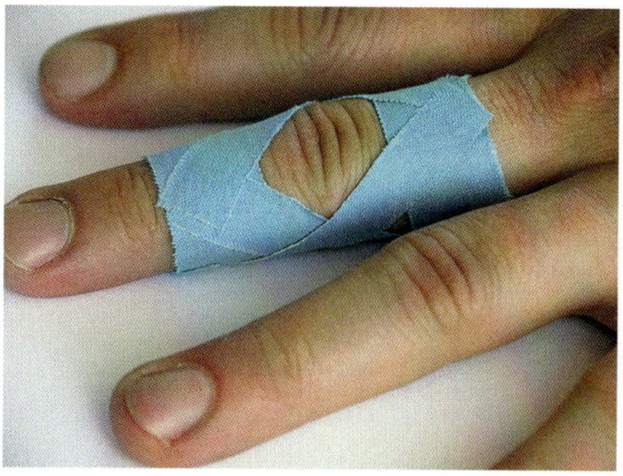

Abb. 5-3 Tape Fingermittelgelenk

Tipps und Tricks
Ringe am luxierten Finger sollten sobald wie möglich nach der Reposition entfernt werden, da durch die zunehmende Schwellung Zirkulationsstörungen verursacht werden können und das Abziehen des Rings schnell schwierig wird. Ringe an den anderen Fingern sollten ebenfalls entfernt werden.

Umgang mit Komplikationen

Zu den Komplikationen gehören:

- erhebliche Schmerzen nach einem misslungenen Repositionsversuch
- Gelenkeinsteifung
- Morbus Sudeck (komplexes regionales Schmerzsyndrom) durch abschnürende Verbände, zu lange Ruhigstellung, mangelnde Analgesie und/oder unsachgemäße Physiotherapie

Bei jedem misslungenen Repositionsversuch, starken Schmerzen und/oder V. a. Begleitfrakturen ist eine sofortige Behandlung durch einen Spezialisten notwendig.

Weiterführende Literatur

Pillukat T, Mühldorfer-Fodor M, Schädel-Höpfner M et al. Verletzungen der Mittelgelenke. Unfallchirurg 2014; 117: 315–26.

5.2 Reponieren einer dislozierten Schulter

Wolfgang König und Dagmar Schneider

Hintergrund

Schulterluxationen treten entweder spontan (habituell) auf oder nach Traumen, am häufigsten durch kombinierte Abduktion und Außenrotation (vordere untere Luxation). Sie verursachen nicht nur starke Schmerzen, sondern evtl. auch weichteilige und neurovaskuläre Schäden. Deshalb sollte ein luxiertes Schultergelenk so früh wie möglich reponiert werden. Häufig liegt das Problem darin, dass man in der akuten Situation nicht klären kann, ob Begleitverletzungen, v. a. Frakturen, vorliegen. Deshalb ist eine behutsame Vorgehensweise angezeigt und individuell abzuwägen, inwieweit ein schneller Transport ins Krankenhaus möglich und der Reposition am Unfallort vorzuziehen ist.

Indikation

Sie ergibt sich aus der schmerzhaften Bewegungseinschränkung und der Fehlstellung nach einem Abduktions- und Außenrotationstrauma (vordere untere Luxation ist am häufigsten).

! Vorausgegangene Luxationen lassen sich in der Regel leichter reponieren als frische traumatische Erstluxationen. Diese sind auch für Erfahrene schwer zu reponieren, v. a. wenn keine ausreichende Analgesie möglich ist.

Kontraindikationen

Zu den Kontraindikationen zählen alle Faktoren, die auf begleitende Frakturen hinweisen:

- Fehlstellung des Oberarmschafts
- schnell auftretende Schwellung bzw. Hämatombildung
- massive Schmerzen

Aufklärung

Schultergelenkluxationen stellen schmerzhafte Notsituationen dar, die in aller Regel ein ausführliches Aufklärungsgespräch nicht zulassen. Zu einem vorsichtigen Repositionsversuch gibt es ohnehin keine Alternative. Die Unterlassung ist unter medizinischen wie rechtlichen Gesichtspunkten ebenso problematisch. Deshalb genügt der Hinweis, dass es ein Behandlungsversuch ist, der scheitern kann. Weitere Erläuterungen über mögliche Komplikationen sind unangemessen.

Benötigtes Instrumentarium

- Wenn es irgendwie möglich ist, sollten ein i. v. Zugang zur Kreislaufstabilisierung gelegt und Analgetika gegeben werden (▸ Abschn. Durchführung).
- Wenn kein ausgeprägter Ruheschmerz besteht, kann auch ohne weitere Hilfsmittel ein Repositionsversuch unternommen werden.

Durchführung

1. Der Unfallmechanismus wird kurz abgefragt (Fraktur möglich? Vorausgegangene Luxationen?).
2. Der Patient wird umgehend schmerzarm gelagert (liegend oder sitzend, Arm halten oder unterpolstern).
3. Eine behutsame Untersuchung wird durchgeführt:
   - Welche Art der Luxation liegt vor? (Die vordere untere Luxation ist am häufigsten.)
   - Gibt es Gefühlsstörungen in der Hand oder über dem M. deltoideus, die auf eine Schädigung des N. axillaris hinweisen?
   - Liegen motorische Defizite vor? Faustschluss, Spreizen der gestreckten Finger und Überstreckung im Handgelenk werden geprüft.
4. Ein i. v. Zugang wird gelegt (▸ Kap. 9.2), Analgetika werden verabreicht:
   - Metamizol (z. B. Novaminsulfon-ratiopharm®, Novalgin®) und
   - Piritramid (z. B. Dipidolor®, Piritramid-hameln) sowie
   - Diazepam (z. B. Diazepam-ratiopharm®, Diazepam-®Lipuro).

   Zur Not können auch orale Analgetika gegeben werden.

   > Wenn es durch Lagerung und Analgetika nicht gelingt, eine schmerzarme Situation herzustellen, ist eine erfolgreiche Reposition kaum möglich, da der schmerzbedingte Muskeltonus zu hoch ist.

5. Es folgt die Reposition der Schulter im Sitzen (Arlt) oder im Liegen (Hippokrates). Für diese Maßnahme muss der Patient nicht nüchtern sein. Ein Anästhesist oder ein spezielles Monitoring sind nicht erforderlich. Ein Notfallkoffer sollte aber vorhanden sein.

Reposition im Sitzen (Arlt) Der Patient setzt sich seitlich auf einen Stuhl mit der gepolsterten Lehne in der Axilla, das Ellenbogengelenk wird in einem 90-Grad-Winkel gebeugt. Der Zug erfolgt langsam und behutsam nach caudal und lateral (▸ Abb. 5-4), sodass der Patient möglichst wenig Schmerzen hat und nicht dagegenspannt. Ruckartige Manöver sind zu vermeiden, da sie Schmerzen und hohe Abwehrspannung produzieren. Besser ist sanfter Dauerzug u. U. über 5 min, bis der Humeruskopf mit einem leichten Schnappen in die Pfanne gleitet.

Reposition im Liegen (Hippokrates) Der Arzt hält den betroffenen Arm unter leichtem Zug nach caudal und etwas nach ventral, dabei stützt er seine Ferse zum Gegenzug in die Axilla (▸ Abb. 5-5). Dabei sollte sich die Ferse des Arztes möglichst nicht nur auf dem nach caudal luxierten Humeruskopf abstützen, sondern thoraxnah Kontakt zum Schulterblatt suchen und dort gegenhalten. Auch

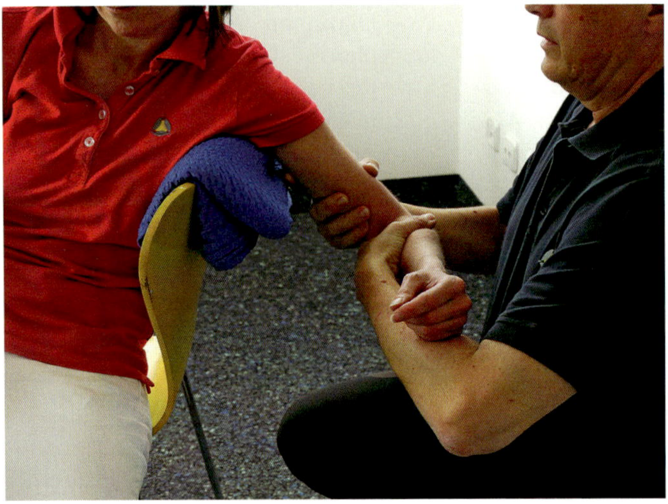

Abb. 5-4 Schultergelenkreposition nach Arlt

5

in dieser Position kommt es nicht auf die Kraft des Zugs an, sondern darauf, dass der Patient für einen Moment entspannen und dadurch der Humeruskopf über den Pfannenrand gleiten kann.

Nachsorge

- Ruhigstellung im Gilchrist-Verband; Dauer je nach Alter des Patienten:
  - bei Erstluxationen im Alter von 20 Jahren Ruhigstellung für 6 Wochen
  - bei Erstluxation im Alter von etwa 60 Jahren höchsten 2 Wochen
  - bei der 2. oder 3. Luxation sind längere Ruhigstellungszeiten nicht mehr Erfolg versprechend
- in jedem Fall klinische Kontrolle hinsichtlich neurologischer Defizite, v.a.

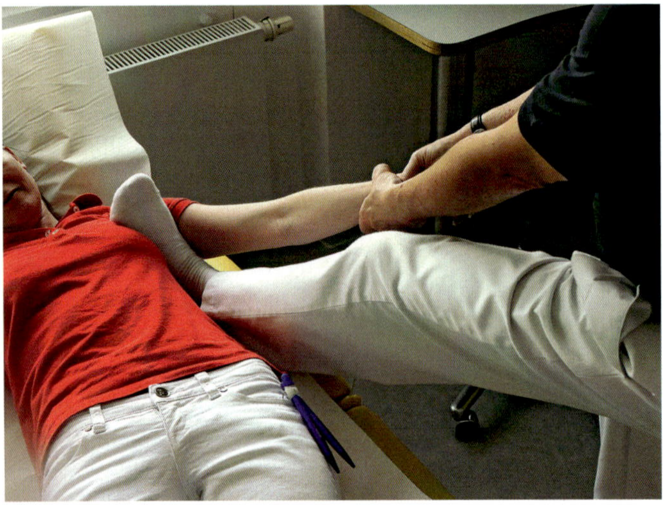

Abb. 5-5 Schultergelenkreposition nach Hippokrates

einer Axillarisläsion (Hypästhesie über M. deltoideus)
- Überweisung zur Röntgendiagnostik/MRT und zur fachorthopädischen Kontrolle zum Ausschluss von Begleitverletzungen und Abklärung einer evtl. OP-Indikation v. a. bei rezidivierenden Luxationen

Tipps und Tricks
Das Entscheidende ist, dass der Patient durch Lagerung, Zug und Analgetika soweit gebracht werden kann, dass er für einen Moment entspannen kann, denn dann lässt sich der Humeruskopf relativ leicht reponieren. Bei stärkeren Schmerzen ist die Entspannung nicht zu erreichen. Es ergibt keinen Sinn, die vom Patienten aufgebaute Muskelspannung durch den selbst ausgeübten Zug überwinden zu wollen. Wenn der Patient nicht lockerlassen kann, sollte der Repositionsversuch abgebrochen werden. Nicht selten liegt die Ursache von starken Schmerzen in Begleitverletzungen (Frakturen, Sehnenabrissen, Interponaten).

Umgang mit Komplikationen
Zu den Komplikationen gehören:
- Kreislaufdysregulation aufgrund der Schmerzen oder der Schmerzmedikation
- Verschlimmerung der Schmerzen durch Repositionsmanöver
- neurologische Ausfälle
- periphere Durchblutungsstörungen

Eine dringliche notärztliche Versorgung ist unter folgenden Umständen erforderlich:
- starke Schmerzen
- misslungenes Repositionsmanöver
- Kreislaufstörungen
- sensomotorische Defizite

Weiterführende Literatur
Deutsche Gesellschaft für Orthopädie und Orthopädische Chirurgie, Berufsverband der Ärzte für Orthopädie. S1-Leitlinie »Schulterluxation, rezidivierend und habituell«. Stand: 09/2009 (in Überarbeitung).

Deutsche Gesellschaft für Unfallchirurgie. S1-Leitlinie »Schultergelenk-Erstluxation«. Stand: 07/2009 (in Überarbeitung).

Regauer M, Braunstein V, Khalil P et al. Einrenktechniken bei rezidivierender Schulterluxation. MMW Fortschr Med 2011; 153: 33–6.

5.3 Tapen

Wolfgang König und Dagmar Schneider

Hintergrund
Tapeverbände werden mit unelastischen Klebestreifen angelegt, um verletzte Strukturen zu schützen, aber gleichzeitig die Beweglichkeit eines Gelenks nicht wesentlich einzuschränken. Im Gegensatz zum Gipsverband bleiben die Funktionen teilweise erhalten (»funktioneller Verband«). Dadurch werden Immobilisierungsschäden vermieden und der Heilungsprozess beschleunigt. Sie sind schnell verfügbar, leicht anzulegen und sowohl in der Akutversorgung als auch in der Rehabilitation gut verwendbar. Sie kommen am häufigsten zur Anwendung in der Therapie bzw. Prophylaxe von Bandverletzungen am Sprunggelenk. Hier können sie alternativ zu Orthesen eingesetzt werden, die bei gleicher Stabilität meist dicker sind, nicht in jeden Schuh passen und beim Sport eher hinderlich sein können.
Von diesen klassischen Tapeverbänden sind sog. Kinesio-Tapes zu unterscheiden.

Diese werden mit elastischen Klebestreifen angelegt und dienen im Allgemeinen zur Verbesserung der Propriozeption. Über einen sanften Massageeffekt sollen sie schmerzlindernd wirken. Diese Tapes verfolgen jedoch ein anderes Therapieprinzip und werden in aller Regel eher im Rahmen physiotherapeutischer Behandlungen mit Ziel der Schmerzlinderung eingesetzt.

Indikationen

- Sofortversorgung bei akuten Verletzungen (z. B. Außenbandläsion des oberen Sprunggelenks, Stauchung oder Zerrung des Fingermittelgelenks)
- Schmerzen nach Distorsionen und bei leichtgradigen Instabilitäten
- Prophylaxe beim Sport nach alten Verletzungen mit Restinstabilität eines Gelenks
- Nachbehandlung nach Gipsabnahme oder nach Operationen
- chronische Schmerzen durch Überlastungsreize, Tendovaginitis

Kontraindikationen

- Hautunverträglichkeiten, Pflasterallergien
- offene Wunden
- unklare Schmerzen oder Schwellungen, die nicht hinreichend diagnostiziert sind
- Neurodermitis, Ekzeme, Ödeme
- ausgeprägte Instabilitäten und erhebliche Hämatome
- chronische Instabilitäten (unbedingt fachorthopädisch OP-Indikation klären!)

Aufklärung

Der Patient ist unbedingt darauf hinzuweisen, dass bei Taubheit oder blauer Verfärbung der Zehen, Jucken oder Schmerzen der Verband sofort entfernt werden muss.

Benötigtes Instrumentarium

- unelastisches Tape (3,75 cm breit)
- medizinischer Alkohol (Propanol, z. B. Sterillium®; Cutasept®) oder Waschbenzin zum Entfetten der Haut
- Rasierer
- Verbandschere, Tape-Cutter
- ggf. Sprühkleber (z. B. K-Active® Sprühkleber; Tuffner® Pre-Tape Spray)
- elastische kohäsive Fixierbinde als Unterverband (z. B. Gazofix®, Tricoplast®)
- Schaumstoffpolster

Durchführung

Vorbereitung

- Die Haut wird mit Alkohol oder Waschbenzin entfettet.
- Bei starker Behaarung sollte eine Rasur erfolgen, da das Tape auf rasierter Haut besser klebt und das Entfernen nicht so schmerzhaft ist.
- Bei großem Stabilisierungsbedarf oder auch bei starker Schweißbildung wird ein Sprühverband aufgetragen.
- Bei empfindlicher Haut ist ein Unterverband mit kohäsiver Fixierbinde notwendig.
- Empfindliche Knochenvorsprünge werden mit Schaumstoffpolstern geschützt.

Tapen

1. Das Gelenk wird richtig positioniert (z. B. Sprunggelenk in Neutral-0-Stellung).
2. Das Tape wird in der erforderlichen Länge (durch Anlegen mit der nicht klebenden Seite kann die nötige Länge genau bestimmt werden) von der Rolle abgezogen.

> **!** Das Tape muss vor (!) dem Aufkleben in ganzer Länge von der Rolle gezogen werden, um die Zugstärke kontrollieren zu können.

3. Die Streifen werden angelegt:
   1. »Ankern«: Je ein zirkulärer Streifen wird proximal und distal (*ohne* Zug) angelegt. Die zirkulären Streifen verlaufen quer zur Längsrichtung. Hier beginnen und enden die Zügel. Bei Stauungsneigung sollte dieser Streifen jeweils nur halbzirkulär angelegt werden.
   2. U-Zügel (beginnend medial mit leichtem Zug) werden im Wechsel mit jeweils einem waagerechten Fixierstreifen (► Abb. 5-6a) geklebt. Weitere U-Zügel und Fixierstreifen folgen je nach Größe des Fußes.
   3. Eine 8er-Tour wird einmal von medial (► Abb. 5-6b) und einmal von lateral (► Abb. 5-6c) angelegt.
   4. Verschalung (► Abb. 5-6d): Noch freie Hautareale werden überklebt. Das Schließen des Verbands ist nötig wegen der Gefahr von Fensterödemen.

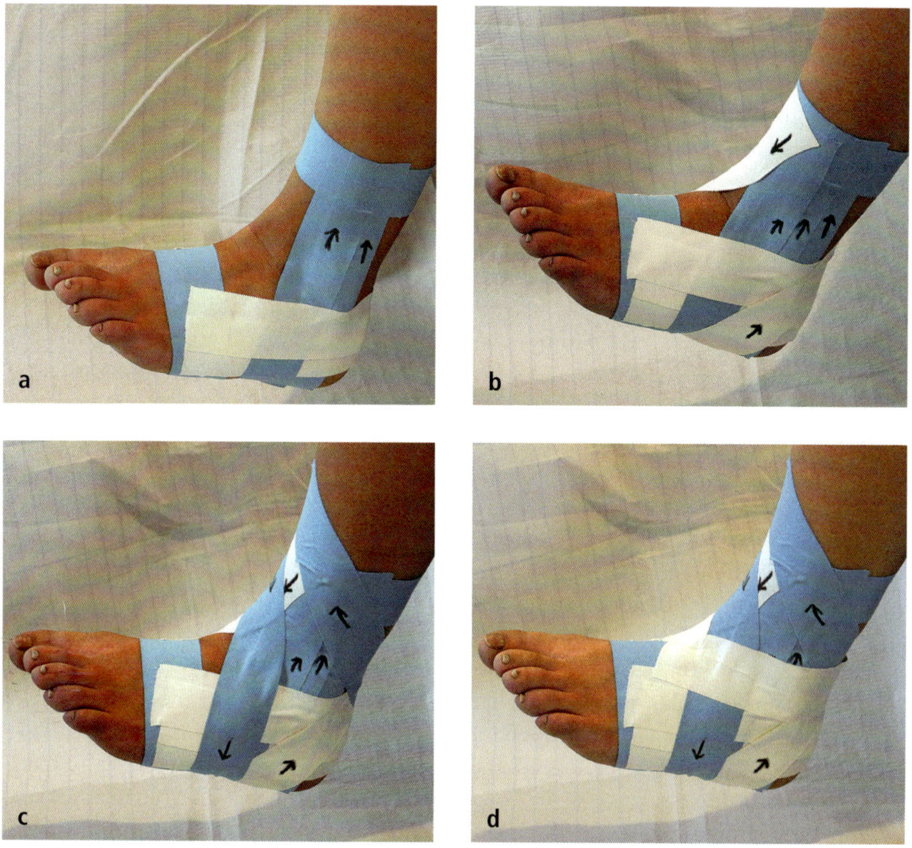

Abb. 5-6 »Ankern« und U-Zügel mit Fixierstreifen (**a**); 8er-Tour von medial (**b**); 8er-Tour von lateral (**c**); Verschalung (**d**)

5. Zum Schluss wird der gesamte Verband mit beiden Händen anmodelliert, um die Verklebung der einzelnen Schichten zu verbessern.

Bei geringerem Stabilisierungsbedarf kann auf die Schritte 3. und 4. verzichtet werden.

Nachsorge

- in jedem Fall nachfragen, wie das Gefühl im Verband ist; im Zweifelsfall Tape wechseln
- Entfernen des Tapes: Anfeuchten mit Desinfektionsmittel, dadurch löst sich die Klebeschicht. Haut straffen und Tape schrittweise abziehen
- auf die umgebende Haut evtl. Hautpflegemittel auftragen (Dexpanthenol, z. B. Bepanthen®, Panthenol-Creme LAW)

Tipps und Tricks

- Bei Leistungssportlern sollte der Verband mit Sprühkleber direkt auf die Haut geklebt werden, da hierdurch der beste Halt gegeben ist. Diese Verbände werden nach jedem Sportereignis entfernt. Für eine längere Ruhigstellung sind sie nicht geeignet.
- Wenn der Stabilitätsbedarf nicht so groß ist, v. a. wenn längere Zeit stabilisiert werden muss oder auch bei Kindern, ist ein Unterverband mit einer kohäsiven Binde sinnvoll. Solche Verbände können 2–3 Tage verbleiben, verlieren dann aber die nötige Stabilität. Sie können jedoch problemlos erneuert werden ohne das Risiko der Hautreizung.
- Um den Umgang mit Tapes zu erlernen, eignen sich auch kostenfreie Tapekurse, die von einigen führenden Herstellern von Tapes oder auch vom Großhandel, von dem die Praxis die Verbandstoffe bezieht, angeboten werden.

Umgang mit Komplikationen

Anzeichen für Hautunverträglichkeiten oder zu straffes Anlegen des Tapes sind:

- Juckreiz unter dem Tape oder Hautrötung am Rand des Tapes
- Taubheitsgefühl oder Kribbelparästhesien
- weiße oder livide Hautverfärbung distal des Tapes
- Schwellung distal des Tapeverbands
- Schmerzen

Bei Anzeichen einer Hautunverträglichkeit oder zu starker Abschnürung ist der Verband sofort zu entfernen. Danach ist zu entscheiden, ob ein neues Anlegen angebracht ist, evtl. unter Verwendung eines Hautschutzes.

Weiterführende Literatur

Eder K, Mommsen H. Richtig Tapen. Funktionelle Verbände am Bewegungsapparat optimal anlegen. Balingen: Spitta 2012.

5.4 Anlegen einer Unterarmgipsschiene

Wolfgang König und
Dagmar Schneider

Hintergrund

Schmerzen an der Hand oder am Unterarm werden nicht nur durch Unfälle, sondern auch durch stereotype einseitige Belastungen verursacht und sind entsprechend häufig. Die temporäre Ruhigstellung auf einer Gipsschiene kann sowohl bei akuten, als auch bei chronischen Schmerzen sinnvoll sein und ist kostengünstiger als eine Orthese. Die Maßnahme ist einfach und effektiv, die Dauer der Ruhigstellung orientiert sich an der Grunderkrankung. Außer bei Frakturbehandlungen sollte sie 2 Wochen nicht überschreiten, da von einer längeren Ruhigstellungszeit keine weitere Besserung zu erwarten ist und Immobilisierungsschäden überwiegen. Nicht zuletzt besteht die Gefahr, einem sekundären Krankheitsgewinn Vorschub zu leisten. Schmerzen, die auch nach Ruhigstellung und Physiotherapie nicht abklingen, sollten durch den Spezialisten abgeklärt werden.

Indikationen

- Schmerzen bei Tendinitis oder Arthralgien durch Überbelastung
- Schmerzen nach Distorsionen, Kontusionen, bei Karpaltunnelsyndrom
- infizierte Wunden
- Ruhigstellung des Handgelenks nach Verletzungen oder Operationen (z. B. Radiusfraktur »loco typico«, Karpaltunneldekompression)
- Ruhigstellung der Fingergelenke nach Kontusionen oder Distorsionen
- Entlastung der Sehnen und Muskeln bei Reizzuständen (Überlastung)

Kontraindikationen

Kontraindiziert ist das Anlegen einer Unterarmschiene bei allen Krankheitsbildern, bei denen eine Einsteifung eines Gelenks droht. Hier sollte als Alternative eine leicht abnehmbare Orthese erwogen werden.

Aufklärung

Der Patient muss wissen, dass er sich bei Schmerzen, Anschwellen oder Taubheitsgefühl in den Fingern sofort wieder in der Hausarztpraxis vorstellen muss.

Benötigtes Instrumentarium

- Gipsmaterial in Form von Rollen
- Alternative: vorgefertigte Longuetten unterschiedlicher Breite, die teilweise mit fertiger Polsterung erhältlich sind
- Schlauchverband
- Watte, Papier
- Schere, Gipssäge

Durchführung

Die Länge der Schiene wird anhand der Indikation festgelegt. Wenn möglich sollte nur das Handgelenk fixiert werden. Diese Schiene reicht vom Ellenbogen bis in die Hohlhand. Ellenbogen- und Fingergrundgelenke müssen frei beugbar bleiben. Bei zusätzlicher Ruhigstellung der Finger (z. B. bei einer Epicondylitis radialis humeri) erfolgt dies in der sog. Intrinsic-plus-Stellung, d. h. mit im 70-Grad-Winkel gebeugten Grundgelenken und gestreckten Mittel- und Endgelenken.

Geschalter Gips

1. Ein Schlauchverband mit etwas Überlänge zum Polstern der Kanten wird angelegt.
2. Die Polsterung erfolgt mit mind. zwei Lagen Watte, damit die Schiene am Ende nicht zu eng anliegt.
3. Darüber kann eine Lage Papier gelegt (nicht obligat) und ein weiterer Schlauchverband übergezogen werden.
4. Die Gipsbinden werden zirkulär angewickelt, die Kanten sofort beschnitten und geglättet. Der Gips muss dicker als üblich gewickelt werden, da er nach dem Spalten sonst zu instabil wird.
5. Nach Aushärten des Gipses muss der zirkuläre Gips mit der oszillieren-

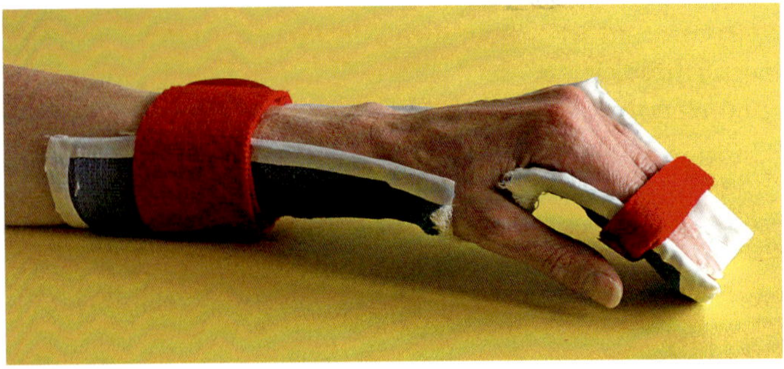

Abb. 5-7 Geschalte Gipsschiene

den Säge an den gegenüberliegenden Seiten längs gespalten werden. Der volare Anteil mit dem anhaftenden Schlauchverband bleibt erhalten, der dorsale Anteil sowie die Watte und das Papier werden verworfen (► Abb. 5-7).

6. Der Gips wird kontrolliert, die Gipskanten werden evtl. noch einmal geglättet.
7. Die Schiene wird mit Klettband oder einer elastischen Binde fixiert.

Longuette

Vorgefertigte und gepolsterte Longuetten aus Kunststoffgips können auf Länge geschnitten und direkt angewickelt werden. Die Durchführung ist schnell und man benötigt keine Gipssäge. Nachteilig ist jedoch, dass sie eine geringere Stabilität bieten und eher Handrückenödeme verursachen, da die Schiene fester angewickelt werden muss (► Abb. 5-8).

Nachsorge

- Der Patient muss über mögliche Komplikationen und deren Konsequenzen aufgeklärt werden: Schmerzen, Anschwellen oder Verfärbung der Finger, drohende Zirkulationsstörungen sowie über die Notwendigkeit, dass er sich *zeitnah* in der Hausarztpraxis wiedervorstellen muss, d.h. am Wochenende auch im Krankenhaus oder beim Notdienst, falls es Probleme mit dem Gips geben sollte.
- In jedem Fall sollte am Folgetag eine Routinekontrolle erfolgen. Weitere Kontrollen erfolgen je nach Grunderkrankung.

Tipps und Tricks

- Bei dem heutzutage verwendeten Kunststoffgips entstehen beim Schalen oft scharfe Kanten, die auch trotz

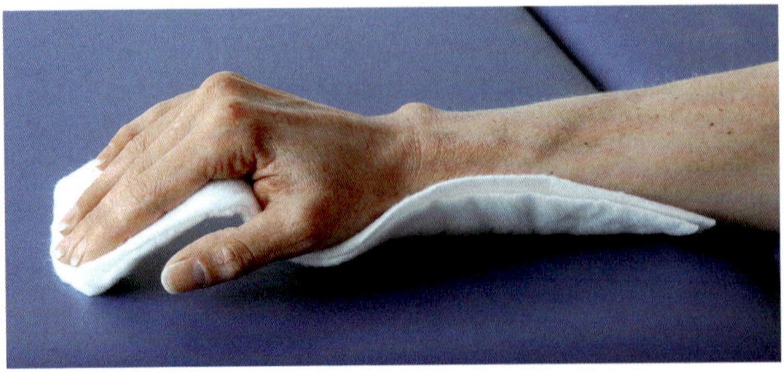

Abb. 5-8 Longuette

der Polsterung Schmerzen verursachen können. Das Abkleben der Kanten mit einem Tape verhindert scheuernde Gipsränder.
- Bei V. a. Überlastungsschäden ist möglicherweise die Beratung über Verbesserung der Ergonomie (z. B. andere PC-Maus) wirksamer als eine Gipsruhigstellung.

Umgang mit Komplikationen

Zu den Komplikationen gehören:
- Druckstellen, insbesondere bei Sensibilitätsstörungen (Diabetes mellitus, Polyneuropathien)
- scheuernde Gipskanten (v. a. bei Kunststoffgipsen)
- Stauung und Anschwellen der Finger durch zu straffen Verband

Das häufigste Problem ist das Handrückenödem durch eine zu eng angelegte elastische Binde. Dies lässt sich trotz behutsamer Wicklung nicht immer vermeiden. Der Patient sollte darauf hingewiesen werden, damit er sich rechtzeitig wieder in der Arztpraxis vorstellt. Als Alternative eignet sich ein zirkulärer Gips, der gespalten wird, der aber keinen Druck auf den Handrücken ausübt.

Bei Schmerzen sollte grundsätzlich eine kurzfristige Kontrolle mit Abnahme der Schiene, Suche nach Druckstellen und bei Bedarf Erneuerung der Schiene erfolgen.

Falls die Ruhigstellung aus anderen Gründen nicht toleriert wird, sollten diese weiter abgeklärt werden.

5.5 Gelenkpunktionen im Allgemeinen

Wolfgang König und
Dagmar Schneider

Hintergrund

Gelenkpunktionen sind zur Diagnostik und Therapie vieler Gelenkerkrankungen unverzichtbar. Sie sind meist einfach durchzuführen, aber mit dem Risiko der iatrogenen Infektion behaftet. Deshalb sind die Indikationen und Durchführungsanweisungen der Fachverbände einzuhalten. Diese lassen jedoch gewisse Interpretationsspielräume zu, d. h. der Aufwand in der Durchführung kann modifiziert werden je nach Risikopotenzial. Als *normales* Risiko gilt die einfache Punktion ohne Dekonnektion, bei der die Spritze nicht von der Nadel getrennt wird. *Erhöhte* Risiken bestehen bei Punktionen mit Dekonnektion, bei denen die Spritze gewechselt werden muss (z. B. Entlastungspunktion mit Injektion eines Corticoids). Als *besondere* Risiken gelten Injektionen bei immungeschwächten Patienten, einliegenden Endoprothesen und Punktionen, die häufiges Dekonnektieren erfordern.

Indikationen

- starke Schmerzen durch pralle Ergüsse
- Einbringen von Medikamenten (z. B. Cortison) bei chronischen Schmerzen aufgrund von Arthrose oder rheumatischer Grunderkrankung
- Gewinnung eines Punktats zur Diagnostik unklarer Schwellungen und Schmerzen

Kontraindikationen

- starke Blutungsneigung durch Antikoagulationsbehandlung (v. a. Phen-

procoumon, z. B. Marcumar®, neue orale Antikoagulanzien) oder internistische Grunderkrankungen; ausgenommen: Acetylsalicylsäure (ASS)
- infizierte Hautläsionen im Bereich der Punktionsstelle
- Allergien auf injiziertes Medikament (relative Kontraindikation: Cortison-Flush)
- einliegende Endoprothesen
- immunsuppressiv behandelte Patienten (z. B. Rheumatiker, Tumorpatienten)
- zeitlich naher Abstand zu vorausgegangenen Operationen (< 6 Monate)
- Vorhandensein einer risikoärmeren Therapievariante

Aufklärung

Gelenkpunktionen sind wichtige, meist aber nicht akut dringliche Maßnahmen mit seltenen, dafür aber schwerwiegenden Risiken. Deshalb bedarf es einer ausführlichen Aufklärung über folgende Inhalte:
- Welches Medikament wird injiziert?
- Welches Ziel soll erreicht werden?
- Wie sind die Erfolgsaussichten?
- Welche Behandlungsalternativen bestehen?
- Welche wesentliche Risiken gibt es (► Abschn. Umgang mit Komplikationen)?

> Eine Gelenkpunktion sollte gut überlegt sein. Die Indikation zur Durchführung der Maßnahme muss gut abgewogen sein. Der Patient muss über Risiken sowie Möglichkeiten und Grenzen weniger invasiver Therapien aufgeklärt werden!
> Das Ausüben von Druck in jede Richtung sollte vermieden werden. Der Patient muss frei abwägen und entscheiden können, wie viel Diagnostik und Hilfe er in Anspruch nehmen will (► Abschn. Tipps und Tricks).

Benötigtes Instrumentarium

Obligates Instrumentarium

- hygienische Raumbedingungen (Hygieneplan der Praxis)
- sterile Handschuhe (es genügen Folienhandschuhe)
- Assistenz zum sterilen Anreichen
- Spritze, Kanülen, evtl. Medikamente

Optionales Instrumentarium

- steriles Lochtuch
- Mundschutz
- bei V. a. einen Infekt: flüssigkeitsdichte Einmalunterlage
- Abstrichröhrchen (bakteriologische Untersuchung)
- EDTA-Röhrchen (Zellzahl, Kristalle)
- natives Röhrchen (Kristalle, chemisch-immunologische Untersuchung)

Durchführung

Punktionen ohne Dekonnektion

1. Das Injektionsfeld muss soweit freigelegt werden, dass eine Kontamination durch Kleidungsteile zuverlässig vermieden wird.
2. Bei sehr starker Behaarung werden die Haare mit einer Schere gekürzt, jedoch nicht rasiert.
3. Die Injektionsstelle wird mit Druck einer Kugelschreiberhülle oder mit Filzstift markiert.
4. Die Hände werden hygienisch desinfiziert.
5. Sprühdesinfektion wird auf die Injektionsstelle aufgebracht (beachte ausreichende Einwirkzeit von mind. einer Minute!).
6. Sterile Handschuhe werden angezogen.

7. Das zu injizierende Medikament wird unmittelbar vor der Injektion steril aufgezogen (Assistenz!). Es sollte kein »Vorrat« an Spritzen angelegt werden.
8. Es folgt die Injektion. Bei der Injektion empfiehlt es sich, eine geringe Menge des Medikaments subcutan zu injizieren, erst anschließend die Nadel in das Gelenk vorzuschieben und dann die eigentliche Injektion zu verabreichen (► Abschn. Tipps und Tricks).
   - *Cortisonkristallsuspensionen* wie Triamcinolon (z. B. Lederlon®, Volon® A) werden vorwiegend bei großen Gelenken (Knie, Schulter) eingesetzt. Diese haben eine deutlich verlängerte Depotwirkung, können bei wiederholter Anwendung aber zu Kristallablagerungen führen.
   - *Lösliche Cortisonpräparate* wie Dexamethason (z. B. Fortecortin® Inject, Lipotalon®) werden vorwiegend bei kleinen Gelenken (Ellenbogen, Akromioclaviculargelenk) eingesetzt. Diese verursachen keine Kristallablagerungen, haben aber eine deutlich kürzere Wirkungsdauer.
   - Als *Lokalanästhetikum* eignet sich Lidocain (z. B. Xyloneural®, Xylocain®) oder Bupivacain (z. B. Carbostesin®, Bupivacain Jenapharm®).

> **!** Bei V. a. einen Infekt sollte keine Injektion eines Corticoids erfolgen!

9. Zum Schutz der Wunde wird ein Pflaster angebracht.

Punktionen mit Dekonnektion

Zusätzlich zu beachten:

- Es sollte ein steriles Lochtuch zur Abdeckung der Umgebung der Injektionsstelle verwendet werden.
- Bei Spritzenwechsel (Dekonnektion) ist grundsätzlich ein Mund-Nasen-Schutz zu tragen.
- Bei V. a. einen Infekt ist eine Einmalunterlage zu verwenden. Diese muss anschließend entsorgt werden. Eine Desinfektion der Unterlage ist erforderlich.

Punktionen mit hohem Risiko

Diese Punktionen sollten in einer OP-Umgebung durchgeführt werden und sind nicht Aufgabe der allgemeinärztlichen Versorgung.

Nachsorge

In aller Regel genügt ein Pflaster. Der Patient sollte Verhaltensmaßregeln mitbekommen, wie er sich z. B. bei Schmerzen, Schwellung oder Fieber zu verhalten hat und wie er Hilfe auch außerhalb der Sprechzeiten bekommt. In jedem Fall sollte der Patient erst nach 15 min die Praxis verlassen, um Kreislaufreaktionen erkennen zu können. Die Verkehrstüchtigkeit ist durch die alleinige Punktion nicht gefährdet und hängt letztlich von der Grunderkrankung ab. Es empfiehlt sich ein Kontrolltermin nach 2 Tagen, um das Ergebnis zu beurteilen und sich zu überzeugen, dass kein Infekt vorliegt.

Tipps und Tricks

- Da Kanülen Hohlnadeln sind, besteht bei jeder Injektion das Risiko, dass kleinste Hautpartikel und damit auch Keime ausgestanzt werden und mit der Injektion in das Gelenk gelangen. Dieses Risiko kann dadurch vermindert werden, dass eine winzige Menge des Spritzeninhalts (ca. 0,1 ml) nach Perforation der Haut in die Subcutis injiziert wird. Erst danach wird die

Kanülenspitze in das Gelenk vorgeschoben und die eigentliche Injektion verabreicht.

- Bei V.a. ein Hämarthros sollte die Punktion mit einer dicken Kanüle (mind. Nr. 1) durchgeführt werden, da diese nicht so schnell durch Koagel verstopft wird.
- Sehr wichtig ist die **richtige Aufklärung!** Es empfiehlt sich, diese schriftlich zu dokumentieren, auch wenn eine standardisierte mündliche Aufklärung ausreichend wäre. Die Beachtung aller Abläufe und deren Dokumentation stärkt zwar die eigene Position vor Gericht, verhindert aber nicht Konflikte mit dem Patienten. Dieser sollte in jedem Fall wissen, was injiziert wird (v.a. bei Cortison), mit welchen Erfolgsaussichten und welchen Risiken *und* er sollte die Alternativen kennen. Er muss nach Kenntnis der Alternativen die Injektion wirklich wollen, denn dann gibt es erfahrungsgemäß keine Konflikte oder Enttäuschungen, auch wenn Komplikationen auftreten oder der Heilerfolg ausbleibt. Wenn der Patient selbst kleinste Bedenken äußert, empfiehlt es sich, unbedingt abzuwarten, bis er von sich aus eine Injektion wünscht.

5

> Wer in der Gesprächsführung von Anfang an begründet, warum man die Injektion für sinnvoll erachtet auch nach Abwägung aller Risiken (die da wären …), wird meistens überzeugen können. Die alleinige Aufzählung aller Risiken (»… und dann überlegen Sie, ob Sie zustimmen …«) lässt den Patienten mit der Entscheidung allein und provoziert Ablehnung.

Umgang mit Komplikationen

Zu den Komplikationen gehören:

- Reizreaktionen auf das injizierte Medikament (z.B. Flush auf Cortisoninjektion)
- Schmerzen durch paraartikuläre Injektion
- Gelenkinfektion, Sepsis
- Gelenkversteifung
- Nachblutung
- Kreislaufreaktionen

Kreislaufreaktionen sind meist harmlos (Vagusreflex); das Hochlegen der Beine genügt. Da bedrohliche Reaktionen und Schockzustände nicht grundsätzlich ausgeschlossen werden können, muss in der Praxis die Möglichkeit der Reanimation gegeben sein (Notfallkoffer, Fortbildung des Personals!).

Jeder Anruf des Patienten z.B. wegen Schmerzen sollte zur Kontrolluntersuchung am gleichen Tag führen (evtl. im Krankenhaus, wenn man die Untersuchung nicht selbst durchführen kann).

> **!** Nach erfolgter Gelenkpunktion sollte die Erreichbarkeit des Arztes gewährleistet sein.

Allein der V.a. einen Infekt begründet die sofortige Krankenhauseinweisung. Bei rechtzeitig durchgeführter arthroskopischer Spülung ist die Prognose relativ gut. Auf die Gabe eines Antibiotikums sollte verzichtet werden, zumindest bis Material zur Keimtestung gewonnen wurde (außer in vitalen Fällen). Man verschleiert nur die Symptome. Ein manifester Gelenkinfekt lässt sich mit ausschließlicher Antibiose ohnehin nicht erfolgreich behandeln. Sollte sich der Verdacht eines Infekts nicht erhärten, so sind der Befund und die veranlassten diagnostischen Maßnahmen zu dokumentieren, um sich hinsichtlich juristischer Auseinandersetzungen abzusichern.

Weiterführende Literatur

Arbeitskreis »Krankenhaus- und Praxishygiene« der AWMF. S1-Leitlinie »Intraartikuläre Punktionen und Injektionen: Hygienemaßnahmen«. Stand: 08/2015. www.awmf.org/uploads/tx_szleitlinien/029-006l_S1_Hygiene_intraartikulaere_Punktionen_und_Injektionen_2015-08_01.pdf (letzter Zugriff: 06.06.2016).

Empfehlungen der Kommission für Krankenhaushygiene und Infektionsprävention beim RKI. Anforderungen an die Hygiene bei Punktionen und Injektionen. Bundesgesundheitsbl 2011; 54: 1135–44.

5.6 Punktion des Knie- bzw. Schultergelenks

Wolfgang König und Dagmar Schneider

Hintergrund

Das Kniegelenk ist das am einfachsten zu punktierende Gelenk und gleichzeitig das am häufigsten betroffene Gelenk hinsichtlich einer Ergussbildung. Die Druckentlastung eines Ergusses nach Verletzungen oder die Medikamenteninjektion bei aktivierten Arthrosen sind schnelle und sehr gut wirksame Behandlungsmethoden, die v. a. in akuten Fällen nicht ersetzbar sind. Neben den Knieerkrankungen haben Schulterschmerzen erheblich zugenommen. Hier steht die Infiltration des Subakromialraums zahlenmäßig mit Abstand im Vordergrund. Diese Infiltration wird vom Risikopotenzial der intraartikulären Injektion gleichgestellt, da häufig Teilrupturen der Rotatorenmanschette bestehen und man immer mit einer Verbindung zum Gelenkraum rechnen muss.

Indikationen

Kniegelenk

- akute Schmerzen durch aktivierte Arthrosen, Arthritiden, Kristallarthropathien (Gicht)
- Druckentlastung bei Schmerzen durch pralle Ergüsse bzw. Hämarthros
- Diagnostik bei Ergüssen unklarer Ursache

Schultergelenk

- akute Schmerzen durch eine Bursitis calcarea
- chronische Schmerzen durch ein Impingement-Syndrom

Kontraindikationen

► Abschn. 5.5 Kontraindikationen

Aufklärung

Eine ausführliche Aufklärung ist erforderlich (► Abschn. 5.5 Aufklärung).

Benötigtes Instrumentarium

► Abschn. 5.5 Benötigtes Instrumentarium

Durchführung

Kniegelenk

Im Liegen Diese Methode ist erforderlich bei der Punktion von Ergüssen, da sich die Flüssigkeit im oberen Recessus sammelt und die sterile Abdeckung in dieser Position einfach ist. Darüber hinaus erreicht man mit der Nadel den Gelenkraum sicherer als bei der Punktion im Sitzen.

5

1. Bei extremer Behaarung werden die Haare mit der Schere gekürzt.
2. Die Punktionsstelle wird mit einer Kugelschreiberhülle oder mithilfe eines Stifts markiert. Sie liegt proximal und lateral der oberen äußeren Patellakante (► Abb. 5-9).
3. Es folgt eine großzügige Desinfektion mit ungefärbten alkoholischen Desinfektionsmitteln (Propanol, z. B. Kodan®, Sterillium®)
4. Sterile Handschuhe und evtl. ein Mundschutz werden angezogen.
5. Je nach Risiko des Eingriffs wird ein steriles Lochtuch angereicht, das auf die Injektionsstelle geklebt wird.
6. Spritze und Kanülen werden steril angereicht, ein Medikament oder eine Lokalanästhesie werden steril aufgezogen.
7. Anschließend folgen Punktion und Injektion, dabei wird die Nadelspitze leicht nach oben gerichtet. Durch Druck auf den medialen Patellarand kann man den lateralen Rand etwas aufkanten, was den Zugang erleichtert. Es empfiehlt sich, eine geringe Menge des Spritzeninhalts (ca. 0,1 ml) subcutan zu injizieren. Erst danach wird die Kanülenspitze in das Gelenk vorgeschoben und die eigentliche Injektion verabreicht (► Abschn. 5.5 Tipps und Tricks).
8. Ein steriles Pflaster wird angebracht.

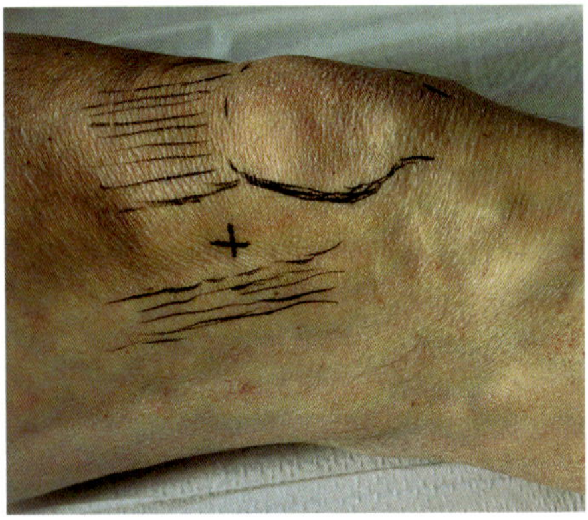

Abb. 5-9 Kniegelenkpunktion im Liegen. Markierte Punktionsstelle proximal und lateral der oberen äußeren Patellakante.

Im Sitzen Vorteil dieser Methode ist die Schnelligkeit des Ablaufs. Darüber hinaus lässt sich ein älterer Mensch oder ein Patient mit einer Behinderung nicht immer ohne Probleme auf die Untersuchungsliege legen. Der Nachteil ist, dass die Punktion schwieriger ist als die am oberen Patellapol, weil nicht selten die Nadelspitze im Hoffa-Fettkörper liegt statt im Gelenkraum. Zudem ist diese Methode für die Punktion eines Ergusses ungeeignet, da sich bei einem Erguss die Flüssigkeit im dorsalen Recessus sammelt.

1. Die Injektionsstelle wird festgelegt. Diese liegt in der Mitte eines Dreiecks, das von Tibiakante, Femurkondyle und Lig. patellae begrenzt wird (»soft spot«). Das Knie ist dabei rechtwinkelig gebeugt (► Abb. 5-10).
2. Die Nadelspitze wird in Richtung Interkondylärraum vorgeschoben.

Schultergelenk

Die mit Abstand häufigste Injektion am Schultergelenk erfolgt in den Subakromialraum bei Impingement-Syndromen und Bursitiden. Selten ist das Humeroglenoidalgelenk betroffen.

Im Sitzen von ventral

1. Die Orientierung erfolgt an der Akromionvorderkante und dem darunter liegenden Humeruskopf. Die Injektionsstelle liegt in dem gut tastbaren Gelenkspalt zwischen diesen knöchernen Landmarken. Da das

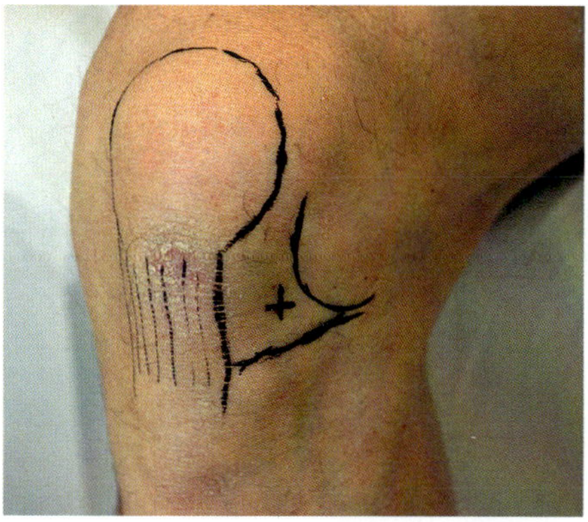

Abb. 5-10 Kniegelenkpunktion im Sitzen. Markierte Punktionsstelle in der Mitte eines von der Tibiakante, Femurkondyle und Lig. patellae begrenzten Dreiecks.

Akromion häufig eine bogenförmige Krümmung nach caudal aufweist, sollte die Injektionsstelle etwa 1 cm unterhalb des Gelenkspalts gewählt und die Nadelspitze etwas nach oben gerichtet werden. Diese Injektionstechnik ist etwas schwieriger als von dorsal, da nicht selten ein subakromialer Engpass besteht und man sich mit der Nadelspitze unter das Akromion tasten muss. Vorteil ist das sichere Erreichen der entzündeten Strukturen (► Abb. 5-11).

2. Von der gleichen Punktionsstelle aus kann man den intraartikulären Raum erreichen, indem man die Nadelspitze in der Transversalebene leicht nach medial und etwas caudal richtet.

Im Sitzen von dorsal

1. Die Orientierung erfolgt an der dorsalen Akromionkante. Die Injektionsstelle liegt 1–2 cm medial und 1–2 cm caudal dieser Knochenecke in einem »soft spot«. Die Nadelspitze wird leicht nach oben gerichtet und muss relativ weit nach ventral geschoben werden, um dort die entzündlichen Strukturen zu erreichen. Diese Methode ist etwas einfacher als von ventral und weniger schmerzhaft. Sie ist aber evtl. auch weniger wirksam, da man den wichtigen Akromionvorderrand nur mit einer langen Nadel erreicht (► Abb. 5-12).
2. Für die rein intraartikuläre Injektion wird die Nadel vom gleichen Ausgangspunkt horizontal und mehr nach medial in Richtung auf die Spitze des Coracoids gerichtet. Der nachlassende Stempeldruck weist darauf hin, dass die Nadelspitze im Gelenk liegt.

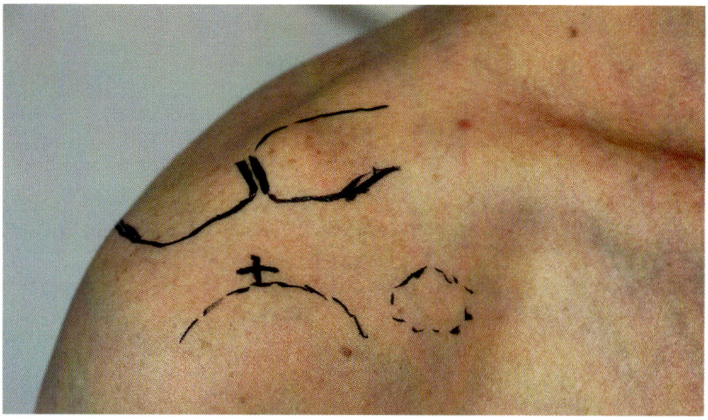

Abb. 5-11 Schultergelenkpunktion von ventral

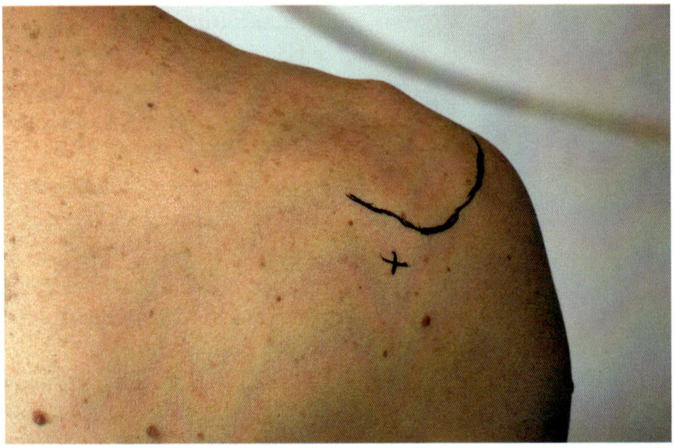

Abb. 5-12 Schultergelenkpunktion von dorsal

5

Nachsorge

In aller Regel genügt ein Pflaster. In jedem Fall sollte der Patient erst nach 15 min die Praxis verlassen, um Kreislaufreaktionen behandeln zu können. Die Verkehrstüchtigkeit ist durch die alleinige Punktion nicht gefährdet und hängt letztlich von der Grunderkrankung ab. Es empfiehlt sich ein Kontrolltermin nach 2 Tagen, um das Ergebnis zu beurteilen und sich zu überzeugen, dass kein Infekt vorliegt.

Tipps und Tricks

- Bei hochviskösen Medikamenten (z. B. Hyaluronsäure) ist die zusätzliche Injektion eines Lokalanästhetikums hilfreich, auch wenn dazu dekonnektiert werden muss. Man kann problemlos eine kleine Menge des Lokalanästhetikums (ca. 0,1 ml) in die Subcutis spritzen (► Abschn. 5.5 Tipps und Tricks) und leichter am nachlassenden Stempeldruck spüren, wenn die Nadelspitze intraartikulär liegt.
- Bei guter Wirkung der *ersten* Cortisoninjektionen ist eine Wiederholung nach 6 Monaten durchaus möglich. Die Häufigkeit und die Abstände weiterer Cortisoninjektionen sollten in jedem Fall fachorthopädisch abgestimmt werden. Es muss abgewogen werden, inwieweit eine geänderte Schmerzmedikation oder eine gelenkerhaltende OP (z. B. eine Arthroskopie) nicht doch sinnvoller sind. Wenn die Indikation zur totalen Endoprothese (TEP) gestellt wurde, können weitere Injektionen mit dem Ziel, die OP hinauszuschieben, sinnvoll sein. Dabei muss der Patient noch einmal auf das Infektionsrisiko durch häufige Injektionen hingewiesen werden.

> Cortisoninjektionen in ein Kniegelenk wirken bereits beim ersten Mal. Wenn die erste Injektion keine Wirkung zeigt, sind weitere Injektionen ebenso wirkungslos und deshalb sinnlos.

- Weitere Tipps und Tricks werden im Abschn. 5.5 Tipps und Tricks beschrieben.

Umgang mit Komplikationen

► Abschn. 5.5 Umgang mit Komplikationen

Weiterführende Literatur

► Abschn. 5.5 Weiterführende Literatur

5.7 Punktion von Bursen (Knie bzw. Ellenbogen)

Wolfgang König und
Dagmar Schneider

Hintergrund

Schwellung und Ergussbildung in Schleimbeuteln, meist an Knie- und Ellenbogengelenken, treten häufig spontan oder auch durch chronische Druckbelastung oder Anpralltraumen auf. Sie sind leicht zu diagnostizieren. Zur Punktion gibt es in den akuten Fällen meist keine wirksame Alternative. Da keine Verbindung zum Gelenk besteht, sind die hygienischen Anforderungen formal nicht so hoch wie bei Gelenkpunktionen. Es besteht jedoch durch den unmittelbaren Hautkontakt von Natur aus eine erhöhte Infektanfälligkeit. Dies sollte im Rahmen der Aufklärung mit dem Patienten besprochen werden.

Indikation

Die Punktion einer Bursa ist bei praller, schmerzhafter und fluktuierender Schwellung indiziert (Bursitis praepatellaris, Bursitis olecrani).

Kontraindikationen

- infizierte Hautläsionen (z. B. Schürfwunden)
- erhöhte Blutungsneigung

Aufklärung

Grundsätzlich gelten die gleichen Aufklärungskriterien wie in Abschnitt 5.5 erläutert. Es darf aber auch darauf hingewiesen werden, dass die Komplikationen deutlich weniger schwerwiegend sind als bei Gelenkpunktionen.

Benötigtes Instrumentarium

- Spritze und Kanülen, evtl. Medikamente
- ggf. Abstrichröhrchen, Laborgefäße für Punktat
- ggf. sterile Handschuhe bei V. a. Infekt (Selbstschutz!)

Durchführung

Auf die Verwendung steriler Handschuhe kann verzichtet werden, wenn keine Dekonnektion stattfindet und kein Verdacht besteht auf eine bereits infizierte Bursa. Die Punktionsstelle sollte wenn möglich nicht in der Mitte der Schwellung gewählt werden, sondern am Rand, möglichst am tiefsten Punkt.

1. Bei Verwendung von etwas Lokalanästhetikum kann eine winzige Menge des Spritzeninhalts (ca. 0,1 ml) nach Perforation der Haut in die Subcutis gespritzt werden (► Abschn. 5.5 Tipps und Tricks).
2. Darüber hinaus kann man mit der anderen Hand die Bursa ausstreichen und dadurch eine weitgehend vollständige Entleerung erreichen. Bei V. a. einen Infekt sollte das Punktat zur bakteriologischen Untersuchung eingeschickt werden.
3. Falls erforderlich wird ein Corticoid injiziert.
4. Die Einstichstelle wird mit einem Pflaster versorgt, ein leichter Druckverband (selbsthaftende Fixierbinde) wird angelegt.
5. Das Anlegen einer Gipsschiene für einige Tage kann die Effektivität der Maßnahme deutlich erhöhen, wird

aber vom Patienten nicht immer akzeptiert.

Nachsorge

- Aufklärung über Verhalten: Auch wenn keine Gipsschiene angelegt wurde, sollte das Gelenk wenig bewegt werden.
- Hinweise auf Verhalten bei Komplikationen: Liegen Schmerzen, Rötung oder starke Schwellung vor, ist eine sofortige Wiedervorstellung in der Arztpraxis notwendig.
- Eine klinische Kontrolle erfolgt nach einigen Tagen, evtl. mit Besprechung des Punktionsergebnisses und der weiteren Therapie.

Tipps und Tricks

Chronische Bursitiden lassen sich in der Regel durch Punktion mit oder ohne Cortisoninjektion nicht befriedigend behandeln. Hier sollte dem Patienten als Alternative die OP vorgeschlagen werden, weil das Risiko einer iatrogenen Infektion bei wiederholten Punktionen nicht unerheblich ist.

Umgang mit Komplikationen

Zu den Komplikationen gehören:

- Infekt
- Nachblutung
- Schwellung durch zu straffe Verbände
- Rezidivergüsse

Bei V. a. auf einen beginnenden Infekt muss die klinische Kontrolle noch am gleichen Tag erfolgen. Dabei werden Entzündungsparameter abgenommen, evtl. eine Gipsschiene angelegt und die Überweisung in eine fachchirurgische Behandlung zur zeitnahen Entscheidung über die OP-Indikation veranlasst.

Weiterführende Literatur

► Abschn. 5.5 Weiterführende Literatur

5.8 Behandlung des Iliosakralgelenk-Syndroms

Jean-François Chenot

Hintergrund

Eine genaue Ursache für akute Kreuzschmerzen, definiert als Schmerz zwischen dem unteren Rippenbogen und den Glutealfalten, lässt sich auch mit Bildgebung in den allermeisten Fällen nicht sicher feststellen. Deswegen wird die Mehrheit akuter Kreuzschmerzen ohne anamnestische oder klinische Warnhinweise (»red flags«) auf spezifische Rückenschmerzen pragmatisch als nichtspezifischer Kreuzschmerz klassifiziert. Innerhalb der Gruppe der nichtspezifischen Kreuzschmerzen kann klinisch das sog. Iliosakralgelenk-(ISG-)Syndrom abgegrenzt werden. Der Anteil des ISG-Syndroms an den Ursachen für akute Kreuzschmerzen wird auf 15–30 % geschätzt.

Das ISG-Syndrom ist eine klinische Diagnose und kann durch Funktions- oder Provokationstests objektiviert werden. Wenn die in den Tests erhobenen Befunde für ein ISG-Syndrom sprechen, kann die Vibrationstraktion versucht werden. Dabei handelt es sich um eine leicht zu erlernende und ungefährliche Mobilisationstechnik.

Multiple Funktions- und Provokationstests stehen diagnostisch zur Verfügung. Diese Tests haben – jeder Test für sich – nur eine eingeschränkte Sensitivität und Spezifität. In Kombination kann jedoch eine für die Praxis ausreichende diagnostische Sicherheit erlangt werden. Die (minimale) Bewegung des ISG selbst kann nicht getastet, sondern nur durch die Bewegung der damit verbundenen Strukturen visualisiert werden.

Funktionstests Häufig beschriebene Funktionstests sind der sog. **Spine-Test** (= Gillet-Test; Sensitivität 40–50 %, Spezifität ca. 80 %) und der **Vorlauf-Test** (Sensitivität 17–20 %, Spezifität ca. 80 %). Beide Tests erfordern Erfahrung und können durch leichte Skoliosen verfälscht werden, zudem erfordert der Spine-Test eine hohe Geschicklichkeit des Patienten (Einbeinstand). Sie werden hier darum nicht empfohlen.

Ein ähnlich unzuverlässiger, aber in Kombination mit anderen Befunden hilfreicher Test ist der sog. **Derbolowsky-Test**. Dabei wird der auf dem Rücken gerade (!) liegende Patient gebeten, sich in den Langsitz aufzurichten, während der Untersucher die Malleolen beobachtet oder locker umfasst (► Abb. 5-13a). Alternativ können an den Unterschenkeln querverlaufende Markierungen mit einem Stift eingezeichnet werden. Das Aufrichten in den Langsitz wird mehrfach wiederholt. Bei funktioneller Beinlängendifferenz durch ein ISG-Syndrom zeigt sich eine Verschiebung der Malleolen bzw. der Markierungen während des Aufrichtens, was als positives Testergebnis gilt (► Abb. 5-13b). Der Test wird empfohlen, weil er auch bequem zur Überprüfung des Therapieerfolgs nach einer Vibrationstraktionsbehandlung genutzt werden kann.

Provokationstests Der wichtigste Provokationstest ist der sog. **Patrick-Faber-Test** (auch Vierer-Test oder Maigne-Test genannt) mit einer Sensitivität von ca. 70–90 % und einer Spezifität von 20–90 %. Dabei wird das abgewinkelte und außenrotierte Bein unter Fixierung des Beckens auf der Gegenseite forciert abduziert. Der Fuß des angewinkelten Beins kann neben oder auf dem Knie des ausgestreckten Beins liegen. Der Oberschenkel dient dabei als Hebel, mit dem Druck über das Hüftgelenk auf das ISG weitergeleitet wird (► Abb. 5-14a). Als positiv wird er gewertet, wenn Schmerz in der Hüfte oder Gesäßgegend durch das Manöver ausgelöst oder verstärkt werden kann. Nicht als positiv gewertet wird ein Dehnungsschmerz der Adduktorenmuskulatur. Der Test fällt auch bei Hüftproblemen positiv aus (Sensitivität 89 %) und kann daher nur gewertet werden, wenn die forcierte Innenrotation der gebeugten Hüfte schmerzfrei ist (► Abb. 5-14b).

Indikationen

Für die Behandlung eines ISG-Syndroms sprechen:

- Beckenschiefstand durch funktionelle Beinlängendifferenzen (echte relevante Beinlängendifferenzen sind selten)
- eher jüngere Patienten
- (pseudoradikuläre) Schmerzen im Oberschenkel und Gesäß
- lokaler Druckschmerz tief lumbal oder im Gesäß
- manchmal Leistenschmerz und Druckschmerz am Leistenbandansatz der Symphyse
- Reproduzierbarkeit der Schmerzen durch den Patrick-Faber-Test (► Abschn. Hintergrund), jedoch ohne Schmerzen bei forcierter Innenrotation der Hüfte

Kontraindikationen

- Hinweise auf eine Fraktur, Knochenmetastasen oder Infektion
- relative Kontraindikation: künstliches Hüft- oder Kniegelenk in den ersten neun Monaten nach Implantation

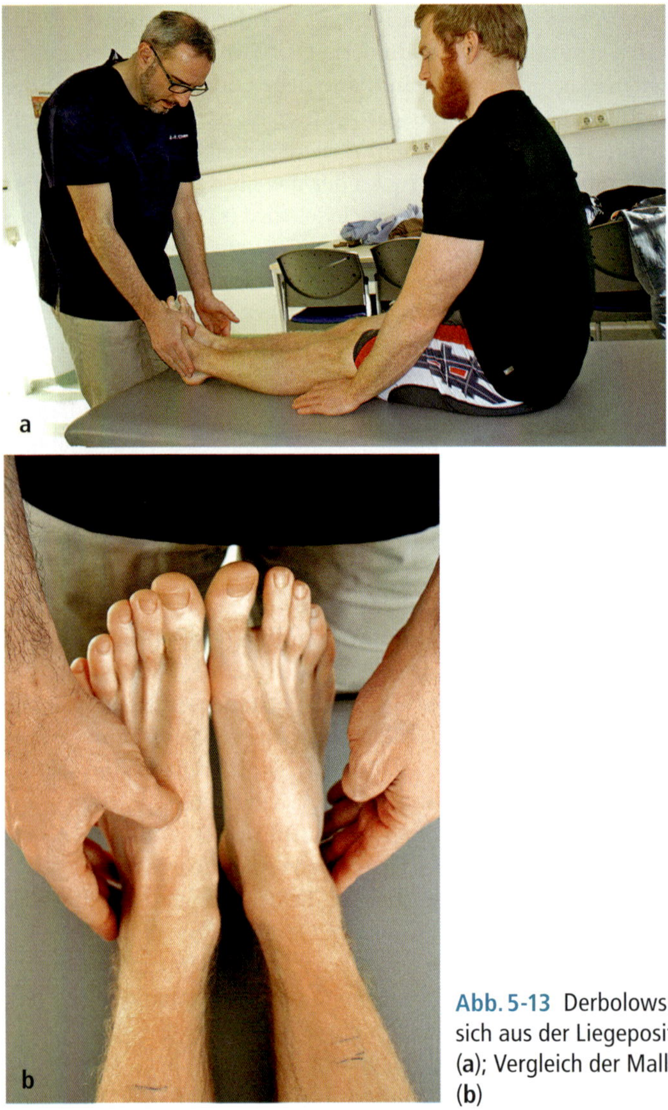

Abb. 5-13 Derbolowsky-Test: Patient richtet sich aus der Liegeposition in den Langsitz auf (**a**); Vergleich der Malleolen: Vorschub rechts (**b**)

ISG-Probleme nach Endoprothesenimplantation sind ein Hinweis auf eine nicht kompensierte Beinlängendifferenz. Hier kann eine Vibrationstraktion helfen, die Therapie muss jedoch um die Korrektur der Beinlängendifferenz ergänzt werden.

Aufklärung

Patienten sollten darüber aufgeklärt werden, dass eine mobilisierende Behandlung durchgeführt wird und in diese einwilligen. Komplikationen sind nicht bekannt.

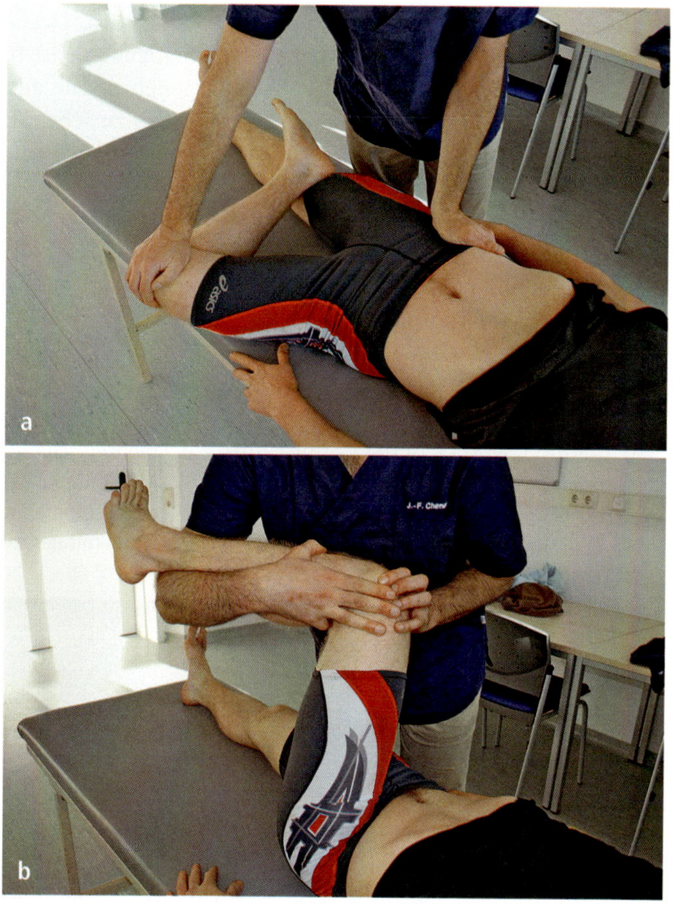

Abb. 5-14 Patrick-Faber-Test: forcierte Abduktion des außenrotierten Beins (**a**); forcierte Innenrotation (**b**)

Benötigtes Instrumentarium

Eine gewöhnliche Untersuchungsliege mit ausreichend Platz am Fußende reicht aus.

Durchführung

1. Der Patient liegt flach auf dem Rücken, da die Durchführung des Patrick-Faber-Tests und des Derbolowsky-Tests die Rückenlage erfordert.
2. Die Malleolengabel wird mit beiden Händen fest umfasst (▸ Abb. 5-15a). Es wird mit dem eigenen Körpergewicht ein leichter Zug ausgeübt, bis das Bein unter Spannung steht (▸ Abb. 5-15b). Der Patient darf dabei keine Schmerzen angeben.
3. Unter Haltung der Spannung wird nun eine feine Vibration mit kaum wahrnehmbarer Amplitude (leichtes Rütteln) durchgeführt. Sie darf nicht schmerzhaft sein. Die Vibration wird über ca. 15–20 s (1–2 eigene Atemzüge) durchgeführt und kann mehrfach wiederholt werden.
4. Diese unspezifische Traktionsbehandlung sollte immer auf beiden Seiten durchgeführt werden. Patienten berichten oft schon von einer deutlichen

Besserung ihrer Symptome, wenn sie von der Liege steigen. Der Erfolg kann sofort mit dem Derbolowsky-Test überprüft werden.

Nachsorge

Im Regelfall ist keine besondere Nachsorge erforderlich. Im Einzelfall kann bei persistierenden oder rezidivierenden Beschwerden eine Heilmittelverordnung manueller Therapie indiziert sein.

Tipps und Tricks

Am distalen Unterschenkel sollte nur in der Art und Weise, wie in der Abbildung 5-15a gezeigt, umfasst werden, denn das zirkuläre Umgreifen der Fußfessel mit Druck auf das Periost des Schienbeins ist für den Patienten unangenehm. Die ausgeführte Vibration ist kaum zu sehen. Eine zu große Amplitude ist unangenehm oder schmerzhaft für den Patienten. Bei der Vibrationstraktion in Bauchlage sollte das Hüftgelenk nicht über die individuelle physiologische Extension hinaus überstreckt werden. Man kann den Patient um Rückmeldung bitten, ob die Vibration »ankommt«.

> **!** Das Risiko ist gering, aber ohne manualmedizinische Ausbildung sollten keine Manipulationsversuche (kurzer Impuls) unternommen werden. Der Erfolg ist allein mit der Vibrationstraktion erzielbar.

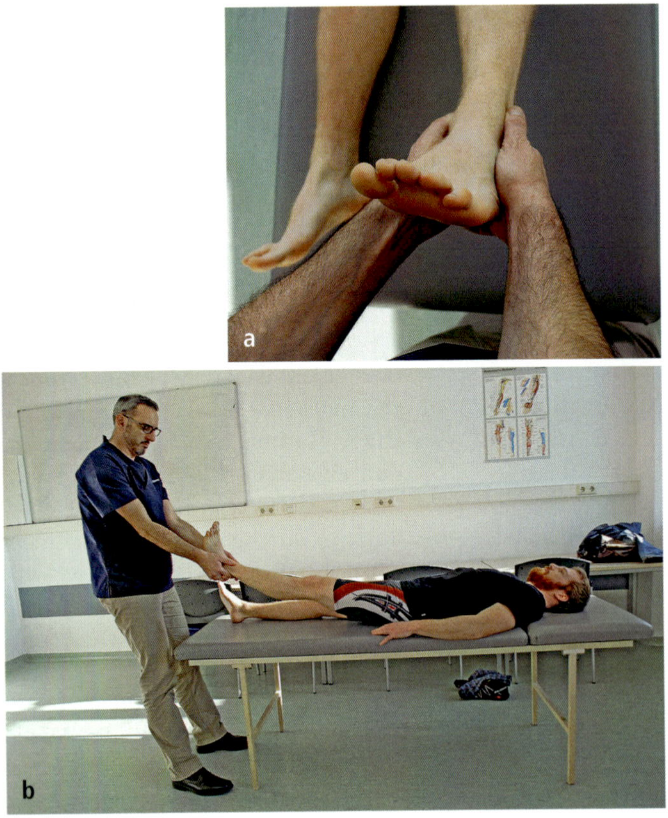

Abb. 5-15 Vibrationstraktion: Fixation des Fußes (**a**); Vibration des unter leichtem Zug stehenden Beins (**b**)

Bei jüngeren Patienten mit Kreuzbeschwerden, die länger als drei Monate andauern, bei Nachtschmerzen, Besserung unter Bewegung und ungewöhnlich gutem Ansprechen auf nichtsteroidale Antirheumatika sollte an eine Sacroiliitis durch Spondylarthropathie (Morbus Bechterew) gedacht werden. Andere assoziierte Erkrankungen sind Psoriasis und die Colitis ulcerosa.

Umgang mit Komplikationen

Komplikationen bei Mobilisierung des ISG sind extrem selten. Bei Hinweisen auf eine Komplikation, z. B. ungewöhnliche Schmerzverstärkung, sollte eine Bildgebung erfolgen.

Weiterführende Literatur

BÄK, KBV, AWMF. Nationale Versorgungs-Leitlinie »Kreuzschmerz«. Stand: Oktober 2015. www.leitlinien.de/nvl/kreuzschmerz (letzter Zugriff: 06.06.2016).

Chenot JF, Hildebrandt J, Müller G et al. Praxis der körperlichen Untersuchung. In: Hildebrandt J, Pfingsten M. Rückenschmerz und Lendenwirbelsäule. Interdisziplinäres Praxisbuch – entsprechend den Nationalen Versorgungsleitlinien. 2. Aufl. München: Urban & Fischer bei Elsevier 2011; 124–32.

Levangie PK. Four clinical tests of sacroiliac joint dysfunction: the association of test results with innominate torsion among patients with and without low back pain. Phys Ther 1999; 79: 1043–57.

Simopoulos TT, Manchikanti L, Singh V et al. A systematic evaluation of prevalence and diagnostic accuracy of sacroiliac joint interventions. Pain Physician 2012; 15: 305–44.

5.9 Neuraltherapie

Stefan Weinschenk

Hintergrund

Neuraltherapie ist definitionsgemäß jede Form der Therapie mit Lokalanästhetika (LA) ohne Zusätze – von einfachen Quaddeln bis zur komplexen, interventionellen Schmerztherapie. Bekannt ist die Neuraltherapie auch als »therapeutische Lokalanästhesie« (TLA). Laut einer 2009 in Deutschland durchgeführten Umfrage ist Neuraltherapie das am häufigsten angewandte, komplementärmedizinische Verfahren bei Allgemeinärzten (Weinschenk 2013b). Bislang gibt es für den Einsatz von TLA wenig Evidenz durch klinische Studien. In der Grundlagenforschung hingegen wurden viele Effekte von LA auf molekularer Ebene nachgewiesen, die ihre vielfältigen Indikationen erklären könnten. Zu diesen Effekten gehören (Weinschenk 2013a):

- Blockierung der Reizweiterleitung an Natriumionenkanälen (bekannteste Wirkung)
- spinale Reizunterbrechung
- Durchblutungsverbesserung
- antiinflammatorische, immunstimulierende, gefäßabdichtende Wirkungen
- zentrale Effekte (limbisches System – Löschung des Schmerzgedächtnisses)
- Wirkung z. B. auf Granulozyten, NMDA-Rezeptor, Vanilloid-Rezeptor

Es werden Lokalanästhetika vom Amid-Typ (Lidocain, Mepivacain; Abbau in Leber und Niere) sowie vom Ester-Typ (Procain; lokaler Abbau im Gewebe) unterschieden. Dadurch ergibt sich ein unterschiedliches Nebenwirkungsspektrum der eingesetzten Lokalanästhetika.

Die häufigste und einfachste Anwendung der Neuraltherapie in der allgemeinmedizinischen Praxis ist die lokale und segmentale Injektion (Quaddel); damit verbunden sind oft sofort eintretende und anhaltende Wirkungen (Droß 2010). Darüber hinaus können nahezu alle aus der Anästhesie bekannten Infiltrationstechniken auch mit therapeutischer Zielsetzung verwendet werden (► Tab. 5-1). Ab Anwendung von Techniken der regionalen Therapie ist der Besuch von Weiterbildungskursen in Neuraltherapie sinnvoll (Grundkurse sind anzustreben).

Indikationen

- akuter und chronischer Schmerz (unspezifischer Rückenschmerz, HWS-Verspannung)
- Funktionsstörungen (funktionelle Bewegungseinschränkung)
- chronisch rezidivierende Entzündungen (abakterielle Zystitis)
- vegetative Beschwerden (Befindlichkeitsstörungen ohne Befund)

Die häufigsten Indikationen betreffen muskuloskelettale Beschwerden (Droß 2010):

- Myalgien
- Myogelosen
- cervicale (Spannungs-)Kopfschmerzen
- Ansatztendinosen (»Tennisellenbogen«)

Kontraindikationen

Die Quaddeltherapie ist ein nebenwirkungsarmes Verfahren. Daher existieren nur wenige Kontraindikationen. Ein Therapieversuch ist immer dann zulässig, wenn kein V. a. einen operationswürdigen oder organischen Befund vorliegt. Im Zweifel muss eine weitere Diagnostik erfolgen.

Tab. 5-1 Unterschiedliche Zugangswege der Neuraltherapie

Prinzip	Vorgehen	Beispiele
schnell und einfach: *»der Alltag«*	*akutes Krankheitsbild* • einfache Injektionstechniken • Standardvorgehen: – 1- bis 3-mal »trial and error« – zunehmende Behandlungsintervalle – Abklärung bei Misserfolg	*akutes Krankheitsbild* • akutes HWS-Syndrom • unkomplizierter Kreuzschmerz • Muskelzerrung, Bänderdehnung • Sofortbehandlung einer akuten Gallenkolik (dann weitere Abklärung)
aufwendig und manchmal kompliziert: *»die hohe Schule«*	*chronisches Krankheitsbild* • vorausgegangene umfangreiche Diagnostik und Therapie • alle Injektionstechniken • Weiterbildung und Zertifikat (Basiszertifikat bzw. Master) in Neuraltherapie sinnvoll	*chronisches Krankheitsbild* • Trigeminusneuralgie • chronisch rezidivierende Entzündungen • postherpetisches Syndrom • Kopfschmerz, Migräne • chronische Bauchschmerzen

Absolute Kontraindikationen

- Psychose
- Spritzenangst
- organische Veränderungen
- operationswürdige Befunde
- V.a. psychosomatisches oder neurotisches Geschehen

Relative Kontraindikationen

- Antikoagulation (v.a. bei tiefen oder Ganglieninjektionen)
  Quaddeln sind bei entsprechender Erfahrung des Arztes und vorliegendem Einverständnis des Patienten (vermehrte Nachblutung) möglich.
- Schwangerschaft (Amid-LA: in der gesamten Schwangerschaft; Ester-LA: im 1. Trimenon)
- Cholinesterasemangel (nur Ester-LA → dann auf Amid-LA ausweichen)
- laufendes Rentenbegehren

! Der Patient kann auf »Spritzen« fixiert sein, deshalb sollte die Indikation überprüft werden, wenn die Wirkung immer nur kurz anhält und der Patient nach regelmäßiger Wiederholung verlangt. Ziel ist eine dauerhafte Besserung der Beschwerden mit möglichst wenigen Interventionen.

Aufklärung

- Wirkungsweise einer TLA
- Nebenwirkungen (Kreislauf, Allergie, Blutung, Erstverschlimmerung)

> Die wichtigste praxisrelevante Nebenwirkung ist die vagovasale Kreislaufreaktion.

- bei tieferen Injektionen schriftliches Einverständnis (Download eines vereinfachten Aufklärungsbogens unter www.cytolab.de/uploads/media/Einwilligungserklaerung_Neuralthera pie_01.pdf)

Benötigtes Instrumentarium

- Spritzen: 5 ml
- Kanülen:
  - bei Quaddeln: 0,4 × 20 (grau)
  - bei Triggerpunkten: 0,4 × 40 (grau)
- übliche Materialien für Injektionen:
  - Liege
  - Desinfektion
  - Tupfer
  - Spritzenabwurf
- LA: vorzugsweise Procain 1 %
  Ester-LA haben eine geringe Nebenwirkungsquote und eine kurze Halbwertszeit.

Durchführung

> Selbst bei einer Akutbehandlung sollte Zeit für eine umfassende Anamnese und Befunderhebung vorhanden sein.

Fünf Zugangswege sind für die Applikation einer Lokalanästhesie möglich:

- *lokal* (Triggerpunkte, Dawos-Prinzip: »Da, wo's weh tut.«)
- *segmental* (Quaddeln, Facetteninfiltration)
- *regional* (Nerven-, Ganglieninfiltration; ▸ Abschn. 4.2, 4.3)
- *Störfeldsuche und -therapie* (Zähne, Narben)
- *systemisch* (Procaininfusion mit Perfusor)

Für die Neuraltherapie in der Hausarztpraxis sind der lokale und segmentale Zugangsweg am einfachsten. Bei allen Zugangswegen sollte zunächst eine **allergische Reaktion** ausgeschlossen werden:

1. Eine erste Quaddel wird gesetzt.

2. 5–10 min sollten abgewartet werden, um zu prüfen, ob eine allergische Reaktion auftritt (z. B. Juckreiz, Urtikaria).

Eine lokale Rötung alleine ist noch keine Allergie, sondern Zeichen der Durchblutungssteigerung.

Quaddeln

1. Wichtig ist eine flache Spritzenhaltung mit dem Nadelschliff nach oben.
2. Der Daumen liegt auf dem Stempel. Ohne zu aspirieren, wird das Lokalanästhetikum sofort mit Stempeldruck injiziert, sobald Hautwiderstand auftritt. Die Größe der entstandenen Quaddel (► Abb. 5-16) sollte ca. 4–5 mm (ca. 0,1–0,2 ml) betragen.

Für das Unterscheiden einer Quaddel von einer zu tief gesetzten (subcutanen) Injektion gilt: s. c. = geringer, i. c. = hoher Widerstand.

Triggerpunkte (TrP)

1. Die Haut des Patienten und die Hände des Therapeuten werden desinfiziert.

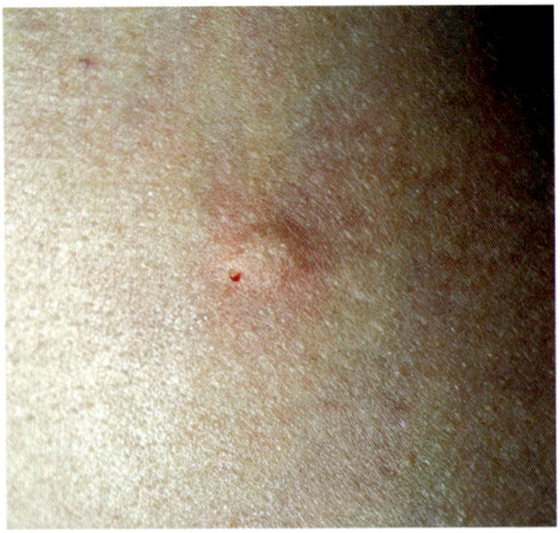

Abb. 5-16 Quaddel

2. Der TrP wird palpiert.
3. Es folgt eine langsame i. m. Injektion genau in die getastete Muskelverhärtung. Diese löst sich fühlbar auf, sobald die LA wirkt.

! Ungeübte sollten keine TrP-Infiltration im Kopf-Hals-Bereich vornehmen, da eine Injektion in Kopfgefäße nicht auszuschließen wäre.

Abhängig von der Halbwertszeit der verwendeten LA (Procain 15 min, Lidocain 30–45 min) sollte der Patient nach einer Neuraltherapie in der Praxis verbleiben. Bei starker Kreislaufreaktion wird der Patient zur Beobachtung auf einer Behandlungsliege gelagert; ggf. können ein i. v. Zugang gelegt und Flüssigkeit gegeben werden.

Nachsorge

Die Einbestellung des Patienten zur Therapiekontrolle ist in allen Fällen ratsam (auch zur Qualitätssicherung!)

Wiedereinbestellung

- Patienten mit akuten Beschwerden werden nach 2–4 Tagen zur erneuten Neuraltherapie einbestellt, dies wird ein- bis zweimal wiederholt. Wenn keine dauerhafte Besserung eintritt, muss eine weitere Abklärung erfolgen.
- Patienten mit chronischen Beschwerden werden alle 1–2 Wochen wieder einbestellt.

Entscheidend für den dauerhaften Therapieerfolg ist bei chronischen Beschwerden die Wiederholung der Neuraltherapie in zunehmend längeren Zeitabständen. Der Abstand zur nächsten Therapie sollte mit zunehmender Wirkungsdauer verlängert werden, z. B. 2–4–8 Wochen, 3–6 Monate.

Bei geringem Effekt oder Misserfolg

- Wenn nach der 2. (spätestens 3.) Behandlung keinerlei Effekt eintritt, dann muss die Indikation zur Behandlung neu überprüft werden.
- Wenn die Wirkung immer nur wenige Tage anhält, werden evtl. weitere Injektionstechniken hinzugenommen und die Indikation überprüft (Andere Ursache? Andere Therapie?). Der Patient sollte mithilfe einer umfassenden Beratung dazu angeregt werden, die Zeit der Besserung für gesundheitsfördernde Maßnahmen zu nutzen: Bewegungsarmut, Lebensweise und Stressfaktoren sind zu erörtern.

Der Patient ist für lebensverändernde Maßnahmen erst offen, wenn er schmerzfrei ist. Deshalb gehören Intervention und Beratung zusammen – in dieser Reihenfolge!

Tipps und Tricks

- **Quaddeln:** intracutan, nicht subcutan (dann unwirksam); einfache Technik, sobald man sie einmal beherrscht. Deshalb üben, auch Quaddelserie (z. B. 5–8 Quaddeln in Reihe über dem M. trapezius)
- **TrP:** in kopffernen Regionen möglichst unter leichtem Stempeldruck injizieren, nicht aspirieren; Letzteres macht Technik schwierig oder unmöglich

Umgang mit Komplikationen

- **vagovasale Reaktion:** hinlegen, Flüssigkeitsgabe, beobachten
- Zeichen einer **allergischen** oder **anaphylaktischen Reaktion:** i. v. Zugang, ggf. Flüssigkeit infundieren und ggf. Gabe von Notfallmedikamenten
- **Notfallkoffer:** sollte auch bei Therapie mit »nur« Quaddeln immer erreichbar sein
  - Anaphylaxie Grad I: Cortison i. v. und Antihistaminika (Dimetinden, z. B. Fenistil® mit 0,1 mg/kg KG)
  - Anaphylaxie Grad II: Sauerstoffgabe sowie die sofortige *i. m.* Applikation von 0,3–0,5 mg Adrenalin (ab 30–50 kg KG; z. B. Suprarenin®, Fastjekt®); bei fehlender Stabilisierung *i. v.;* reichlich Kochsalzlösung

Literatur

Droß G. Neuraltherapie in der Allgemeinmedizin. In: Weinschenk S. Handbuch Neuraltherapie. Diagnostik und Therapie mit Lokalanästhetika. München: Urban & Fischer bei Elsevier 2010; 742–45.

Weinschenk S. Neuraltherapie – die Therapie mit Lokalanästhetika. Teil 1: Grundlagen. Dtsch Z Akupunktur 2013a; 54: 6–9.

Weinschenk S. Neuraltherapie – die Therapie mit Lokalanästhetika. Teil 2: Klinische Anwendung. Dtsch Z Akupunktur 2013b; 56: 6–9.

Weiterführende Literatur

AWMF. Leitlinie zu Akuttherapie und Management der Anaphylaxie. Allergo J Int 2014; 23: 96. Stand: Dezember 2013. www.awmf.org/uploads/tx_szleitlinien/061-025l_S2k_Akuttherapie_anaphylaktischer_Reaktionen_2013-12.pdf (letzter Zugriff: 06.06.2016).

Weblinks

Lehrvideo »Quaddeln« der HUNTER Gruppe am Universitätsklinikum Heidelberg (www.hunter-heidelberg.com)

Weiterbildungskurse der Deutschen Gesellschaft für Akupunktur und Neuraltherapie (www.dgfan.de) und der Universität Heidelberg (www.hunter-heidelberg.com)

5

6 Gastrointestinaltrakt

6.1 Legen einer Magensonde (beim Erwachsenen)

Grit Hübsch, Kristin Seele und Antje Bergmann

Hintergrund

Das Legen einer Magensonde ist eine seltene Prozedur in der Hausarztpraxis. Einsatzgebiete im hausärztlichen Setting ergeben sich v. a. bei der Versorgung von Palliativpatienten.

Indikationen

- kurzfristige Ernährungstherapie bei Kau- oder Schluckstörungen unterschiedlicher Genese und Mangelernährung
- Sekretentlastung bei funktionellem bzw. mechanischem Ileus
- Dekompression bei Distension (Blähung)
- rezidivierendes Erbrechen

Kontraindikationen

- Traumen und Tumoren im Mund-Rachen-Raum
- Nasennebenhöhleninfektionen
- Ösophagustumoren
- Ösophagusvarizen
- Soorösophagitis
- Fehlbildungen in Nase, Mund, Rachen und Ösophagus

Aufklärung

Das Legen einer Magensonde erfordert das Einverständnis des Patienten. Dem Patienten werden die geplanten Handlungsschritte und die Indikation zum Legen einer Magensonde erklärt. Darüber hinaus werden mögliche Komplikationen (► Abschn. Umgang mit Komplikationen) erläutert.

Benötigtes Instrumentarium

- geeignete Magensonde
- Händedesinfektionsmittel
- unsterile Handschuhe für den Eigenschutz
- ggf. schleimhautabschwellende Nasentropfen (Oxymetazolin, z. B. Nasivin®; Xylometazolin, z. B. Olynth®, Otriven®) und Schleimhautanästhetikum (Lidocain, z. B. Xylocain®, ACOIN®)
- Gleitmittel (Chlorhexidin, Lidocain, z. B. Instillagel®; Glycerol, z. B. Lubricano®)
- Nierenschale mit Zellstoff und/oder saugfähige Unterlage
- Stethoskop und Blasenspritze (Klemme zum Abklemmen der Sonde)
- Ableitungsbeutel oder Verschlusskonus
- Pflaster zum Fixieren der Sonde

Je nach Indikation und geplanter Liegedauer wird für den Patienten die passende Magensonde ausgewählt. *Kurzzeitsonden* aus Polyvinylchlorid (PVC) werden z. B. zur Dekompression und Ableitung eingesetzt und können bis zu 7 Tagen verbleiben. Zur Ernährungstherapie eignen sich *Verweilsonden* aus Polyurethan oder Silikon für eine Liegedauer von 6 bis 8 Wochen. Magensonden im Erwachsenenbereich für o. g. Indikationen sind zwischen 100–130 cm lang und haben eine Größe von 12–18 Charrière. Zur Dekompression von Luft oder reinem Magensaft reichen kleinere Lumina. Für

Ernährungssonden sollten eher dickere Lumina bevorzugt werden.

Durchführung

Vor dem Legen der Magensonde sollten Blutgerinnung und Thrombozytenzahl des Patienten geprüft werden, um Blutungskomplikationen zu vermeiden.

1. Eine hygienische Händedesinfektion wird durchgeführt; unsterile Handschuhe werden angezogen.
2. Der Patient sollte sitzend gelagert werden.
3. Eine ggf. vorhandene Zahnprothese wird entfernt und der Zahnstatus auf lockere Zahnteile geprüft.
4. Die Länge, nach der die Sonde den Magen erreichen sollte, wird bestimmt und markiert: Xiphoid – Ohr – Nase; die Spitze der Sonde liegt dabei am Xiphoid.
5. Die Kleidung des Patienten wird durch eine saugfähige Unterlage oder Nierenschale geschützt.
6. Die Größe der Nasenlöcher wird inspiziert und das größere Nasenloch für die Sondenanlage ausgewählt. Bei Bedarf können schleimhautabschwellende Nasentropfen eingesetzt werden.
7. Gleitgel (Chlorhexidin, Lidocain, z. B. Instillagel®; Glycerol, z. B. Lubricano®) wird auf die Spitze der Sonde und ins Nasenloch appliziert.
8. Bei starkem Würgereflex wird zusätzlich die Schleimhaut der Rachenhinterwand mit Lidocain (z. B. Xylocain®, ACOIN®) anästhesiert.
9. Die Sonde wird mit einer Hand waagerecht ca. 10–15 cm ins Nasenloch eingeführt. Die andere Hand stützt und führt dabei den Kopf des Patienten (► Abb. 6-1a).

! Die Sonde sollte nie nach cranial oder gegen Wiederstand gewaltsam vorgeschoben werden.

10. Der Kopf des Patienten wird in Richtung Brust geneigt; der Patient wird zum Schlucken aufgefordert (► Abb. 6-1b).
11. Die Sonde wird schlucksynchron vorsichtig in den Magen vorgeschoben.
12. Es folgt eine Kontrolle der korrekte Lage der Magensonde:
    - Impulsartig werden 20–50 ml Luft bei gleichzeitiger Auskultation des Epigastriums (► Abb. 6-1c) appliziert. Es ist ein typisches Blubbern zu hören.
    - Alternativ wird Magensaft aspiriert. Zur Sicherheit kann der pH-Wert des Magensekrets mit einem Indikatorpapier gemessen werden. Der pH-Wert sollte < 4 sein.

    ! Bei Patienten mit Protoneninhibitoren (PPI) sollte die Lagekontrolle mittels pH-Wert-Messung nicht angewendet werden, da bei der PPI-Prophylaxe der pH-Wert des Magensafts ≥ 4 sein sollte.

    - Röntgen-Kontrolle (nur in Zweifelsfällen)
13. Die Sonde wird mit einem Pflaster fixiert (► Abb. 6-1d).
14. Die Sonde wird nach Lagekontrolle abgeklemmt. Je nach Indikation wird ein Ablaufbeutel oder eine Ernährung angeschlossen.

Nachsorge

Regelmäßige Überprüfung und Pflege der Nasenschleimhaut sind notwendig, um Druckulcera und Infektionen (z. B. Sinusitis) vorzubeugen. Patienten mit

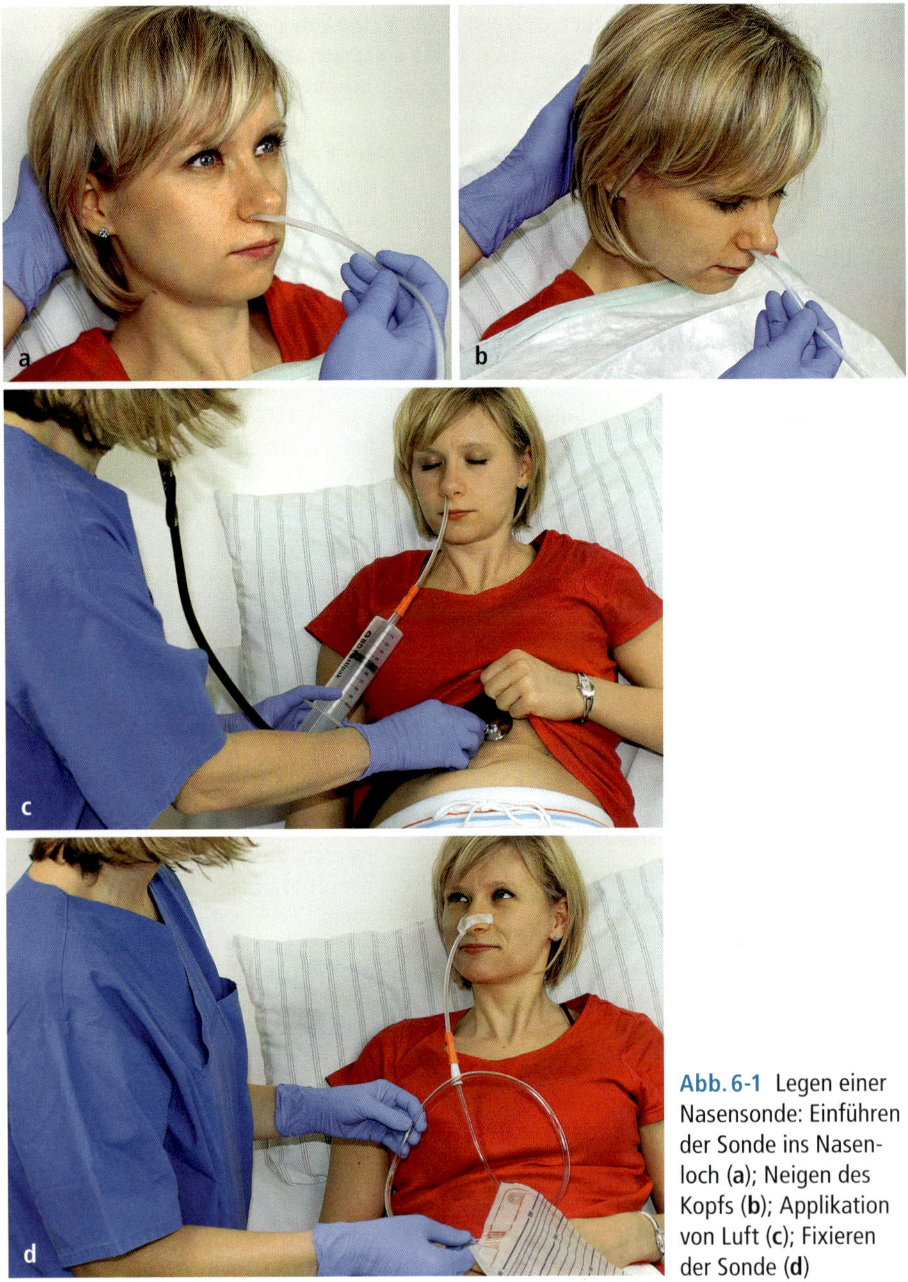

Abb. 6-1 Legen einer Nasensonde: Einführen der Sonde ins Nasenloch (**a**); Neigen des Kopfs (**b**); Applikation von Luft (**c**); Fixieren der Sonde (**d**)

oraler Nahrungskarenz sollten auf regelmäßige Mund- und Zahnpflege hingewiesen werden. Vor jeder Sondenbenutzung (enterale Ernährung und/oder Applikation von Medikamenten) muss die Sonde erneut auf ihre korrekte Lage überprüft werde. Die Sonde sollte vor und nach jeder Medikamentengabe bzw. Sondennahrung durchgespült werden, um ein Verstopfen zu verhindern.

Tipps und Tricks

Es ist hilfreich, dem kooperativen Patienten während der Passage des oberen Ösophagussphinkters Wasser zu reichen, das er in kleinen Schlucken über einen Strohhalm trinken kann. Die Sonde wird schlucksynchron in den Magen vorgeschoben.

Umgang mit Komplikationen

Komplikationen beim Einführen einer Magensonde

Reizung der Nasenschleimhaut – Epistaxis Durch vorherige Applikation von abschwellenden Nasentropfen lässt sich diese Komplikation meist vermeiden. Kommt es dennoch zu Nasenbluten, sollte wie in Kapitel 3 beschrieben vorgegangen werden. Bei »unstillbarer« Blutung wird der Patient beim HNO-Arzt vorgestellt. Der Patient sollte bis zur definitiven Versorgung mit vorgebeugtem Kopf aufrecht sitzen. So kann das Blut am besten nach außen abfließen.

Fehlanlage in die Trachea Starker Hustenreiz und Atemprobleme deuten auf das Vorschieben der Sonde in die Trachea hin. Die Sonde wird bis in den Oropharynx zurückgezogen und anschließend erneut vorgeschoben. Der Kopf des Patienten sollte stark in Richtung Brust geneigt sein.

Würgereflex – Erbrechen – erhöhte Aspirationsgefahr Vor dem Legen der Magensonde wird die Schleimhaut der Rachenhinterwand mit Lidocain anästhesiert. Kommt es trotzdem zum Erbrechen, wird die Sonde entfernt und der Patient dabei unterstützt, Erbrochenes aus dem Mund-Rachen-Raum zu entfernen.

Vagale Reaktion mit Bradykardie – Herzstillstand Die Sonde wird entfernt und die Vitalparameter werden überwacht. Reanimationsmaßnahmen müssen ggf. eingeleitet werden.

> Schwerwiegendere Komplikationen wie das Aufreißen der Schleimhaut durch die Sonde sowie das Vorschieben der Sonde unter die Schleimhaut mit anschließender Ösophagus- oder Magenperforation (Via falsa) sind selten und erfordern die Einweisung in eine Klinik. Eine Ösophagus- oder Magenperforation tritt fast nur bei vorgeschädigten Organen auf.

Komplikationen bei länger liegenden Sonden

Erosionen und Ulzerationen Kommt es zu sondenbedingten Erosionen und Ulzerationen im nasopharyngealen Bereich, wird eine neue Sonde über das andere Nasenloch eingeführt.

Okklusion der Sonde Ein Versuch wird unternommen, die Sonde unter vorsichtigem Druck mit mind. 20 ml Wasser zu spülen. Dafür sollte ausschließlich abgekochtes Trinkwasser oder stilles Mineralwasser benutzt werden.

Sinusitis Die Magensonde sollte entfernt werden.

Dislokation Um eine ösophageale oder tracheale Dislokation durch Manipulation des Patienten auszuschließen, sollte vor jedem Verwenden der Magensonde

6

eine erneute Lagekontrolle durchgeführt werden, um die Aspiration von enteraler Ernährung zu verhindern.

Weiterführende Literatur

Braun J, Bein T, Wiese CH et al. Ernährungssonden bei kritisch kranken Patienten. Anaesthesist 2011; 60: 352–65.

Panknin H-T. Komplikationen im Umgang mit enteralen Ernährungssonden. intensiv 2011; 19: 204–7.

Zipfel A, Ingenpaß R, Grund K-E. Sonden legen – Nasogastrale Sonden. Lege Artis 2012; 2: 40–4.

Zusatzmaterial

Video 6-1 ▸ unter www.schattauer.de/3140 oder direkt über QR-Code

6.2 Durchführung einer Ano- bzw. Proktoskopie

Michael Klock und Bert Huenges

Hintergrund

Zur Diagnostik schmerzhafter Erkrankungen oder Veränderungen im Anal- sowie Rektumbereich eignet sich die Ano- bzw. Proktoskopie, die auch in der Allgemeinpraxis durchgeführt werden kann. Nach digital-rektaler Untersuchung können mit dem Anoskop Erkrankungen im Analbereich (z. B. Analfissuren, Hämorrhoidalleiden; ▸ Abb. 6-2) diagnostiziert und behandelt werden. Bei der Proktoskopie können zusätzlich zum Analkanal die letzten 10 cm des Enddarms mit dem Rektoskop bis zu einer Höhe von ca. 30 cm untersucht und dabei

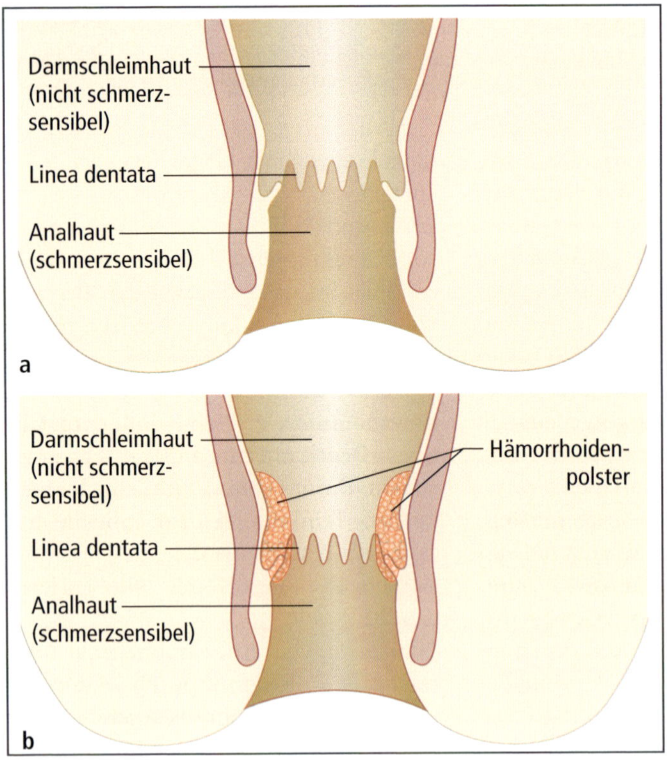

Abb. 6-2 Normalbefund Analbereich (**a**); Hämorrhoiden (**b**)

ggf. auch zusätzliche Veränderungen im Rektum (z. B. Enddarmpolypen, Enddarmdivertikel, Colitis, maligne Enddarmveränderungen) diagnostiziert und evtl. Gewebeproben entnommen werden.

Indikationen

- akute oder rezidivierende Beschwerden wie Juckreiz, Brennen und Schmerzen im Analbereich ohne äußerlich sichtbare Veränderungen
- Beschwerden wie Stuhlunregelmäßigkeiten, schleimiger oder blutiger Stuhlgang bzw. Schmerzen bei Defäkation
- (helle = frische) Blutauflagerungen auf dem Stuhl
- Abklärung von Stuhlinkontinenz
- tastbare Veränderung im Anal-/Enddarmbereich bei digitaler Austastung (im Rahmen der rektalen Vorsorgeuntersuchung)

Kontraindikationen

- schmerzhafte rektale Untersuchung
- sichtbare oder tastbare entzündliche Veränderungen
  - z. B. periproktitischer Abszess
  - schmerzhafte Analfissur
  - akute, schmerzhafte Analvenenthrombose
- Blutungsneigung oder eine Behandlung mit Antikoagulanzien

Aufklärung

- mögliche Verletzung des Analrings und/oder der Enddarmschleimhaut oder der Darmwand (durch das Anoskop bzw. Proktoskop) mit Blutung und Entzündung der Bauchhöhle (sehr selten 1 : 100 000)
- Überempfindlichkeitsreaktionen und unerwünschte Arzneimittelwirkungen (UAW) von Lidocain
- besonders bei Vorerkrankungen können auftreten:
  - Verletzungen des Schließmuskels
  - Entzündungen
  - Abszesse
  - Fistelbildungen
  - Gewebsnekrosen
  - Organverletzungen bis hin zu Stuhl- und Darmentleerungsstörungen (sehr selten)
- einfacher Aufklärungsbogen für Rektoskopie z. B. unter www.kolo-proktologie.de/aufklaerung-rektoskopie01.pdf

Benötigtes Instrumentarium

- Ano- oder Proktoskop (► Abb. 6-3, 6-4) Eine Lichtquelle ist integriert und wird durch einen externen Akku (z. B. aufladbarer Handgriff von Heine®) mit Energie versorgt (► Abb. 6-5).
- lidocainhaltiges Gel (z. B. Instillagel®, Xylocain®) oder Vaseline
- Handschuhe
- Nierenschale
- Kompressen
- Zange für die Probeexzision (PE) bzw. Abtragungsschlinge und formalingefülltes Probengefäß bei geplanter PE-Entnahme
- Vaseline zum Einlegen von Kompressen
- Stieltupfer und 1 Ampulle Adrenalin (Verdünnung 1 : 1 000) zur lokalen Blutstillung (► Abschn. Umgang mit Komplikationen)

Durchführung

1. Am Abend vor der Untersuchung sollte der Patient keine feste Nahrung mehr zu sich nehmen, sondern reichlich trinken.

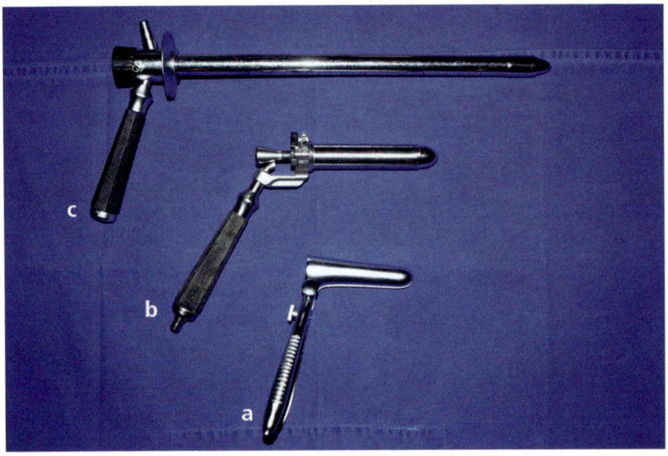

Abb. 6-3 Ano- (**a**), Prokto- (**b**) und Rektoskop (**c**) im Größenvergleich

2. Etwa eine halbe Stunde vor der Untersuchung erfolgt der Einlauf mit einem Klysma zur Enddarmreinigung durch Stuhlentleerung.
3. Der Patient wird in der Linksseitenlage gelagert.
4. Das Ano- bzw. Proktoskop wird mit einem lidocainhaltigen Gel (► Abschn. Benötigtes Instrumentarium) oder Vaseline zum leichteren, schmerzlosen Einführen in den Anus bestrichen.
   - Bei der *Anoskopie:* Das Anoskop wird im Analkanal vorsichtig gespreizt; es kann mit einer Feststellschraube arretiert werden (► Abb. 6-6).
   - Bei der *Proktoskopie:* Das Proktoskop wird durch den Analkanal bis in den Enddarm vorgeschoben. Im Proktoskop befindet sich der sog. Applikator, der mit seiner abgerundeten Spitze dazu dient, den

6

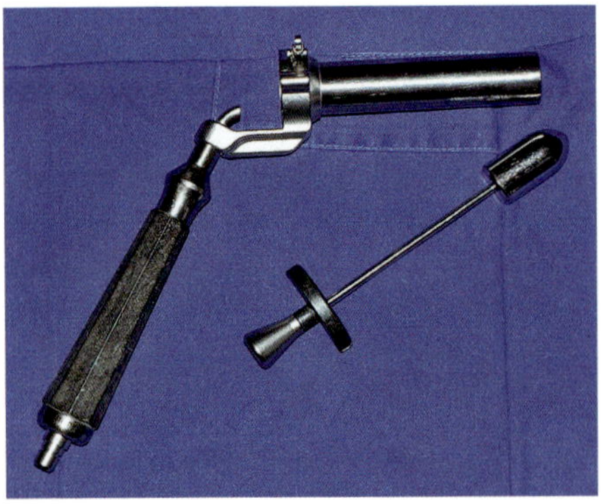

Abb. 6-4 Proktoskop mit entferntem Applikator

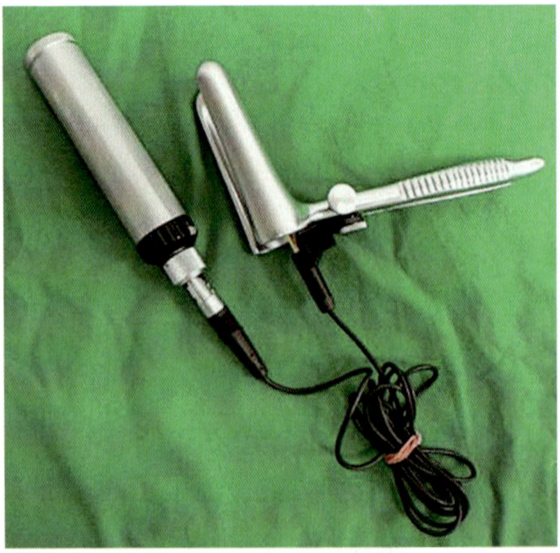

Abb. 6-5 Anoskop mit Lichtquelle

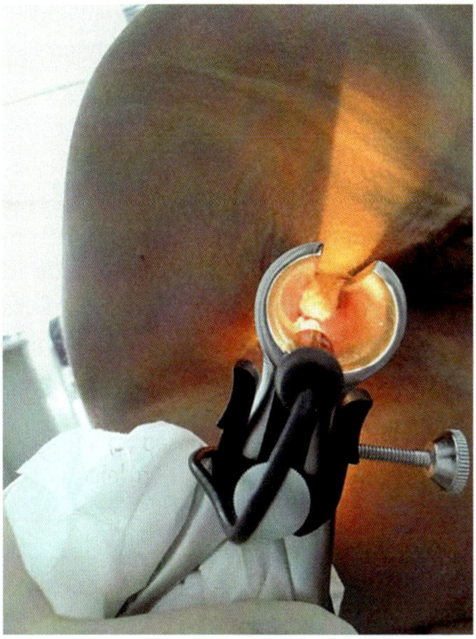

Abb. 6-6 Durchführung der Anoskopie mithilfe einer Lichtquelle

Widerstand und die Verletzungsgefahr beim Einführen des Instruments zu minimieren. Dieser wird nach vollständigem Einführen des Instruments entfernt und es erfolgt ggf. eine Luftinsufflation.

5. Der zu untersuchende Bereich wird inspiziert; ggf. wird eine PE-Entnahme bei Auffälligkeiten der Schleimhaut mittels PE-Zange durchgeführt.
   - Bei einer Probeentnahme erfolgt die Konservierung in Formalin, anschließend wird die PE zur histologischen Untersuchung weitergeleitet.
   - Polypen können ggf. mit der Schlinge gefasst und abgetragen werden.
6. Der innere Analring wird beim langsamen Zurückziehen des Proktoskops beurteilt.
7. Zum Schutz der (Schleim-)Haut insbesondere bei sichtbar gereizter Schleimhaut sowie nach PE-Entnahmen empfiehlt es sich, Vaseline-Streifen in den After hineinzulegen (auseinandergezogene mit Vaseline bestrichene Kompresse, die aus dem After herausragt).

Nachsorge

- Nach der Untersuchung kann es zu Druckgefühl im bzw. am After, zu Stuhldrang durch die eingelegte Kompresse (Tamponade), selten zu leichteren Schmerzen kommen. Hier ist die Einnahme eines Analgetikums (z. B. Paracetamol 500 mg; Ibuprofen 600 mg) zu empfehlen.
- Der Patient wird darüber aufgeklärt, dass er die eingelegte Vaselinekompresse bis zum nächsten Stuhlgang belassen kann.
- Bei PE-Entnahme oder Polypektomie sollte die Rufbereitschaft des Hausarztes bei auftretenden Nachblutungen oder starken Schmerzen sichergestellt sein. Eine Nachuntersuchung wird am Folgetag bzw. bei Beschwerdefreiheit spätestens nach 3 Tagen durchgeführt.

Tipps und Tricks

- Vor der Untersuchung, insbesondere bei geplanter Probeentnahme oder Polypentfernung, ist die Blutungsneigung des Patienten zu überprüfen. Dies gilt insbesondere für Patienten, die eine Antikoagulanzientherapie erhalten.

> Wenn möglich sollte die Einnahme von Acetylsalicylsäure (ASS) für 5–7 Tage vor der Untersuchung pausiert werden. Bei marcumarisierten Patienten wird die Bestimmung der Blutungsneigung empfohlen (z. B. INR-Schnelltest).

- Die Vorbereitung der (Schleim-)Haut mithilfe eines lidocainhaltigen Lokalanästhetikums (z. B. Instillagel®,

Xylocain®) 10–30 min vor der Prozedur macht die Untersuchung für den Patienten angenehmer.

- Die Untersuchung wird einfacher, wenn der Patient oder eine Helferin die Analbacken spreizt. Für eine ausreichende Beleuchtung zur Inspektion muss gesorgt sein.

! Der Ano- oder Proktoskopie muss immer eine sorgfältige Inspektion (bei gespreizten Gesäßbacken) und eine digital-rektale Untersuchung vorausgehen.

- Nach der Untersuchung kann – besonders bei Blutungsgefahr – eine mit Vaseline bestrichene 10 × 10 cm große Kompresse zur Tamponade in den Anus eingeführt werden. Dies kann entweder mit dem Zeigefinger (► Abb. 6-7) oder mit einer Pinzette

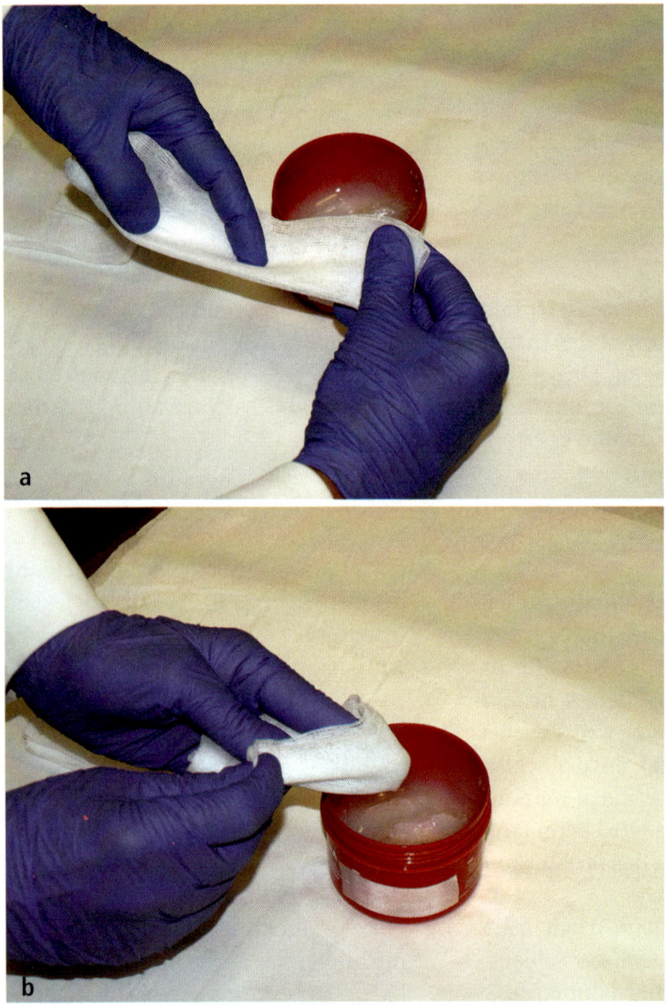

Abb. 6-7 Einlage einer mit Vaseline bestrichenen Kompresse in den Analkanal *mit dem Zeigefinger:* Schritt 1 (**a**); Schritt 2 (**b**)

(► Abb. 6-8) erfolgen. Dabei empfiehlt sich folgendes Vorgehen:

- Umwickeln des (behandschuhten) Zeigefingers oder einer anatomischen Pinzette mit einer großen Kompresse (10 × 10 cm)
- Eintauchen in die bzw. Aufbringen der Vaseline (oder dexpanthenolhaltigen Salbe, z. B. Panthenol-Salbe Lichtenstein, Bepanthen® Wund- und Heilsalbe)
- vorsichtiges Einführen in den Analkanal
- Zurückziehen des Fingers bzw. der Pinzette und Belassen der Kompresse bis zum nächsten Stuhlgang

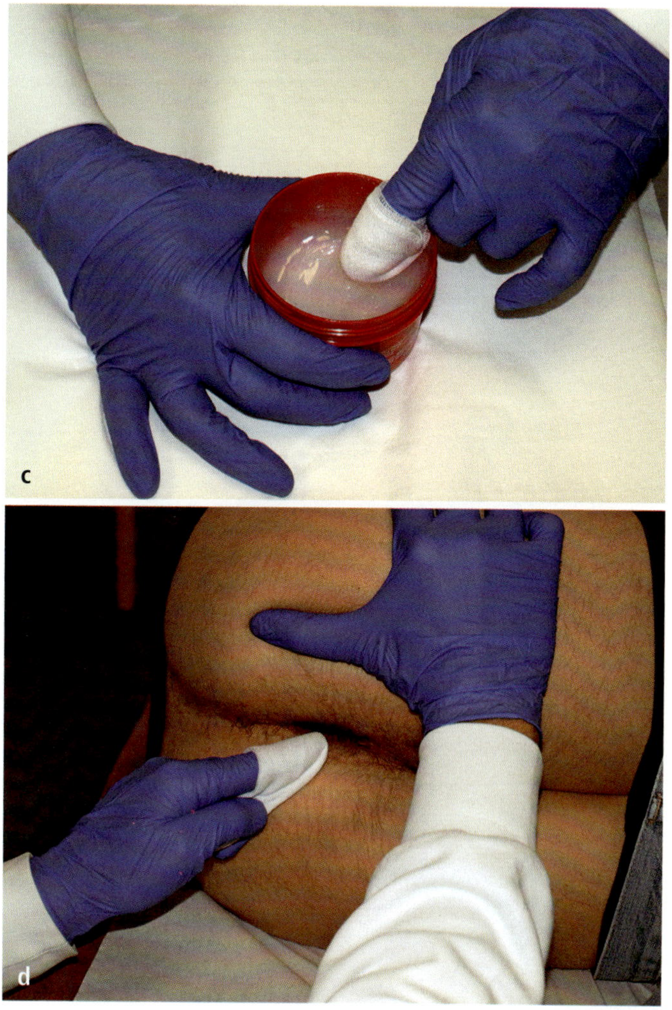

Abb. 6-7 (Fortsetzung) Schritt 3 (**c**); Schritt 4 (**d**). Die Einlage einer mit Vaseline bestrichenen Kompresse nach der Untersuchung vermindert die Gefahr einer Nachblutung.

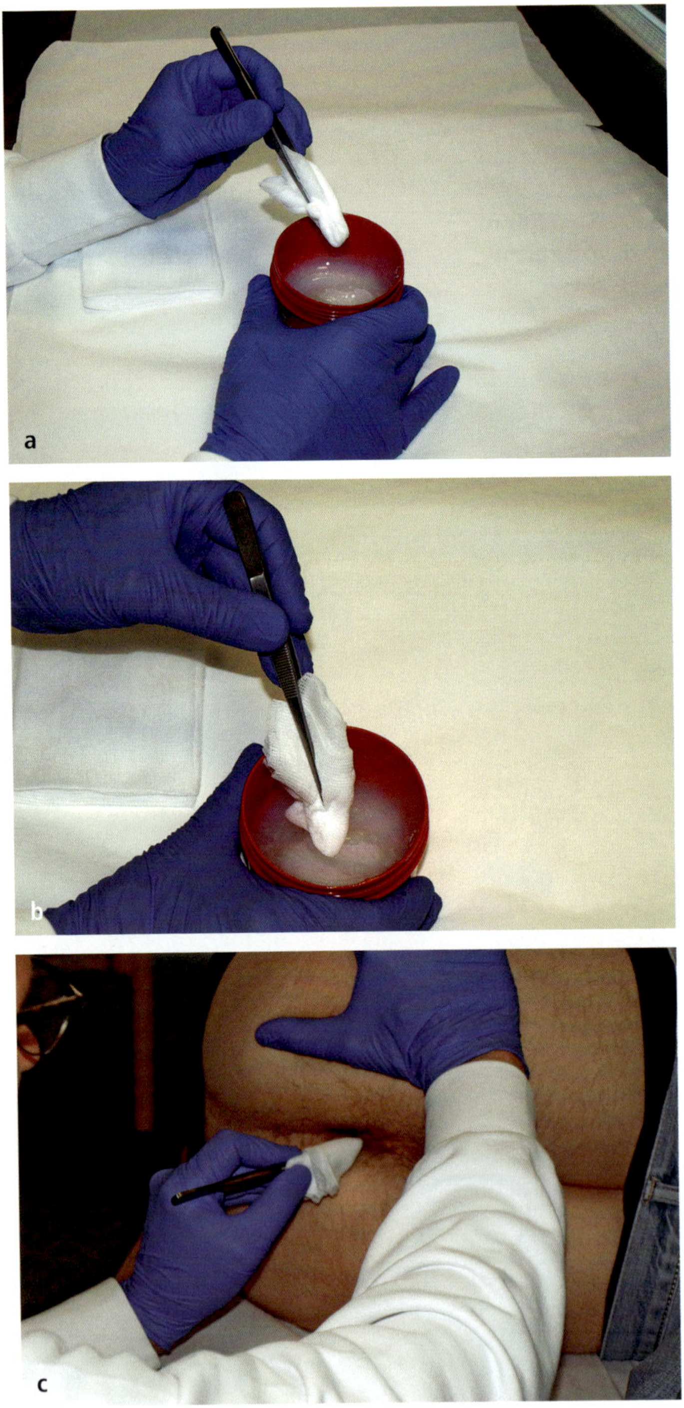

Abb. 6-8 Einlage einer mit Vaseline bestrichenen Kompresse in den Analkanal *mit der Pinzette*: Schritt 1 (**a**); Schritt 2 (**b**); Schritt 3 (**c**).
Die Einlage einer mit Vaseline bestrichenen Kompresse nach der Untersuchung vermindert die Gefahr einer Nachblutung.

Umgang mit Komplikationen

- Bei Schmerzangabe während der Ano- bzw. Proktoskopie mit »Fluchttendenz« des Patienten empfiehlt sich der Abbruch der Untersuchung.
- Bei leichteren Blutungen erfolgt die lokale Blutstillung mit einem Stieltupfer (den Tupfer mit verdünnter Adrenalinlösung 1 : 1 000 beträufeln und auf die Blutungsstelle drücken, bis die Blutung sistiert). Ein Salbenstreifen wird eingelegt und eine Nachkontrolle nach 3–4 h bzw. am Folgetag durchgeführt.
- Bei suspekten, tumorösen Veränderung muss eine vorsichtige Probeentnahme erfolgen; der Patient muss einer weiteren klinischen Diagnostik zugeführt werden.

Weiterführende Literatur

Löhnert M. Leitlinien zur Therapie proktologischer Erkrankungen. Klinikum Bielefeld – Klinik für Allgemeinchirurgie und Koloproktologie. www.klinikumbielefeld.de/tl_files/dateidownloads/Klinik%20Rosenhoehe%20Allgemeinchirurgie/Leitlinien%20Proktologie.pdf (letzter Zugriff: 06.06.2016).

Medizinisches Versorgungszentrum Offenburg. Proktoskopie und Behandlung von Hämorrhoiden. Ergänzende Informationen zum Aufklärungsgespräch. www.mvz-offenburg.de/files/uploads/drlink_Proktoskopie_Info.pdf (letzter Zugriff: 06.06.2016).

Ponka D, Baddar F. Anoscopy. Can Fam Physician 2013; 59: 510. www.cfp.ca/content/59/5/510.long (letzter Zugriff: 06.06.2016).

6.3 Inzision einer Analvenenthrombose

Michael Klock und Bert Huenges

Hintergrund

Eine der häufigsten schmerzhaften Erkrankungen im Analbereich ist die akute Analvenenthrombose (»äußere Hämorrhoide«). Leitsymptom ist eine innerhalb von Minuten bis Stunden auftretende Schwellung am Analrand, die mit Juckreiz, Stechen, Brennen oder einem starken Spannungsgefühl bzw. Druckschmerz einhergeht. Bei der Untersuchung findet sich am Analrand oder im Analkanal ein prallelastischer bis derber, bläulich-roter Knoten (► Abb. 6-9). Gelegentlich kann die Diagnose nur palpatorisch gestellt werden.

Bei leichteren Fällen (geringe oder bereits rückläufige Schmerzen) erfolgt die Behandlung konservativ mittels Heparinsalbe 30 000 IE und/oder Lidocainsalbe (z. B. Posterisan® akut Rektalsalbe, Dolocupin 40 mg/g Creme) sowie Stuhlregulierung, worunter sich die Thrombose in der Regel innerhalb von Tagen bis 2 Wochen zurückbildet.

Bei starken Schmerzen bzw. großer Thrombose ist die Inzision der Analthrombose innerhalb von 72 h nach dem Auftreten der ersten Symptome eine therapeutische Option, die auch in der allgemeinärztlichen Praxis durchgeführt werden kann.

Besonders im Falle von rezidivierenden Thrombosen empfiehlt sich die Überweisung an einen Facharzt für Chirurgie bzw. Proktologie zur Exzision der gesamten Thrombose unter Mitnahme des betroffenen Gefäßsegments, um die Gefahr einer postoperativen Rethrombosierung zu minimieren.

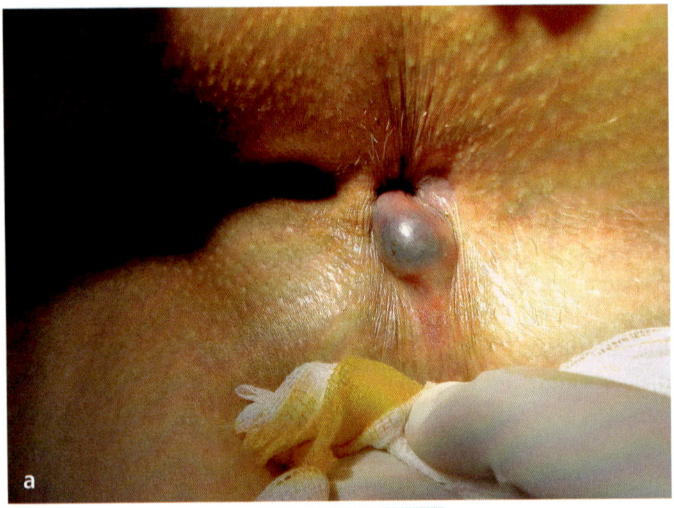

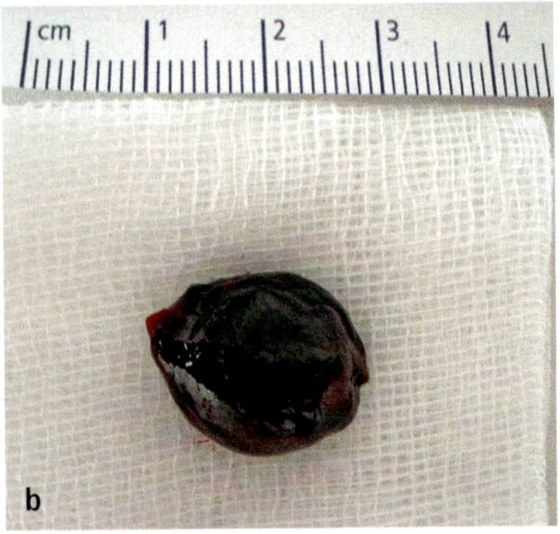

Abb. 6-9 Analthrombose in situ (**a**); Analthrombose entfernt (**b**)

Indikation

Die Inzision einer Analvenenthrombose ist bei akuter, stark schmerzhafter oder therapieresistenter Analvenenthrombose indiziert.

Kontraindikationen

- sichtbare oder tastbare unklare und/oder entzündliche Veränderungen (z. B. periproktitischer Abszess, Verhärtungen unklarer Genese, Marisken, Analfibrom und -karzinom oder Analfissur)
- Blutungsneigung und Behandlung mit Antikoagulanzien, ggf. Bestimmung der Blutungsneigung (z. B. INR-Schnelltest)

Aufklärung

- mögliche Verletzung des Analrings
- unerwünschte Arzneimittelwirkungen (UAW) des Lokalanästhetikums (z. B. durch Infiltration von Lidocain)
- Blutung bzw. Nachblutung
- Sekundärinfektion

- Möglichkeit der Rethrombosierung bei Inzision ohne Herausnahme des Gefäßsegments

Benötigtes Instrumentarium

- Lokalanästhesie (2 ml Lidocain 2 %, z. B. Xylocain®, ohne Adrenalinzusatz)
- 2 ml oder 5 ml Spritze und feine Kanüle (z. B. 0,6 mm)
- Desinfektionsmittel (Phenoxyethanol, Octenidin, z. B. Octenisept®; Povidon-Iod, z. B. Braunol®)
- kleines Skalpell (z. B. Nr. 15; ▶ Abb. 6-10a), Präparierschere und ggf. feine chirurgische Pinzette
- kleine Klemme (▶ Abb. 6-10b)
- verschiedene kleine scharfe Löffel (▶ Abb. 6-10c)
- Nierenschale und Kompressen (▶ Abb. 6-10d)
- Vaseline zum Einlegen von Streifen
- verdünnte Adrenalinlösung 1 : 1 000

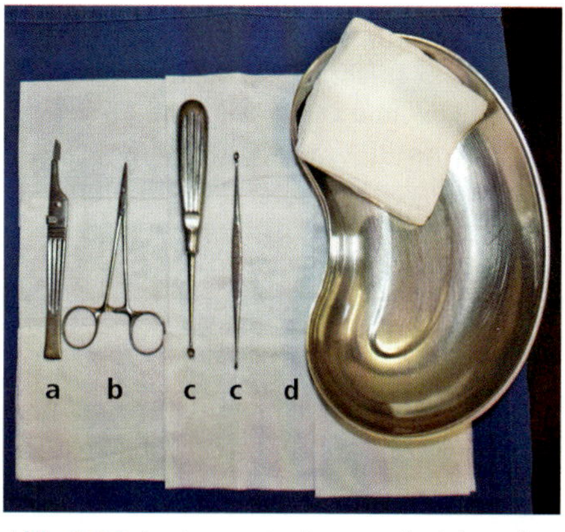

Abb. 6-10 Instrumentarium zur Inzision einer Analvenenthrombose: Skalpell (**a**); kleine Klemme (**b**); verschiedene scharfe Löffel (**c**); Nierenschale mit Kompressen (**d**)

Durchführung

1. Der Patient wird in Linksseitenlage gelagert.
2. Wenn es die Schmerzen zulassen, erfolgt eine Palpation mit Austastung des Analrings.
3. Eine sorgfältige lokale Reinigung bzw. lokale Desinfektion wird durchgeführt.
4. 1–2 ml des Anästhetikums werden (an der Basis der Analthrombose) infiltriert.
5. Die Analthrombose wird mithilfe eines Skalpells sowie einer Präparierschere in *toto* abgetragen. Alternativ wird der Thrombus inzidiert und mit dem scharfen Löffel ausgeräumt.
6. Eine lokale Blutstillung erfolgt ggf. mit einem Stieltupfer (mit adrenalinhaltiger Lösung).
7. Ein Vaselinestreifen wird eingelegt (auseinandergezogene mit Vaseline bestrichene Kompresse, die aus dem After herausragt; ▶ Abschn. 6.2 Tipps und Tricks).

Nachsorge

- Nach erfolgter Prozedur kann es zu leichteren Nachblutungen kommen, die in der Regel innerhalb weniger Stunden sistieren. Es empfiehlt sich die Einlage einer mit Vaseline bestrichenen Kompresse in den Analkanal, die die Gefäße komprimiert.
- Wichtig ist die Stuhlregulation in den Tagen nach dem Eingriff mit reichlich Flüssigkeitszufuhr, Bewegung und indischem Flohsamen (Plantago ovata, z. B. Mucofalk®) oder osmotisch wirksamen Laxanzien (Macrogol, z. B. Laxatan®).
- Als Nachbehandlung werden 3-mal täglich durchzuführende Sitzbäder mit lauwarmem Wasser und Zusatz

von Kamillenblüten (z. B. Kamillenblütentee, Kamillosan®) empfohlen.
- Die Wundkontrolle findet am Folgetag statt.

Tipps und Tricks

- Die Vorbereitung der Haut mithilfe eines Lokalanästhetikums (Prilocain, Lidocain, z. B. Emla® Creme, Anesderm®) ca. 30 min vor der Prozedur macht den Eingriff für den Patienten angenehmer.
- Die Prozedur wird einfacher, wenn der Patient oder eine Helferin die Analbacken spreizt.
- Für eine ausreichende Beleuchtung zur Inspektion der Analregion ist zu sorgen.
- Nach Abschluss des Eingriffs wird ein mit Vaseline getränkter Salbenstreifen in den Analkanal hineingeschoben (► Abschn. 6.2 Tipps und Tricks).

Umgang mit Komplikationen

- Bei verstärkter Blutungsneigung wird die Blutungsquelle lokal komprimiert; ein Salbenstreifen wird in den Analkanal eingelegt.
- Die Naht eines Gefäßes zur Verhinderung von Nachblutungen kann zu Infektionen führen, die u. U. eine antibiotische Therapie erforderlich machen, und sollte daher nach Möglichkeit vermieden werden.
- Bei tumorösen Veränderungen erfolgt keine Probeentnahme. Eine weitergehende klinische Diagnostik sollte veranlasst werden.

! Besondere Vorsicht ist bei schweren Herzerkrankungen (z. B. schwere Herzinsuffizienz, höhergradige AV-Blockierung oder kürzlich durchgemachter Myokardinfarkt) geboten, wenn das Lokalanästhetikum Lidocain eingesetzt wird. Kardiale Nebenwirkungen wie Rhythmusstörungen, RR-Dysregulation und Tachykardie können auftreten.
Der Zusatz von Adrenalin im Lokalanästhetikum kann nach Aufhebung der vasokonstriktiven Wirkung zu zunächst übersehenen, später auftretenden stärkeren Nachblutungen führen und sollte daher unterbleiben.
Die Verwendung von Kautern zur Blutstillung sollte unbedingt vermieden werden, da dies zu Narbenbildung mit Strikturen führen kann.

Weiterführende Literatur

Deutsche Gesellschaft für Koloproktologie. S1-Leitlinie »Analthrombose«. Stand: Dezember 2002. www.awmf.org/uploads/tx_szleitlinien/081-002.pdf (letzter Zugriff: 06.06.2016).

Pittet O, Demartines N, Hahnloser D. Der akute anale Schmerz. Ther Umsch 2013; 70: 399–402.

Universitätsklinikum Heidelberg. Department für Infektiologie. Sektion Krankenhaus- und Umwelthygiene. Desinfektionsmittel. Stand: März 2010. www.klinikum.uni-heidelberg.de/fileadmin/inst_hygiene/med_mikrobiologie/download/MB-Desinfektionsmittel.pdf (letzter Zugriff: 06.06.2016).

Zuber T. Hemorrhoidectomy for thrombosed external hemorrhoids. Am Fam Physician 2002; 65: 1629–32. www.aafp.org/afp/2002/0415/p1629.html (letzter Zugriff: 06.06.2016).

6.4 Gummibandligatur und Sklerosierung bei Hämorrhoiden

Michael Klock und Bert Huenges

Hintergrund

Der Plexus haemorrhoidalis ist ein schwammartiges Gefäßpolster des distalen Rektums, das unmittelbar proximal der Linea dentata endet. Bei einer Erweiterung spricht man von Hämorrhoiden. Zu differenzieren ist zwischen äußeren und inneren Hämorrhoiden. Insbesondere in der englischen Literatur wird zwischen inneren (»internal«) und äußeren (»external«) Hämorrhoiden unterschieden. Zur Differenzierung dient hierbei als Grenze die Linea dentata. Innere Hämorrhoiden liegen oberhalb der Linea dentata – bei Inspektion *nicht* sichtbar –, äußere Hämorrhoiden (ab Stadium II) sind sichtbar und liegen unterhalb dieser Grenze. Symptome von Hämorrhoiden (»Hämorrhoidalleiden«) sind die transanale schmerzlose Blutung sowie Störungen der Feinkontinenz mit konsekutiven Irritationen, perianalem Juckreiz, Brennen und Nässen.

Hämorrhoidalleiden werden in vier Stadien eingeteilt. Tabelle 6-1 stellt die Stadieneinteilung und die korrespondierenden Therapiemaßnahmen dar.

Zur Basistherapie von Hämorrhoiden gehört die Optimierung des Ernährungs- und somit des Defäkationsverhaltens (ballaststoffhaltige Kost, reichlich trinken). Juckreiz und Irritationen werden symptomatisch in Form von Cremes, Suppositorien und Analtampons, die Lokalanästhetika (Lidocain, z. B. Posterisan® akut Rektalsalbe; Prilocain, Lidocain, z. B. Emla® Creme), Adstringenzien und/oder Antiphlogistika enthalten, behandelt.

Bei einer unzureichenden lokalen konservativen Behandlung kommen – nach erfolgter Ano- oder Proktoskopie (▶ Abschn. 6.2) – alternativ eine Sklerosierung oder eine Gummibandligatur in Frage. Während in älteren Literaturquellen noch beide Techniken als nahezu gleichwertig empfohlen wurden, wird in neueren Publikationen wegen des hohen Rezidivrisikos und zwar seltener, aber doch möglicher Komplikationen der Sklerosierung die *Gummibandligatur* als *Methode der Wahl* bezeichnet.

Tab. 6-1 Vier Stadien des Hämorrhoidalleidens

Stadium	Diagnostik	Therapie
I	nur proktoskopisch sichtbar	ggf. Sklerosierung
II	Prolaps retrahiert spontan	Gummibandligatur (ggf. Sklerosierung), bei Therapieversagen OP
III	Prolaps manuell reponibel	Gummibandligatur, ggf. OP
IV	Prolaps irreponibel	OP

Für alle Stadien gilt die Basistherapie: ballastreiche Kost, Flüssigkeitszufuhr > 2,5 l/d, symptomatische Lokaltherapie.

Sklerosierung Bei der Sklerosierung stehen zwei Verfahren zur Wahl (► Abschn. Durchführung). Durch die injizierte Substanz kommt es zu einer lokalen Entzündung mit Verminderung der Durchblutung, die eine »Schrumpfung« der Hämorrhoiden bewirkt. In der Regel sind für eine erfolgreiche Sklerosierung zwischen drei und fünf Therapien in einem Zeitraum von ca. 4–6 Wochen erforderlich. Die Komplikationsrate ist jeweils gering (< 1 %), die Rezidivrate allerdings mit bis zu 60 % nach 3 Jahren hoch.

Gummibandligatur Für die Gummibandligatur wird ein spezielles Instrumentarium benötigt, das die Hämorrhoide mit einem Gummiband abschnürt. Das Gummiband bleibt vor Ort und fällt mit der Hämorrhoide nach wenigen Tagen von alleine ab.

> Eine Sklerosierung oder Gummibandligatur sollte nur bei unzureichendem Effekt von konservativen Therapiemaßnahmen und hohem Leidensdruck erfolgen.

Indikation

Die Gummibandligatur bzw. Sklerosierung ist bei Hämorrhoidalleiden Grad I–III (► Abschn. Hintergrund) mit unzureichender Basistherapie indiziert. Bei rezidivierendem Hämorrhoidalleiden wird im Allgemeinen zur Gummibandligatur geraten, um Komplikationen, wie z. B. eine Narbenbildung im Analkanal, durch wiederholt notwendige Sklerosierungstherapien zu vermeiden.

Kontraindikationen

- sichtbare oder tastbare Veränderungen (z. B. Verhärtungen) der Analregion unklarer oder akut entzündlicher Genese (z. B. periproktitischer Abszess)
- chronische Darmentzündung (z. B. Colitis ulcerosa)
- Neigung zu Thrombosen in der Anamnese
- Gravidität
- Hypertonie (erhöhte Blutungsneigung)
- Latexallergie (bei Gummibandligatur)
- Blutungsneigung (z. B. eine Therapie mit Antikoagulanzien)

Aufklärung

- Gesamtkomplikationsrate ca. 1 %
- postoperativ Beeinträchtigung des Stuhlgangs, häufig in den ersten Tagen nach dem Eingriff
- selten leichte Schmerzen, Druckgefühl sowie geringe, lokale Blutungen bei Abheilung mit Ausbildung eines flachen Ulcus
- stärkere Blutung mit Indikation zur endoskopischen Blutstillung in ca. 0,5 %
- postoperativer Harnverhalt bei älteren Patienten (in ca. 20 %)
- Bakteriämie in ca. 8 % mit möglicher Sekundärinfektion
- mögliche Verletzung des Analrings oder narbige Verengung des Anus (sehr selten)
- unerwünschte Arzneimittelwirkung (UAW) des Lokalanästhetikums, z. B. Lidocain, oder allergische Reaktion auf das Sklerosierungsmittel

Ein erweiterter Aufklärungsbogen zum Thema »Untersuchung des Enddarms und des Anus inklusive lokale Behandlungen von Hämorrhoiden (Proktoskopie)« findet sich unter www.ksnw.ch/media/files/Aufklaerung_Proktoskopie.pdf.

Benötigtes Instrumentarium

- Proktoskop mit Lichtquelle und Ansaugvorrichtung
- Desinfektionsmittel für Schleimhäute
- Injektionsinstrumentarium
- ggf. Lokalanästhetikum bei schmerzempfindlichen Patienten (1–2 ml Lidocain 2 %, z. B. Xylocain®)
- Sklerosierungslösung (Polidocanol, z. B. Aethoxysklerol® 3 %) oder alternativ Applikator für Gummiligaturen (► Abb. 6-11)

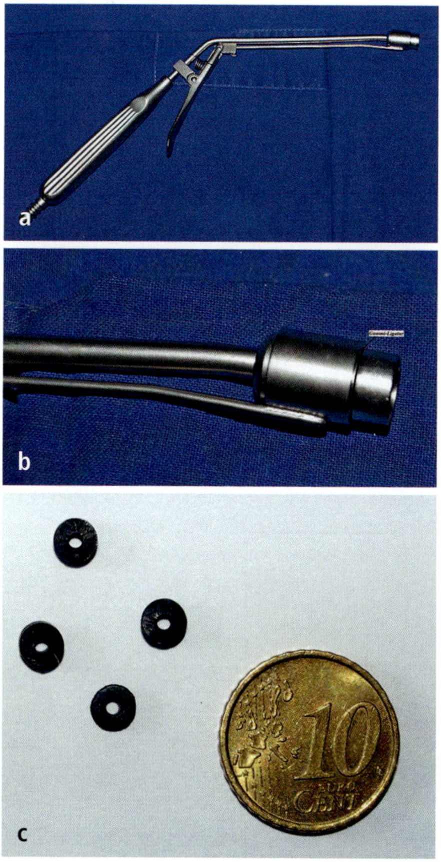

Abb. 6-11 Instrumentarium Gummibandligatur: Applikator (**a**); Nahansicht des Applikators (**b**); Gummiringe (**c**)

- Nierenschale
- Kompressen
- Vaseline zum Einlegen von Streifen

Durchführung

Vor dem Eingriff wird bei Patienten mit Blutungsneigung ein INR-Schnelltest durchgeführt.

> Die Prozedur sollte mehrfach unter Aufsicht geübt werden, bevor sie eigenständig in der Praxis angewendet werden kann!

1. Der Darm wird mithilfe eines Klistiers weitgehend entleert.
2. Der Patient wird in Linksseitenlage oder Steinschnittlage gelagert.
3. Der Analring wird ausgetastet.
4. Die Analregion wird lokal gereinigt und anschließend desinfiziert.
5. In der Regel ist keine Anästhesie erforderlich, ggf. kann lokal ein Anästhetikum (Lidocain 2 %) angewendet werden.
6. Die Hämorrhoide wird mit dem Proktoskop dargestellt und ggf. zur Anlage einer Ligatur oder vor einer Sklerosierung (► unten) mit einem speziellen Applikator angesaugt (► Abb. 6-12).

Verödung bzw. Sklerosierung

Submucöse Infiltration nach Blond und Hoff
Polidocanol (z. B. Aethoxysklerol® 3 %) wird intrahämorrhoidal an der Basis der Hämorrhoide oberhalb der Linea dentata injiziert (► Abb. 6-13).

Paravasale Injektion nach Blanchard 5%iges Phenol – gelöst in Mandel- oder Erdnussöl – wird im Bereich der arteriellen Versorgung der darstellbaren Hämorrhoidenknoten injiziert. (Eine Rezeptur für 5%iges Phenol findet sich z. B. unter

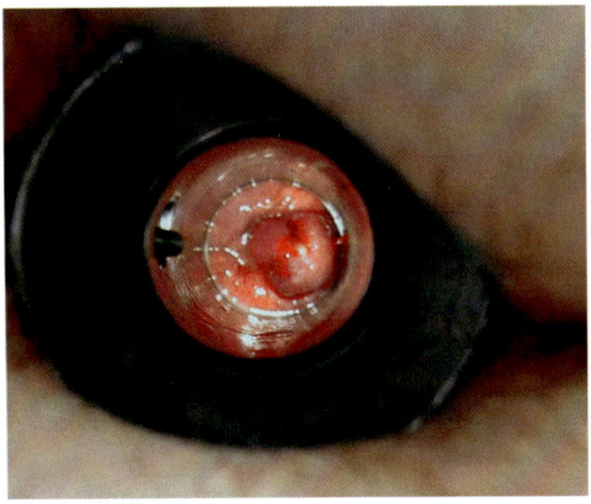

Abb. 6-12 Angesaugte Hämorrhoide vor Sklerosierung oder Ligatur

www.enddarm-zentrum.de/publikationen/Phenol-Rezeptur.pdf).

Die lokal entzündlichen Veränderungen durch das alkoholhaltige Sklerosierungsmittel führen jeweils zur Verödung des Hämorrhoidalknotens und des zuführenden Gefäßes oberhalb der Linea dentata.

6

Gummibandligatur nach Barron

1. Die Hämorrhoide wird mit dem Proktoskop dargestellt und zur Anlage einer Ligatur mit einem speziellen Applikator angesaugt.
2. Die Gummibandligatur wird an der Basis des Hämorrhoidalknotens übergestreift (► Abb. 6-14); der prolabierende Teil wird dadurch von der Blutzufuhr unterbunden.
3. Die evtl. notwendige lokale Blutstillung erfolgt mit einem Stieltupfer (getränkt mit adrenalinhaltiger Lösung).
4. Ein Vaselinestreifen wird in den Analkanal eingelegt (► Abschn. 6.2 Tipps und Tricks), ggf. wird dem Patienten eine Saugtamponade mitgegeben.

Nachsorge

- Durch die Prozedur kann es für einige Tage zur Beeinträchtigung des Stuhlgangs kommen. Eine Stuhlregulierung (mit Quellmitteln) wird in den ersten postoperativen Tagen empfohlen.
- In den ersten Tagen nach der Behandlung sollte der Patient nicht Rad fahren, reiten oder in die Sauna gehen.
- Der eingesetzte Gummiring mit der nekrotisierten Hämorrhoide fällt spontan nach 8–10 Tagen ab.

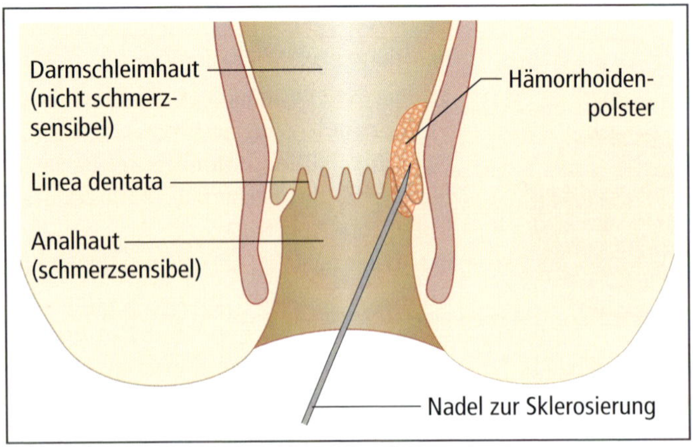

Abb. 6-13 Sklerosierung

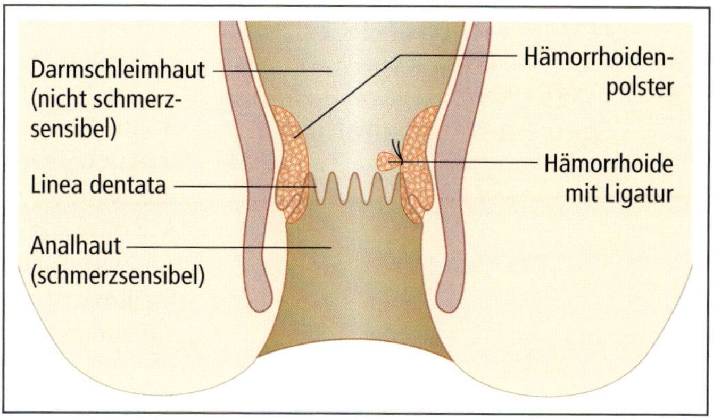

Abb. 6-14 Gummibandligatur

- Die Basistherapie zur Rezidivprophylaxe muss konsequent durchgeführt werden.

Tipps und Tricks

Die unmittelbare Einnahme von nichtsteroidalen Antirheumatika (z. B. Ibuprofen 600 mg) nach der Prozedur mindert typischerweise die für einige Stunden anhaltenden Symptome (Druckgefühl, Brennen, Schmerzen).
Weitere Tipps und Tricks finden sich in den Abschnitten 6.2 und 6.3.

Umgang mit Komplikationen

- Ein Kontrolltermin am Folgetag wird empfohlen.
- Bei verstärkter Blutungsneigung wird lokal komprimiert; ein Salbenstreifen wird in den Analkanal hineingelegt.

Nach erfolgter Intervention muss die Rufbereitschaft des Arztes (Handynummer) sichergestellt werden.

Weiterführende Literatur

Deutsche Gesellschaft für Koloproktologie. S1-Leitlinie »Hämorrhoidalleiden«. Stand: 07/2008. www.awmf.org/uploads/tx_szleitlinien/081-007e_S1_Haemorrhoidalleiden_07-2008_07-2012.pdf (letzter Zugriff: 06.06.2016).

Kahlke V. Hämorrhoidalleiden. Stadiengerechte Therapie. Der Allgemeinarzt 2012; 34: 18–22. http://allgemeinarzt-online.de/a/1562730 (letzter Zugriff: 06.06.2016).

Kirsch J. Phenolrezeptur in der Sklerotherapie des Hämorrhoidalleidens. Enddarm-Zentrum Mannheim. Coloproctology 1999; 21: 1. www.enddarm-zentrum.de/publikationen/Phenol-Rezeptur.pdf (letzter Zugriff: 06.06.2016).

Rivadeneira DE, Steele SR, Ternent C et al. Standards Practice Task Force of the American Society of Colon and Rectal Surgeons. Practice parameters for the management of hemorrhoids (revised 2010). Dis Colon Rectum 2011; 54: 2059–64.

Zindel J, Inglin R, Brügger L. Nötige und unnötige Behandlungen beim Hämorrhoidalleiden: Der Patient bestimmt mit. Ther Umsch 2014; 71: 737–51.

7 Urogenitaltrakt

7.1 Legen eines transurethralen Dauerkatheters

Karl-Dietrich Sievert und
Markus Schäfer

Hintergrund

Für die Anlage eines transurethralen Katheters gibt es im hausärztlichen Setting viele Indikationen (► Abschn. Indikationen). Der Eingriff kann problemlos in der häuslichen Umgebung, in der Praxis oder in einem Pflegeheim durchgeführt werden. Um die korrekte Indikation zu stellen und evtl. zu erwartende Schwierigkeiten bei der Anlage des Katheters detektieren zu können, ist die Anamneseerhebung bez. urologischer Voreingriffe wichtig. Sollte eine längerdauernde Versorgung (>5 Tage) mit einem Dauerkatheter (DK) geplant sein, ist v.a. bei Männern die suprapubische Harnableitung zu favorisieren.

Indikationen

- akuter Harnverhalt
- Pyurie
- Fieber bei Blasenentleerungsstörung
- dauerhafte Urinableitung bei Blasenentleerungsstörung (besser: suprapubische Ableitung)
- spülpflichtige Makrohämaturie
- peri- bzw. postoperative Maßnahme
- Harninkontinenz

Kontraindikationen

- bekannte hochgradige Harnröhrenstriktur oder Blasenhalsenge; dann Anlage nur durch den Urologen
- akute Prostatitis oder Epididymitis; hier möglichst suprapubische Harnableitung
- V.a. Harnröhrenabriss nach Trauma
- im Zweifelsfall Rücksprache bzw. Vorstellung beim Urologen zur Durchführung einer Urethrozystoskopie

Aufklärung

Relevante Komplikationen bei DK-Anlage treten bei korrekter Durchführung selten auf. Allgemeine Komplikationen sind Verletzungen der Urethra sowie des Blasenhalses mit nachfolgender Blutung bzw. Strikturbildung. Solange auftretende Widerstände in der Harnröhre beachtet werden, ist die Gefahr einer Perforation oder einer Via falsa gering. Sollte initial blutiger Urin aus dem Katheter oder Blut neben dem Katheter fließen, die auf eine Makrohämaturie bzw. eine urethrale Blutung zurückzuführen sind, dann sind diese durch kurzes Abwarten oder manuelle Kompression des Penis leicht beherrschbar. Alternativ kann ein Spülkatheter angelegt werden.

> **!** Bei der Anlage des transurethralen Katheters sollte niemals »Gewalt« ausgeübt werden. Auf eine ausreichende Applikation des Gleitgels ist zu achten.

Benötigtes Instrumentarium

- drei sterile Handschuhe, ggf. sterile anatomische Pinzette
- Katheter in der entsprechenden Größe, am besten aus Silikon
  Sinnvoll sind Katheter mit einer Größe von 14–18 Ch. Spülkatheter sind ab einer Größe von 18 Ch verfügbar. Bezüg-

lich der Spitze bietet sich eine Nelaton- bzw. eine Tiemann-Spitze an. Die meisten Katheter dürfen mit 15 ml geblockt werden, Spülkatheter auch mit deutlich mehr. Die erlaubte Blockmenge in ml ist immer auf dem Blockkanal aufgedruckt. Die Charrièrezahl ist durch die Farbe definiert (► Tab. 7-1).

- Lochtuch, alternativ das Einschlagpapier der sterilen Handschuhe
- 3–5 sterile Pflaumentupfer
- Desinfektionsmittel für Schleimhäute (Phenoxyethanol, Octenidin, z. B. Octenisept®; Ethanol, z. B. Skinsept® mucosa; Povidon-Iod, z. B. Braunol®)
- steriles Gleitgel mit antiseptischer Wirkung (Chlorhexidin, Lidocain, z. B. Instillagel®, Cathejell®)
- 10-ml-Spritze mit Aqua destillata pur oder Aqua destillata mit 10 % Glycerinlösung
- ggf. Faltenbalgflasche (isotonische Kochsalzlösung, z. B. Freka Drainjet®)
- Urinablaufbeutel (2 l) oder direkt Beinbeutel (700 ml) mit Ablaufventil

Tab. 7-1 Größe (Charrière) und Farbe eines Katheters

Charrièrezahl	Farbe
10	schwarz
12	weiß
14	grün
16	orange
18 (üblich bei F/M)	rot
20	gelb
22	violett
24	dunkelblau
26	pink

- bei Frauen: ausreichende Beleuchtung bzw. Kopftaschenlampe

Beim Legen eines transurethralen Katheters lassen sich am besten fertig verpackte Sets der verschiedenen Hersteller verwenden, denn diese sparen Zeit und Geld.

Durchführung

1. Zu Beginn sollte der Patient optimal gelagert, die Unterhose und die Hose sollten mind. bis zu den Knien heruntergezogen sein. Männer sollten sich in Rückenlage befinden, Frauen ebenfalls, jedoch mit gespreizten Beinen.
2. Das gesamte Instrumentarium sollte steril geöffnet auf der Arbeitsfläche bereitliegen.
3. Nach sorgfältiger Desinfektion der Hände und Anlegen der sterilen Handschuhe wird der Katheter mit dem Urinablaufbeutel bzw. Beinbeutel konnektiert und die Blockspritze auf das Katheterventil gesetzt.
4. Werden bei der Desinfektion drei Handschuhe verwendet, wird der dritte Handschuh über den ersten Handschuh der dominierenden Hand gezogen. Rechtshänder sollten auf der rechten Seite des Patienten stehen, Linkshänder auf der linken Seite. Alternativ kann die Desinfektion auch mit einer anatomischen Pinzette erfolgen.
5. Bei *Männern* wird nun mit der nichtdominierenden Hand die Vorhaut komplett bis hinter den Sulcus coronarius zurückgestreift. Anschließend wird die Glans beginnend beim Meatus mit kreisenden Wischbewegungen desinfiziert (► Abb. 7-1a).
   Bei *Frauen* spreizt die nichtdominierende Hand die Labien. Der Daumen hält die eine Labie zur Seite, der Zei-

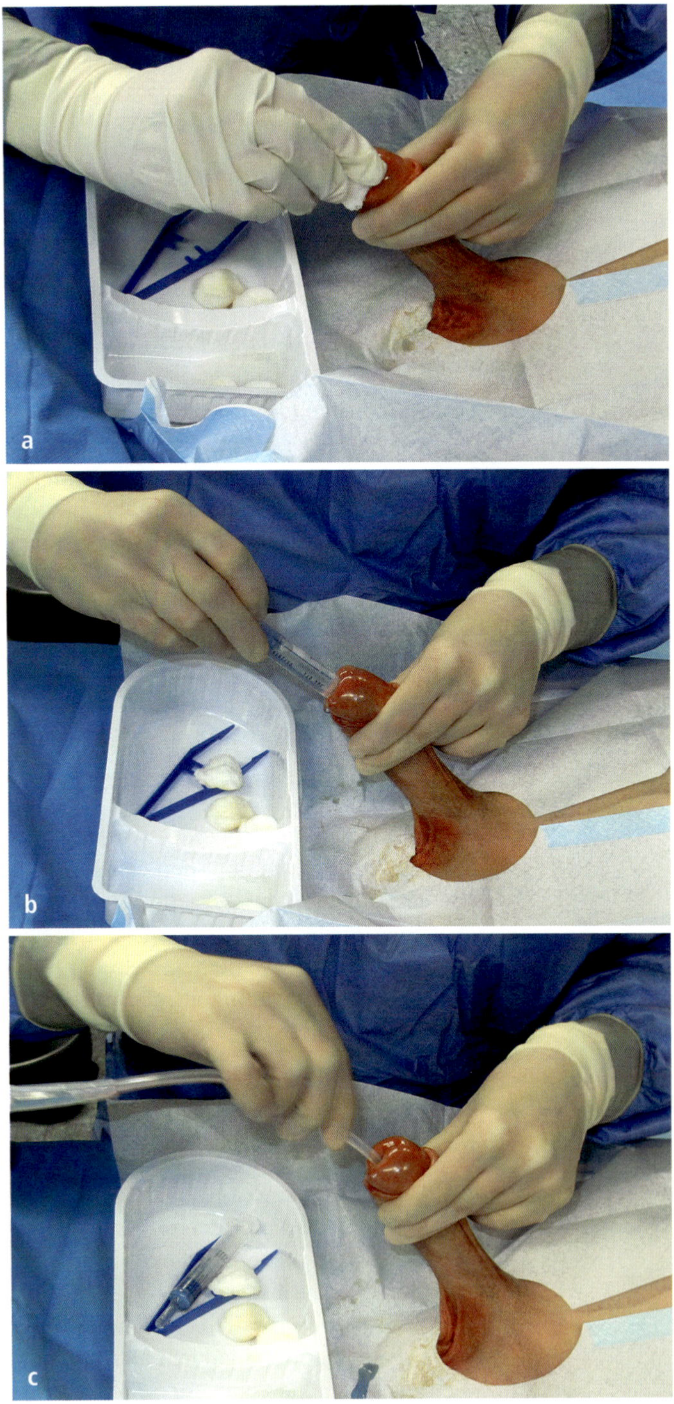

Abb. 7-1 Legen eines transurethralen Dauerkatheters: Desinfektion der Glans (**a**); Applikation des Gleitgels (**b**); Einführen des Katheters (**c**);

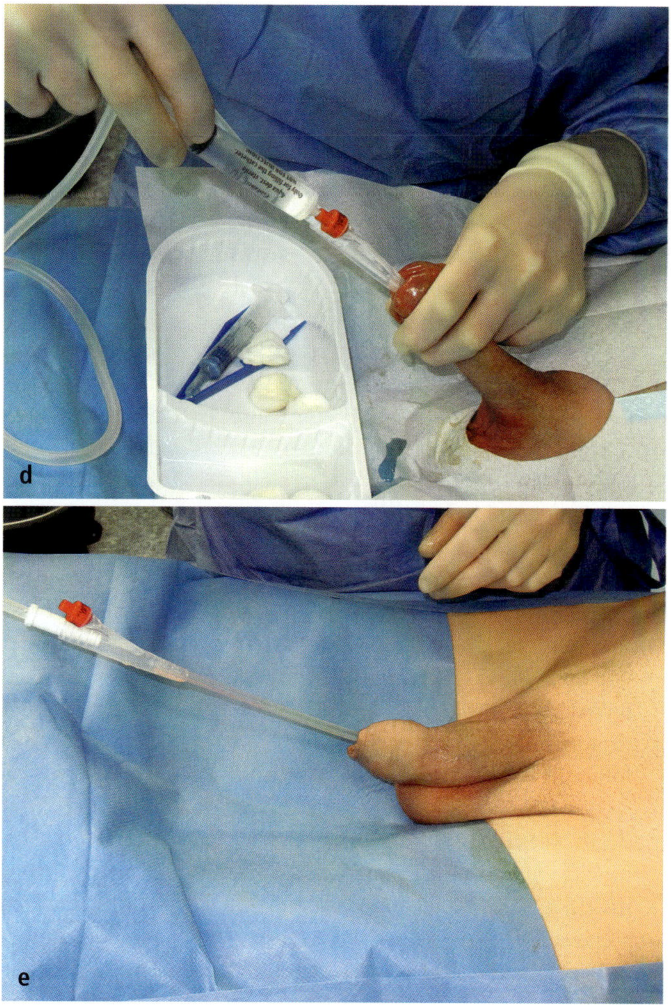

Abb. 7-1 (Fortsetzung) Blocken des Katheters (**d**); liegender Katheter mit zurückgeschobener Vorhaut (**e**)

gefinger die kontralaterale. Die Desinfektion erfolgt von ventral nach dorsal mit Pflaumentupfern. Dabei wird der Tupfer jeweils nach einem Wischvorgang verworfen.

6. Nach Durchführung der Desinfektion wird der dritte Handschuh entsorgt.
7. Bei *Männern:* Etwas Gleitgel wird auf den Meatus und auf den Katheter appliziert, der Rest des Gels nach Aufsetzen des Konus direkt in die Urethra (► Abb. 7-1b). Am Ende wird die Harnröhre manuell komprimiert, um das Auslaufen des Gels zu verhindern. Die nichtdominante Hand umgreift dabei den Penis mit Daumen, Zeige- und Mittelfinger C-förmig proximal des Sulcus coronarius, der Mittelfinger dient ggf. zur Kompression der Urethra.

Der Katheter wird mit der dominierenden Hand gefasst und vorsichtig in den Meatus eingeführt (► Abb. 7-1c). Dabei wird der Penis initial gestreckt gehalten (»Glans gen Himmel«). Zur Passage der prostatischen Harnröhre wird der Penis wieder abgesenkt, um die Harnröhre zu strecken.
Bei *Frauen:* Ein spezielles Manöver ist nicht notwendig. Lediglich der Meatus sollte gut sichtbar sein.

8. Die Einlage des DK sollte ohne Widerstand erfolgen. Der Katheter sollte immer so tief eingeführt werden, bis der Blockkanal den Meatus erreicht. Fließt nun Urin, kann der Block mit 10 ml Aqua destillata erfolgen (► Abb. 7-1d). Manchmal verstopft das Gleitgel die Öffnungen der Katheterspitze, dann sollte der Patient vor dem Blocken einmal husten. Alternativ kann das Ansaugen des Katheterlumens mit der Gelspritze erfolgen. Oft wird dadurch der Kanal freigespült. Sollte kein Urin ablaufen, dann kann trotzdem vorsichtig geblockt werden. Im Zweifelsfall sollte mithilfe einer Faltenbalgflasche (mit steriler Kochsalzlösung fertig gefüllte Ziehharmonikaflasche) angespült werden.
9. Der geblockte Katheter ist vorsichtig zurückzuziehen, bis ein federnder Widerstand zu spüren ist.
10. Bei *Männern:* Die Vorhaut wird wieder nach vorne geschoben (► Abb. 7-1e).
11. Falls erforderlich, wird Urin zur chemischen bzw. mikrobiologischen Diagnostik entnommen.

Nachsorge

- Das äußere Genital sollte täglich mit Wasser und Seife gereinigt werden.
- Eine regelmäßige Spülung des Katheters ist zu unterlassen.
- Der Katheter sollte ca. alle 4 Wochen gewechselt werden.

Tipps und Tricks

- Sollten im Set zwei Handschuhe und eine Plastikpinzette statt drei Handschuhen zur Verfügung stehen, sollte mit der Pinzette immer die Desinfektion erfolgen. Der DK selbst sollte nicht mit der Pinzette gefasst werden, denn zum einen hat man durch den direkten Fingerkontakt zum Katheter ein besseres taktiles Gefühl, zum anderen greifen die Plastikpinzetten schlecht den glitschigen Katheter.
- Bei *Männern* sollte die Vorhaut immer komplett retrahiert und auch retrahiert gelassen werden. Dies vereinfacht die Desinfektion und auch das Halten des Penis. Nach erfolgter Katheteranlage muss die Vorhaut jedoch wieder nach vorne geschoben werden, um einer Paraphimose vorzubeugen.
- Bei *Frauen* kann zur Vereinfachung des Aufsuchens des Meatus der letzte Tupfer am Scheideneingang platziert werden. Einerseits hält der Tupfer die Labien auseinander, andererseits verhindert er ein Abgleiten des DK in die Vagina.
- Sollte bei *Frauen* der Meatus nicht sichtbar sein, dann ist es evtl. notwendig, mit dem Zeige- und Mittelfinger der nichtdominierenden Hand in die Scheide einzugehen und diese etwas nach ventral zu ziehen. Oft wird nun der Meatus sichtbar. Sollte dieses Manöver keine Verbesserung zeigen, hilft die Lagerung auf dem gynäkologischen Stuhl. Alternativ kann ein Versuch der DK-Anlage blind unter-

nommen werden. Dabei gleitet der DK in der Rinne zwischen den Fingern.

- Ist die Katheteranlage erschwert, weil der Katheter schlecht in der Harnröhre gleitet, sollte erneut Gleitgel (max. jedoch 2 × 11 ml) sowohl in die Harnröhre als auch auf den zurückgeschobenen DK aufgetragen werden. Alternativ reicht bei Silikonkathetern oft das Abwischen mit einem Desinfektionsmitteltupfer als Gleitmittel.
- Bei einer initialen Makrohämaturie sollte immer abgewartet werden (mind. 5 min), bis sich die Blase über den gelegten Katheter vollständig entleert hat. Analoges gilt bei einer Pyurie. Der Katheter kann ggf. mit NaCl-Lösung angespült werden. Auf eine ausreichende Hydrierung des Patienten ist zu achten.
- Zeigt sich beim Einlegen des Katheters ein federnder Widerstand oder wölbt sich die Harnröhre unter dem Druck des Katheters vor, sollten die Anlage abgebrochen und der Urologe kontaktiert werden. Durch erneute Manipulation kommt es oft zu einer Via falsa, die die weitere Anlage des Katheters durch den Urologen mithilfe eines Zystoskops erschwert bzw. unmöglich macht und die den Patienten v. a. traumatisiert.

Umgang mit Komplikationen

Wichtig ist es, auf das leichte Gleiten des Katheters zu achten. Sollte sich ein Widerstand zeigen, ist die Katheterisierung abzubrechen und ein urologischer Fachkollege zu kontaktieren.

Weiterführende Literatur

Arbeitskreis »Krankenhaus- & Praxishygiene« der AWMF. S1-Leitlinie »Die Harndrainage«. Stand: 06/2008. www.awmf.org/fileadmin/user_upload/Leitlinien/029_AWMF-AK_Krankenhaus-_und_Praxishygiene/HTML-Dateien/029-007l_S1_Harndrainage.htm (letzter Zugriff: 06.06.2016).

Manski D. Urologielehrbuch.de. www.urologielehrbuch.de (letzter Zugriff: 06.06.2016).

Weblinks

Ein ausführliches Video zum Thema »Legen eines transurethralen Katheters« gibt es unter www.youtube.com/watch?v=ISBAya_5cIM bzw. www.mediaservice.bbraun.de (kostenfreie Anmeldung) unter dem Stichwort: Die instrumentelle Drainage der Harnblase.

7.2 Wechsel eines suprapubischen Blasenkatheters

Markus Schäfer und
Karl-Dietrich Sievert

Hintergrund

Bei einer längerfristigen Harnableitung ist die suprapubische Harnableitung einem transurethralen Katheter vorzuziehen, da sie neben einem erhöhten Komfort für den Patienten mit geringeren Infektionsraten einhergeht. Die Erstanlage eines suprapubischen Katheters sollte immer durch einen mit dieser Prozedur erfahrenen Arzt erfolgen. Die Wechsel können problemlos und für den Patienten schmerzfrei im häuslichen bzw. allgemeinmedizinischen Bereich durchgeführt werden. Feste Wechselintervalle gibt es nicht, für jeden Patienten sollte ein individuelles Vorgehen festgelegt werden. Meist liegen die Wechselintervalle, in Abhängigkeit der eingelegten Katheterstärke sowie Menge der Flüssig-

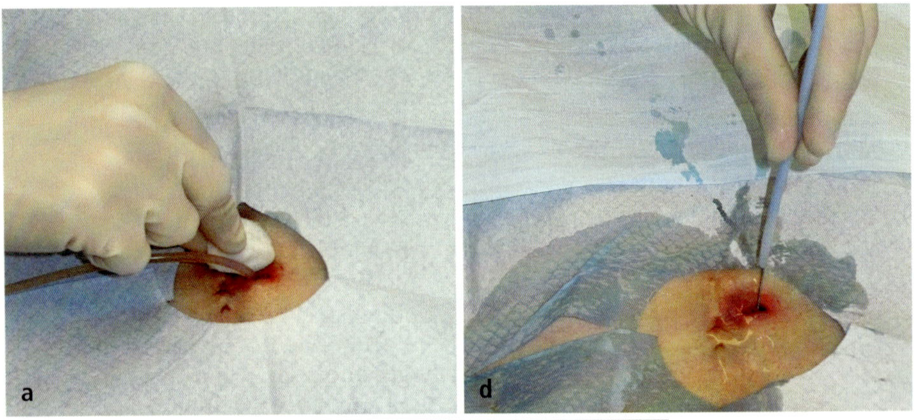

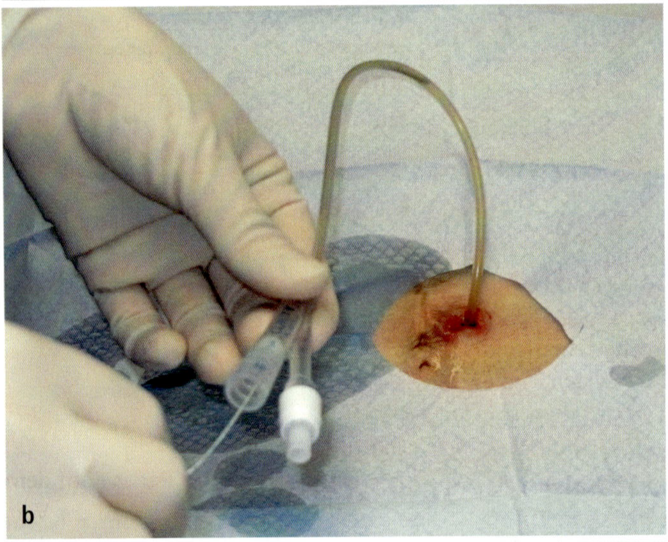

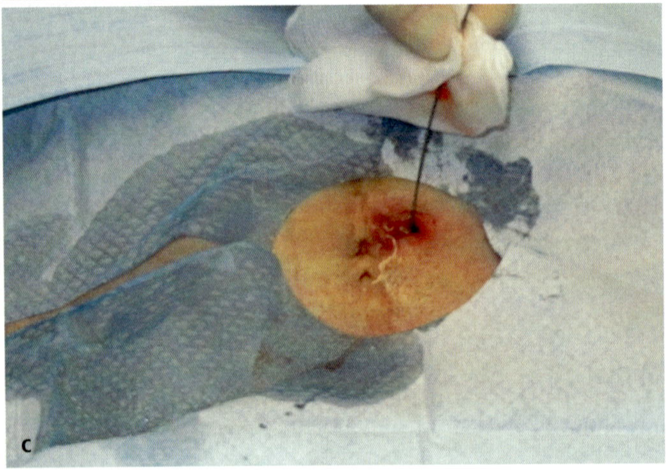

Abb. 7-2 Wechseln eines suprapubischen Katheters: Desinfizieren der Einstichstelle (**a**); Einführen des Drahts (**b**); liegender Führungsdraht (**c**); Einführen des neuen Katheters (**d**)

keitszufuhr, zwischen 6 und 8 Wochen. Bei fieberhaften Harnwegsinfekten sollte *immer* ein Wechsel des suprapubischen Katheters erfolgen, um die Kontaminierung durch den Biofilm zu reduzieren.

Ein routinemäßiges Screening des Urins auf asymptomatische Bakteriurien mit nachfolgender antibiotischer Therapie ist aus Gründen der Resistenzbildung zu unterlassen.

Indikationen

- dislozierter Katheter
- routinemäßiger Wechsel
- Fieber bei liegender suprapubischer Harnableitung
- Dysfunktion des Katheters

Kontraindikationen

Es gibt keine Kontraindikationen.

Aufklärung

Im Gegensatz zur Neuanlage einer suprapubischen Harnableitung bestehen beim Wechsel durch einen etablierten Kanal keine relevanten Risiken. Daher kann auf eine ausführliche Aufklärung verzichtet werden. Der Patient sollte jedoch darauf hingewiesen werden, dass postinterventionell manchmal eine Makrohämaturie auftreten kann. Diese kann mehrere Stunden anhalten, sollte aber in der Intensität abnehmen.

Benötigtes Instrumentarium

- 2 sterile Handschuhe
- Desinfektionsmittel für Schleimhäute (Phenoxyethanol, Octenidin, z. B. Octenisept®; Ethanol, z. B. Skinsept® mucosa; Povidon-Iod, z. B. Braunol®)
- 3–5 sterile Pflaumentupfer
- Lochtuch, alternativ das Einschlagpapier der sterilen Handschuhe
- Einschlagfolie des Katheterbeutels als sterile Unterlage
- Draht; liegt dem Katheter in der Regel bei
- eine 10-ml-Spritze zum Entblocken
- Katheter in entsprechender Größe; nur in Silikon verfügbar
  Bei Wechsel über einen Draht in Seldinger-Technik muss der Katheter *an der Spitze offen* sein, beim Wechsel ohne Draht bietet sich eher eine geschlossene gerade *Nelaton-Spitze* an. Die Farbskalen der Katheter sowie die korrespondierenden Kathetergrößen (Charrière) sind in Abschn. 7.1 Benötigtes Instrumentarium dargestellt.
- ggf. steriles Gleitgel mit antiseptischer Wirkung (Chlorhexidin, Lidocain, z. B. Instillagel®, Cathejell®)
- 10-ml-Spritze mit Aqua destillata pur oder Aqua destillata mit 10 % Glycerinlösung
- Urinablaufbeutel (2 l) oder Beinbeutel (700 ml) mit Ablaufventil

Durchführung

1. Zu Beginn sollte der Patient auf dem Rücken gelagert werden und der Verband mit unsterilen Handschuhen entfernt werden. Bei Bedarf ist eine Rasur der Haare im Bereich der Einstichstelle sinnvoll.
2. Das gesamte Instrumentarium sollte steril geöffnet auf der Arbeitsfläche bereitliegen.
3. Nach sorgfältiger Desinfektion der Hände und Anlegen der sterilen Handschuhe werden die Einstichstelle und das Katheterende des liegenden Systems desinfiziert (► Abb. 7-2a). Die Umgebung der Einstichstelle ist mit einem Lochtuch abgedeckt.

4. Der Draht wird nun mit dem *weichen* Ende voran in den Katheter eingeführt und vorsichtig in die Blase geschoben (Seldinger-Technik; ► Abb. 7-2b). Sobald der Draht in der Blase ist, berichten die meisten Patienten über ein »Piksen« in der Blase.
5. Der einliegende Ballon wird nun entblockt, indem die Spritze auf den Blockkanal aufgesetzt und der gesamte Inhalt (5–10 ml) aspiriert wird.
6. Der liegende Katheter wird entfernt, der Draht belassen (► Abb. 7-2c). Dabei wird gegenläufig gearbeitet und darauf geachtet, dass der Draht nicht disloziert (Seldinger-Prinzip).
7. Der neue Katheter wird auf den Draht gefädelt und in die Blase vorgeschoben (► Abb. 7-2d). Bei Bedarf kann nun das Gleitgel an die Eintrittsstelle appliziert werden.
8. Der Katheter wird in der Blase mit der auf dem Katheter angegebenen Füllmenge geblockt, indem der Konus der Blockspritze auf den Blockkanal aufgesetzt wird und die erlaubte Blockmenge appliziert wird.
9. Der Draht wird entfernt, dabei wird der Katheter festgehalten.
10. Der Katheter wird bis an die Blasenwand zurückgezogen; es resultiert ein federnder Widerstand.
11. Läuft kein Urin, wird der Katheter mithilfe einer Faltenbalgflasche (isotonische Kochsalzlösung, z. B. Freka Drainjet®) angespült bzw. mit der leeren Gelspritze am Konnektionskanal angesaugt. Der Katheter wird mit dem Urinablaufbeutel bzw. dem Beinbeutel verbunden.
12. Ein Verband ist normalerweise nicht nötig (lediglich bei Neuanlage, Rötungen oder Druckstellen).

Nachsorge

Bei zunehmender Rötung der Haut sollte der Verband täglich gewechselt werden. Lokal sollte eine jodhaltige Salbe (Povidon-Iod, z. B. Betaisodona® Salbe, Braunovidon® Salbe) aufgetragen werden.

Tipps und Tricks

- Kommt der Patient mit einem *dislozierten Katheter*, kann versucht werden, den neuen Katheter direkt via Einstichstelle in der Blase zu platzieren. Hierbei wird ein Katheter mit Nelaton-Spitze verwendet. Gelingt dies nicht, sollte der Draht blind vorgeschoben werden. Da dieser deutlich dünner als der Katheter ist, kann der alte Kanal oft wiedergefunden werden. Gelingt dies nicht in der Hausarztpraxis, muss der Patient *umgehend* bei einem urologischen Fachkollegen vorgestellt werden.

> Ist der Katheter disloziert, muss die Neuanlage innerhalb von 4–6 h erfolgen, damit sich der Kanal nicht verschließt.

- Bei gehäuften *Okklusionen* (der Katheter verstopft in weniger als ca. 6 Wochen), welche v. a. bei dünnen Katheter vorkommen, sollte die Einlage dickerer Katheter angestrebt werden (Zielgröße 18–20 Ch). Im Rahmen eines Wechsels ist die Erweiterung der Kathetergröße um jeweils 2 Ch problemlos möglich.
- Ist der Katheter *komplett okkludiert* und kann der Draht nicht vorgeschoben werden, wird der alte Katheter einfach entfernt. Anschließend sollte wie bei einem dislozierten Katheter vorgegangen werden.

- Ist der *Kanal gut etabliert* und hat der Katheter eine Größe von mind. 16 Ch ist der Wechsel ohne Draht einfacher, schneller sowie materialsparender und für den Patienten noch weniger belastend.

Umgang mit Komplikationen

Komplikationen kommen bis auf eine milde Makrohämaturie (► Abschn. Aufklärung) nicht vor.

Weblink

www.mediaservice.bbraun.de (kostenfreie Anmeldung) unter dem Stichwort: Die instrumentelle Drainage der Harnblase.

7.3 Durchführung eines Zervixabstrichs

Nicola Buhlinger-Göpfarth

Hintergrund

Der Zervixabstrich dient der Probeentnahme von Zellen des Gebärmutterhalses zur umfassenden zytologischen Diagnostik. Infektionen und Dysplasien können mithilfe des Abstrichs frühzeitig erkannt werden. Ziel ist, Infektionen zu diagnostizieren und die Entwicklung eines invasiven Zervixkarzinoms frühzeitig zu verhindern, um die Mortalität des Zervixkarzinoms zu senken. Der vom griechischen Arzt Papanicolaou eingeführte Abstrich (»PAP-Abstrich«) der Cervix uteri war das erste Beispiel einer erfolgreichen systematischen Untersuchung zur Früherkennung im Rahmen der Sekundärprävention.

Die Befunde werden heute nach der Münchner Nomenklatur III in den Gruppen 0 bis V klassifiziert.

Indikationen

Die Durchführung eines Zervixabstrichs ist obligater Bestandteil der gesetzlichen Vorsorgeuntersuchung im Rahmen der Früherkennung des Zervixkarzinoms.

Weitere Indikationen sind:

- V. a. Infektion mit Papillomviren
- V. a. bakterielle Zervizitis
- V. a. Chlamydieninfektion
- V. a. Mykoplasmen oder Ureaplasmen in der Schwangerschaft

Durchgeführt wird die Untersuchung von Fachärztinnen und Fachärzten für Gynäkologie oder für Allgemeinmedizin mit spezieller Qualifikation.

Kontraindikationen

Kontraindikationen bestehen üblicherweise nicht.

Aufklärung

Grundsätzlich sollte die Patientin auch bei diagnostischen Eingriffen darüber aufgeklärt werden, was im Einzelnen untersucht und wie ein Zervixabstrich durchgeführt wird. Die einzelnen Untersuchungsschritte, wie z. B. die Spekulumeinstellung, und das hierfür benötigte Instrumentarium sind der Patientin im Vorfeld zu erklären.

Häufig werden durch die Abstrichentnahme leichte mechanische Kontaktblutungen ausgelöst.

Benötigtes Instrumentarium

- Objektträger mit Beschriftungsfeld
- unsterile Handschuhe
- Spekulum (z. B. Entenschnabelspekulum; ► Abb. 7-3c)
- Spatel (z. B. Szalay-Spatel; ► Abb. 7-3a) oder alternativ
- Bürste (z. B. Cervex-Brush®; ► Abb. 7-3b)

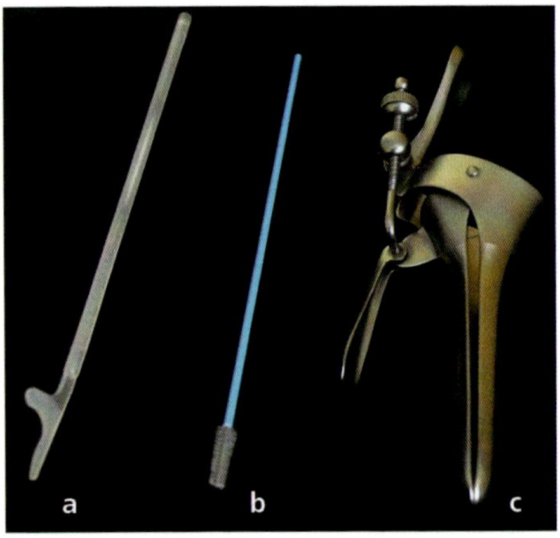

Abb. 7-3 Benötigtes Instrumentarium: Szalay-Spatel (**a**); Cervex-Brush® (**b**); Entenschnabelspekulum (**c**)

- Fixierlösung: 96%iger Isopropylalkohol oder 96%iger vergällter Ethylalkohol
  oder alternativ
- Fixierungsspray
- ggf. spezielle Testkits bei V.a. Infektionen mit Chlamydien, Mykoplasmen, Ureaplasmen oder humanen Papillomviren (HPV)
- Versandbehälter

Durchführung

Der Zervixabstrich wird als Einstufenpräparat (endo- *und* ektocervicales Zellmaterial) hergestellt. Verwendet wird hierfür entweder ein sog. Szalay-Spatel oder eine Bürste. Im Gegensatz zu einem Zweistufenpräparat, bei dem das endo- und ektocervicale Zellmaterial auf zwei Objektträgern getrennt aufgetragen wird, lässt sich bei einem Einstufenpräparat zytologisch die Übergangszone besser beurteilen.

Die Auswahl des Instruments richtet sich nach den individuellen Gegebenheiten bei der Patientin wie Anatomie oder Alter. In der Menopause verlagert sich die Schleimhautgrenze in den Zervixkanal zurück, sodass hier durch Abstrichentnahme mit der Bürste oft besser geeignetes Zellmaterial gewonnen werden kann.

Vorbereitung

1. Ein Objektträger wird mit dem Namen und dem Geburtsdatum der Patientin beschriftet und bereitgelegt.
2. Nach entsprechender Lagerung der Patientin (gynäkologischer Stuhl) wird die Portio mit einem geeigneten Spekulum, z. B. einem Entenschnabelspekulum, eingestellt.

> Die Portio soll nicht trocken getupft oder gespült werden.

Abstrich mit dem Spatel

1. Der Spatel wird auf der Ektozervix mit der Spatelschulter (kürzerer Arm des Spatels) in der 3-Uhr-Position aufgesetzt und dann mit sanftem Druck im Uhrzeigersinn um 360 Grad gedreht.
2. Der Spatel wird dann flach und parallel zur Längskante auf dem Objektträger ausgestrichen.
3. Der Objektträger wird sofort in noch feuchtem Zustand in eine geeignete Fixierlösung gelegt und mind. 30 min in der Fixierlösung belassen. Es kann auch alternativ ein Fixierungsspray verwendet werden.
4. Der Objektträger wird in den Versandbehälter gelegt.

Abstrich mit der Bürste

1. Die Bürste wird zunächst an der gesamten Portiooberfläche abgestrichen (*ektocervicaler* Abstrich).
2. Anschließend wird die Bürste in den Muttermund eingeführt und im Uhr-

zeigersinn einmal gedreht (*endocervicaler* Abstrich).
3. Das Zellmaterial wird gleichmäßig und ohne Druck auf dem Objektträger abgerollt.
4. Der Objektträger wird sofort in noch feuchtem Zustand in eine geeignete Fixierlösung gelegt und mind. 30 min in der Fixierlösung belassen. Es kann auch alternativ ein Fixierungsspray verwendet werden.
5. Der Objektträger wird in den Versandbehälter gelegt.

Zur Durchführung von Abstrichen im Rahmen der Diagnostik von Infekten werden spezielle Testkits verwendet. Diese Testkits enthalten Transportmedien und sterile Tupfer oder Bürsten, die nach Abstrichentnahme von der Cervix uteri sofort wieder verschlossen und zur Diagnostik in ein geeignetes Labor versandt werden.

Nachsorge

Häufig werden durch die Abstrichentnahme leichte mechanische Kontaktblutungen ausgelöst. Diese können ggf. mithilfe eines Watteträgers trocken getupft werden.

Tipps und Tricks

- In der Übergangszone zwischen Plattenepithel der Portio und Zylinderepithel der Zervix liegen 90 % aller Neoplasien, aus denen Karzinome entstehen können. Die Übergangszone liegt bei jungen Frauen ektocervical und bei Frauen in der Menopause z. T. tief endocervical. Das am besten geeignete Abstrichentnahmegerät sollte aus diesen Gründen individuell gewählt werden.

Es ist unbedingt darauf zu achten, dass *endocervicale* Zellen gewonnen werden!

- Die Spekula sollten angewärmt sein und die Größenauswahl sollte die individuelle Anatomie der Patientin berücksichtigen. Spekula, die aus zwei Teilen bestehen, sind bei schwierigeren Untersuchungsbedingungen wie einem Descensus uteri et vaginae mit Zysto- und Rektozelenbildung besser geeignet. Allerdings wird dann eine Hilfsperson benötigt. Mit einem Selbsthaltespekulum (Entenschnabelspekulum) ist die Abstrichentnahme ohne Hilfsperson möglich.

Umgang mit Komplikationen

Komplikationen treten bei sachgemäßer Durchführung üblicherweise nicht auf.

Weiterführende Literatur

Gemeinsamer Bundesausschuss. Richtlinie des Gemeinsamen Bundesausschusses über die Früherkennung von Krebserkrankungen (Krebsfrüherkennungs-Richtlinie/KFE-RL). Stand: 12.10.2015. www.g-ba.de/downloads/62-492-1108/KFE-RL_2015-10-15_iK-2016-01-19.pdf (letzter Zugriff: 06.06.2016).

Gemeinsamer Bundesauschuss. Merkblatt Zervixkarzinomfrüherkennung. Stand: August 2008. www.g-ba.de/downloads/39-261-716/2008-08-21-KFU-Merkbaltt-Zervix_BAnz.pdf (letzter Zugriff: 06.06.2016).

7.4 Durchführung eines Vaginalabstrichs

Nicola Buhlinger-Göpfarth

Hintergrund

Die gesunde Vaginalflora wird überwiegend von Lactobazillen (Döderlein-Stäbchen) gebildet. In der Scheide herrscht ein saures Milieu vor, der pH-Wert liegt normalerweise zwischen 3,8 und 4,5. Das saure Milieu schützt vor bakteriellen Infektionen. Wird das Scheidenmilieu gestört, z.B. durch Antibiotikaeinnahme, wird die Döderlein-Flora gestört und es kann zu einer bakteriellen Kolpitis oder einer Pilzinfektion kommen. Eine bakterielle Vaginose ist eine Mischinfektion meist mit erhöhter Konzentration von Gardnerella vaginalis und anderen Anaerobiern.

Unter Hormoneinfluss verändert sich das Vaginalsekret (► Abb. 7-4). Um den Zeitpunkt der Ovulation tritt vermehrt flüssiger Fluor vaginalis auf.

7

Indikationen

- V.a. Pilzinfektion (Candidamykose) der Scheide
- V.a. Infektionen der Scheide (z.B. Trichomonaden, Streptokokken der Gruppe A, Streptokokken der Gruppe B in der Schwangerschaft)
- V.a. toxisches Schocksyndrom (»toxic shock syndrome«)
- V.a. Gonorrhoe
- Feststellung der momentanen Zyklusphase bzw. der hormonellen Aktivität (veränderte Zusammensetzung des Vaginalsekrets unter Hormoneinfluss; ► Abb. 7-4)
- Nachweis von Spermien: bis zu 72h nach dem Koitus (Postkoitaltest)

Kontraindikationen

Kontraindikationen bestehen üblicherweise nicht.

Aufklärung

Grundsätzlich sollte die Patientin auch bei diagnostischen Eingriffen darüber aufgeklärt werden, was im Einzelnen untersucht und wie ein Vaginalabstrich durchgeführt wird. Die einzelnen Untersuchungsschritte, wie z.B. die Spekulumeinstellung, und das hierfür benötigte Instrumentarium sind der Patientin im Vorfeld zu erklären.

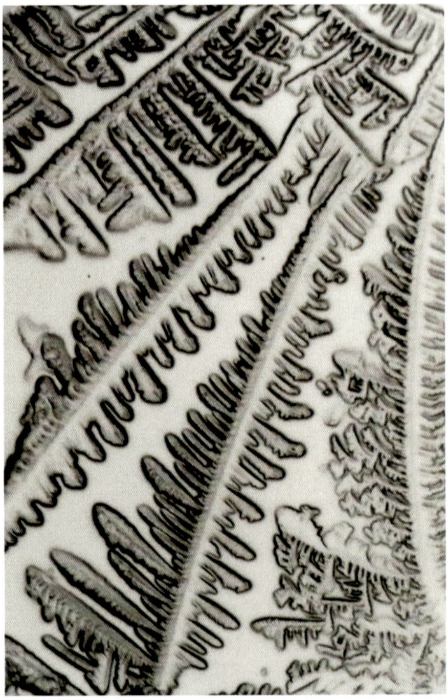

Abb. 7-4 Farnkrautphänomen. Charakteristische Ausbildung von farnkrautähnlichen Kristallen in getrocknetem Fluor vaginalis. Dieses Phänomen tritt unter Östrogenwirkung auf und ist besonders deutlich kurz vor der Ovulation, wenn sich vermehrt Zervixschleim bildet.

Häufig werden durch die Abstrichentnahme leichte mechanische Kontaktblutungen ausgelöst.

Benötigtes Instrumentarium

Nativabstrich

- Spekulum (z. B. Entenschnabelspekulum)
- unsterile Handschuhe
- unsteriler Watteträger
- Objektträger
- Deckgläser
- NaCl 0,9 %
- Kaliumhydroxidlösung (KOH-Lösung)
- Mikroskop

Bakteriologische Kultur

- steriler Watteträger
- Transportmedium

Durchführung

Nativabstrich

1. Nach Spiegeleinstellung der Portio mit einem geeigneten Spekulum, z. B. einem Selbsthaltespekulum (Entenschnabelspekulum), erfolgt die Abstrichentnahme.
2. Für den Nativabstrich wird mit einem unsterilen Watteträger Fluor vaginalis aus dem hinteren Scheidendrittel auf einen Objektträger gestrichen, anschließend wird ein Tropfen NaCl 0,9 % oder Kaliumhydroxid (KOH) aufgebracht und mit einem Deckglas abgedeckt.
3. Der Objektträger kann sofort unter dem Mikroskop bei 400facher Vergrößerung beurteilt werden.

> Die beweglichen Trichomonaden oder die sog. »clue-cells« bei einer Aminkolpitis kommen besser zur Darstellung in einem Abstrich mit 0,9%iger NaCl-Lösung. Der KOH-Abstrich ist besser geeignet für die Darstellung von Candida albicans mit Pseudohypen und Pilzgeflechten.

Bakteriologische Kultur

1. Für die Bakterienkultur wird ein Watteträger aus einer sterilen Verpackung entnommen.
2. Der sterile Watteträger wird ohne Berührung der Umgebung in Richtung Portio und hinteres Scheidendrittel eingeführt.
3. Von dort wird Vaginalsekret abgestrichen. Der sterile Watteträger mit dem abgestrichenen Vaginalsekret wird wieder in das Transportmedium eingeführt und sofort verschlossen.
4. Anschließend wird das gewonnene Vaginalsekret im Transportmedium an ein bakteriologisches Labor zur Anlage einer Kultur versendet.

Nachsorge

Eine Nachsorge ist üblicherweise nicht erforderlich.

Tipps und Tricks

Bei einer bakteriellen Vaginose mit Gardnerella vaginalis als Leitkeim entsteht bei Kontakt mit KOH-Lösung ein typischer fischartiger Geruch (KOH-Probe).

Umgang mit Komplikationen

Komplikationen sind bei korrekter Durchführung nicht zu erwarten.

Weiterführende Literatur

Deutsche Gesellschaft für Gynäkologie und Geburtshilfe (DGGG), Arbeitsgemeinschaft Infektiologie und Infektimmunologie der DGGG. S1-Leitlinie »Bakterielle Vaginose (BV) in Gynäkologie und Geburtshilfe«. Stand: Juli 2013. www.awmf.org/leitlinien/detail/ll/015-028.html (letzter Zugriff: 06.06.2016).

7.5 Wechsel eines Pessars

Nicola Buhlinger-Göpfarth

Hintergrund

Mit Passaren kann eine effektive, minimal invasive und kostengünstige Therapie bei Belastungsinkontinenz und Descensus genitalis durchgeführt werden. Sie stellt insbesondere für ältere, multimorbide Patientinnen in der Hausarztpraxis eine Alternative zur Descensus-Chirurgie dar. Bei Senkung der Beckenorgane aus ihrer normalen anatomischen Position spricht man von Descensus genitalis. Damit verbunden sind oft Senkungsbeschwerden wie z. B. Blasenentleerungsstörungen, Harndrang, rezidivierende Harnwegsinfekte, Urin- und/oder Stuhlinkontinenz. Risikofaktoren für einen Descensus sind z. B. vaginale Entbindungen, Adipositas, Erhöhung des intraabdominalen Drucks (Obstipation, schwere körperliche Arbeit) oder genetische Prädisposition wie Bindegewebsschwäche.

Es gibt viele verschiedene Typen von Pessaren. Je nach Indikation für die Therapie mit einem Pessar und je nach Anatomie der Patientin wird das geeignete Pessar gewählt. Häufig verwendete Pessare sind z. B. *Ringpessare* bei Stressinkontinenz oder leichten Senkungsbeschwerden und *Würfelpessare* (► Abb. 7-5a) bei kombinierter Rektozele und Zystozele, z. B. nach Hysterektomie. Bei leichten bis mittleren Fällen von Gebärmuttersenkung sind oft am besten *Siebschalenpessare* (► Abb. 7-5b) geeignet. Keulenpessare sind indiziert bei sehr starken Vorfällen.

Heute werden Pessare aus Silikon hergestellt. Würfelpessare können täglich durch die Patientin selbst eingesetzt und gewechselt werden. Bei Ring-, Siebschalen- und Keulenpessaren erfolgt der Wechsel – je nach Herstellerangabe – spätestens alle 4–12 Wochen in der Arztpraxis.

Indikationen

Die Pessartherapie ist indiziert bei Belastungsinkontinenz, Scheiden- und Gebärmuttersenkung und/oder einer Rektozele. Seltenere Indikationen sind Narbenauflockerungen und Scheidenverengungen.

Kontraindikation

Bei akuten Entzündungen der Vagina oder der Zervix darf kein Pessar gelegt oder gewechselt werden; ein liegendes Pessar ist sofort zu entfernen.

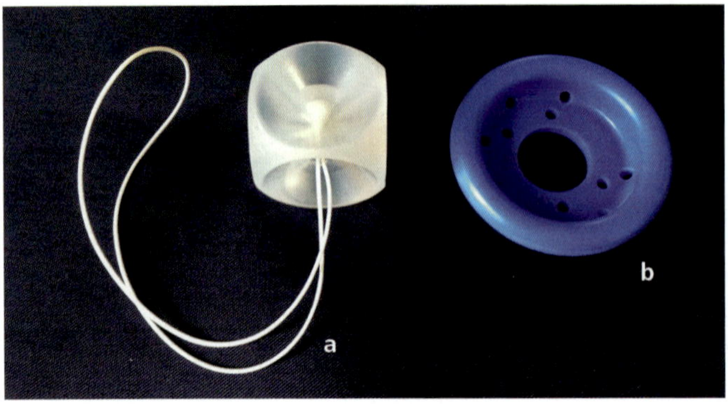

Abb. 7-5 Unterschiedliche Pessare: Würfelpessar (**a**) und Siebschalenpessar (**b**)

Aufklärung

Aufgeklärt werden muss die Patientin über die Notwendigkeit eines *regelmäßigen Wechsels* des Pessars (► Abschn. Hintergrund). Mögliche Komplikationen eines Pessars sind Druckulzera und Kolpitiden.

Benötigtes Instrumentarium

- Spekulum
- unsterile Handschuhe
- geeignetes Pessar
- Gleitgel (z. B. Gleitgelen®) oder niedrig dosierte Östrogensalbe (Estriol, z. B. Ovestin®)

Durchführung

Die Auswahl des Pessartyps erfolgt entsprechend der jeweiligen Indikation. Unterschiedliche Testgrößen sollten vorrätig sein.

Einsetzen des Pessars

1. Vor dem Einsetzen des Pessars sollte die Patientin die Harnblase entleeren.
2. Nach der Inspektion der Vagina mittels Spekulum wird eine geeignete Pessargröße ausgewählt. Das Spekulum wird dann wieder entfernt.

> Man wählt dasjenige Pessar einer bestimmten Sorte mit dem kleinsten Umfang aus, das bei Husten, Niesen und Pressen noch hält.

3. Zunächst wird das Pessar zur Vermeidung von Druckstellen mit Gleitgel oder niedrig dosierter Östrogencreme bestrichen. Bei Verwendung von Östrogencreme müssen die entsprechenden Kontraindikationen, wie z. B. hormonabhängige Mammakarzinome oder erhöhtes Thromboserisiko, beachtet werden.
4. Kleinere Pessare führt man in das obere Vaginaldrittel über der Symphyse ein. *Ring-* und *Siebschalenpessare* sind mit flexibler Faltzone erhältlich; diese werden mit Daumen und Zeigefinger zusammengedrückt und können so leichter eingeführt werden. Größere Pessare, wie z. B. *Würfelpessare* bei kombiniertem Vorliegen einer Zystozele und Rektozele, kommen meist im mittleren Scheidendrittel zu liegen. Sie werden wie ein Tampon eingeführt, mit dem Rückholfaden nach unten.

Entfernen des Pessars

1. *Ring-* oder *Siebschalenpessare* entfernt man, indem man zwischen vorderer Vaginalwand und Pessar mit dem Zeigefinger eingeht und das Pessar um die Längsachse leicht dreht. Anschließend wird der Zeigefinger in die Öffnung des Rings eingehakt und der Ring unter vorsichtigem Zug entfernt.
2. *Würfelpessare* verfügen über einen Rückholfaden. Beim Wechsel zieht man vorsichtig mit der rechten Hand am Rückholfaden und geht mit dem Zeigefinger der anderen Hand zwischen hintere Scheidenwand und Würfelkante ein. Ein leicht schmatzendes Geräusch entsteht und die Würfelkanten lösen sich von der Scheidenwand. So kann der Würfel leicht herausgezogen werden.

> Die Patientin sollte angeleitet werden, das Würfelpessar selbstständig einzusetzen und über Nacht zu entfernen.

Nachsorge

Nach Pessareinlage lässt man die Patientin pressen oder husten, um den korrekten Sitz des Pessars zu überprüfen.

Tipps und Tricks

- Oft kann nach einigen Wochen Therapie auf eine kleinere Pessargröße gewechselt werden.
- Für Frauen, die sexuell aktiv sind, eignen sich Würfelpessare am besten. Würfelpessare verfügen über einen Rückholfaden und sind so einfacher zu entfernen bzw. zu wechseln.

Umgang mit Komplikationen

Bei sachgemäßer Durchführung und Anwendung sind Komplikationen nicht zu erwarten.

Weiterführende Literatur

Deutsche Gesellschaft für Gynäkologie und Geburtshilfe, Deutsche Gesellschaft für Urologie. S1-Leitlinie »Descensus genitalis der Frau«. Stand: 06/2008 (wird zz. überprüft). www.awmf.org/leitlinien/detail/ll/015-006.html (letzter Zugriff: 06.06.2016).

Weblink

www.frauenärzte-im-netz.de

7.6 Leitung einer Geburt in einem nicht geplanten Setting

Jürgen Wacker und Michael Kiworr

Hintergrund

Eine physiologische Geburt zu überwachen und zu leiten, sollte eigentlich zum praktischen Erfahrungsschatz eines jeden Arztes gehören – vielfach wird dies auch von einem Arzt gleich welcher Fachrichtung erwartet. Die praktische Ausbildung in der Geburtshilfe sowie mehrere Geburtsleitungen gehören in vielen Ländern zum Pflichtprogramm der Arztausbildung. Gerade die Geburtshilfe zeichnet sich dadurch aus, dass viel Erfahrung und praktische Fertigkeiten erlernt werden müssen, um bei einer Geburt auch tatsächlich kompetent helfen zu können. Der Mensch im Gegensatz zur gesamten Tierwelt ist so geschaffen, dass er bei der Geburt die Hilfe eines anderen Menschen, eines »Geburtshelfers« benötigt. Der Geburtshelfer sollte in der Lage sein zu erkennen, ob es sich um eine »normale«, also physiologische Geburt handelt, bei der »nur« seine Hilfe und Unterstützung gefordert ist, bei der aber ein »Zuviel« auch schaden kann. Er sollte auch erkennen können, wann es sich um eine pathologische Schwangerschaft oder Geburt handelt, bei der unverzügliches Eingreifen und Beherrschen der notwendigen Maßnahmen vonnöten ist. Dieser Wechsel im Verlauf einer Schwangerschaft oder einer Geburt kann plötzlich und aus heiterem Himmel geschehen oder sich bereits vorher durch bestimmte Symptome ankündigen. Auch hier braucht es ärztlicher Kunst und Erfahrung, diesen Wechsel zu erkennen. Wir wollen an dieser Stelle daher ermutigen, die unverzichtbaren praktischen Erfahrungen selbst zu sammeln oder diese zu erweitern.

Für ein »nicht geplantes« oder nicht planbares Setting einer Geburt wollen wir mit der folgenden Übersicht die möglicherweise vorhandene Angst vor der Leitung einer Geburt nehmen, denn selbst ein nur in Grundlagen ausgebildeter Geburtshelfer kann besser sein als gar kein Geburtshelfer.

Bei all dem sollte nicht vergessen werden, dass Schwangerschaft und Geburt in der überwiegenden Mehrheit normale Vorgänge und keine Krankheiten sind. Das

Besondere in diesem Setting ist für Ärzte, dass sie hier als helfende Unterstützer gebraucht werden und sie sich nicht um »Patientinnen«, sondern in der Regel um zwei gesunde Menschen – Mutter und Kind – kümmern.

Indikation

Die Leitung einer Geburt im hausärztlichen Setting ist indiziert, wenn diese nicht mehr aufzuhalten ist (»Spontanpartus«: spontane vaginale Geburt ohne Notwendigkeit eines operativen Eingreifens). Wenn noch möglich sollte die Fahrt ins Krankenhaus jedoch bevorzugt werden.

Kontraindikationen

- Frühgeburt (vor der 37. SSW; 3–12 % aller Schwangerschaften)
  In einem nicht geplanten Setting sollte eine Frühgeburt möglichst verhindert werden. Je unreifer das Neugeborene ist, umso eher kann eine neonatologische Versorgung zusätzlich erforderlich werden.
- jede Indikation zur operativen Entbindung statt Spontangeburt
  Hierzu gehören die Placenta praevia (Placenta liegt vor dem inneren Muttermund), Querlage sowie im ungeplanten Setting Mehrlinge und Beckenendlagen.

> **!** Bei einer Placenta praevia kann es zu massiven Blutungen kommen; hier ist bereits eine vaginale digitale Untersuchung kontraindiziert. Idealerweise ist diese im Mutterpass dokumentiert und der Schwangeren bekannt.
> Bei Z. n. Sectio ist eine engmaschige Überwachung zum Ausschluss einer Uterusruptur und erneuter Pathologien dringend erforderlich.

- jede regelwidrige Schwangerschaft oder Geburt mit Gefährdung von Mutter und/oder Kind

Aufklärung

Unter Wehen und bei nicht planbarer Geburt entfällt die Aufklärung. Jedoch ist es wichtig, die Schwangere über einzelne Schritte, den Verlauf der Geburt und etwaige notwendige Maßnahmen zu informieren und sie darin anzuleiten, was sie in den einzelnen Phasen der Geburt tun darf oder soll. Dies hilft, Ängste zu nehmen und die Geburt ruhig und koordiniert ablaufen zu lassen.

> »Die oberste Pflicht des Geburtshelfers ist es, Ruhe zu bewahren«, so der bekannte Gynäkologe Prof. Pschyrembel. Dies in der Leitung der Geburt in Wort und Tat auszustrahlen, ist in jedem Falle hilfreich!

Benötigtes Instrumentarium

- Liege
- trockene, wenn möglich warme Tücher für das Neugeborene
- wenn möglich i. v. Zugang
- Nabelschnurklemme, ggf. Faden zum Abbinden
- Überwachungsmöglichkeiten (CTG, Sonografiegerät oder Stethoskop)
- Schere für Dammschnitt
- Nahtmaterial zur Versorgung von Geburtsverletzungen
- Lokalanästhetikum (Prilocain, z. B. Xylonest®, oder Mepivacain, z. B. Scandicain®)
- Oxytocin (z. B. Oxytocin Hexal®, Oxytocin Rotexmedica)
  - zur schnellen Gewinnung der Placenta (1 Ampulle = 3 IE)
  - zur Verringerung des Blutverlusts bzw. Therapie einer postpartalen Blutung in der Nachgeburtsperiode

7

  - zum Steigern der Wehentätigkeit im Falle einer Wehenschwäche (nur bei gegebenen Überwachungsmöglichkeiten und Expertise)
- i. v. Tokolytika (β-Mimetika wie Fenoterol, z. B. Partusisten®)
  - wenn ein Spontanpartus verhindert oder verzögert werden muss (Erreichen einer Geburtsklinik, bei Vorliegen von Kontraindikationen bez. Spontanpartus, bei kindlicher Asphyxie)
  - falls nicht vorhanden: β-Mimetika-basierte Asthmasprays (Fenoterol, z. B. Berotec®; Fenoterol und Ipratropiumbromid, z. B. Berodual®)
  - alternativ Magnesium (Mg) i. v. (z. B. Magneven®) oder oral (Magnesiocard®)

> **!** Oxytocin und i. v. Tokolytika gehören in die Hand damit erfahrener Geburtshelfer.

7

- ggf. intravenöse Flüssigkeitszufuhr (bei Kreislaufproblemen oder erhöhtem Blutverlust)
- Schmerzmedikamente
  - nur bei Überwachungsmöglichkeiten bzw. ausreichender Expertise
  - Buscopan® (Butylscopolaminiumbromid) ist jedoch möglich

Durchführung

Vor der Geburt

Überprüfung des Mutterpasses In der Regel besitzt jede Schwangere in Deutschland einen Mutterpass, aus dem auch unter Zeitdruck die wichtigsten Informationen rasch ablesbar sind:

- anamnestische Risikofaktoren
- bisherige Schwangerschaften
- Verlauf bzw. Auffälligkeiten der aktuellen Schwangerschaft
- aktuelle serologische Untersuchungen (Infektionserkrankungen)
- Blutgruppe
- Hb-Wert
- bisherige Ultraschalluntersuchungen (z. B. Einling oder Mehrlinge, Placentasitz, zeitgerechte Entwicklung)
- Zeitpunkt der letzten Periode
- errechneter Entbindungstermin
- letzte Kindslage
  Hierbei steht SL für Schädellage (und nicht für Steißlage!), BEL für Beckenendlage.

Ermittlung des aktuellen Schwangerschaftsalters Das Schwangerschaftsalter ist idealerweise dem Mutterpass zu entnehmen. Die Angabe erfolgt in bisher abgeschlossenen Schwangerschaftswochen + X Tage der gerade laufenden, noch nicht abgeschlossenen Woche. Ansonsten wird anhand der letzten normalen Periodenblutung nach der *Naegele-Regel* berechnet.

> *Naegele-Regel*: 1. Tag der letzten Periode + 7 Tage – 3 Monate + 1 Jahr (± X Tage: Differenz der Tage gegenüber einem durchschnittlichen Zyklus von 28 Tagen)

Verschiedene in der Geburtshilfe tätige Unternehmen bieten zur Berechnung eine einfach zu handhabende »Schwangerschaftsscheibe« (Gravidarium) an: Anhand dieser ist nicht nur leicht der Geburtstermin und die aktuelle Schwangerschaftswoche abzulesen, sondern auch der Entwicklungsstand des Kindes und sonografische Messparameter.

Äußere Untersuchung Der **Höhenstand des Fundus uteri** (► Abb. 7-6) ist abhängig vom Schwangerschaftsalter:

- Nabelhöhe = Ende der 24. SSW

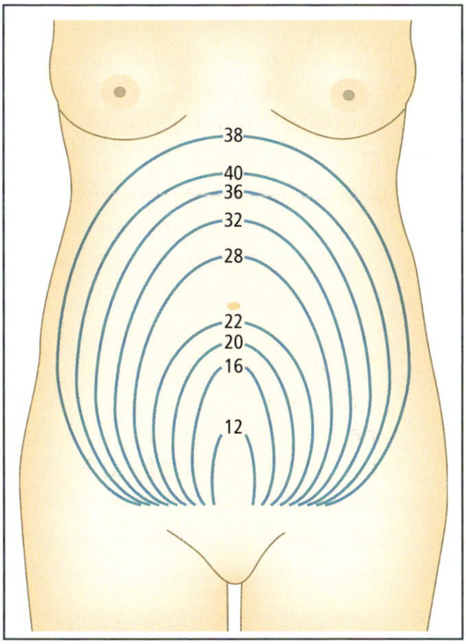

Abb. 7-6 Höhenstand des Fundus uteri. Die Ziffern beziehen sich auf die Schwangerschaftswochen.

- Rippenbogen = Ende der 36.–38. SSW
- 2 Querfinger *unter* dem Rippenbogen = zwischen der 37. und 40. SSW (bedingt durch unregelmäßige Senkwehen)

> Zwischen der 20. und 34. SSW kann das Schwangerschaftsalter bei zeitgerechter Entwicklung abgeschätzt werden, indem ein Maßband zwischen Symphysenknochen und Höhe des Fundus uteri angelegt wird: Länge (in cm) + 3 = Schwangerschaftsalter (in SSW).

Zur Lagebestimmung des Kindes dienen die **Leopold-Handgriffe:**

- *erster* Leopold-Handgriff (► Abb. 7-7a): Bestimmung des Fundusstands
- *zweiter* Leopold-Handgriff (► Abb. 7-7b): Lage des Rückens und der Extremitäten
- *dritter* Leopold-Handgriff (► Abb. 7-7c): Bestimmung des vorangehenden (führenden) Teils (Schädellage oder Beckenendlage?)
- *vierter* Leopold-Handgriff (► Abb. 7-7d): Lagebeziehung des vorangehenden Teils zum Beckeneingang
- *fünfter* Leopold-Handgriff (Zangenmeister-Handgriff): Tritt das Köpfchen in das Becken ein oder verharrt es oberhalb des Beckeneingangs (z. B. bei V. a. Missverhältnis zwischen Kopfgröße und Becken)?

Die äußeren Untersuchungen mithilfe der Leopold-Handgriffe geben Orientierung, wie das Kind in der Gebärmutter liegt und ob eine normale Geburt überhaupt möglich ist. Allerdings erfordern bereits diese Untersuchungen viel Erfahrung und je adipöser die Schwangere ist, umso schwieriger und ungenauer sind die Ergebnisse. Je regelmäßiger die Wehentätigkeit und je fortgeschrittener der Geburtsverlauf, umso mehr sind nur noch die letzten Handgriffe überhaupt sinnvoll bzw. möglich.

> Wenn ein Ultraschallgerät zur Verfügung steht, kann man mit der Abdominalsonde ohne große Vorkenntnisse die Lage des Kindes und die Position des Kopfes (Schädellage oder Beckenendlage) bestimmen.

Liegt der Mutterpass vor, ist dort die letzte Lage des Kindes dokumentiert. Je weiter die Schwangerschaft fortgeschritten ist, umso unwahrscheinlicher ist dann noch eine spontane Lageänderung des Kindes.

Vitalitätskontrolle des Kindes Ein CTG-Gerät zur simultanen Aufzeichnung von kindlichen Herztönen und Wehentätigkeit der Schwangeren wird in den wenigsten Fällen in der hausärztlichen Praxis parat stehen. Alternativen sind: *Pinard-Stethoskop* (ein Hörrohr aus Holz oder Metall, kostengünstig und denkbar einfach) oder ein *gewöhnliches Stethoskop*. Unter der Geburt sollte bei Fehlen eines CTG-Geräts zumindest die Herzfrequenz für 1 min alle 15 min überprüft werden. Alternativ zur Auskultation kann ggf. auch mit dem *Ultraschallgerät*

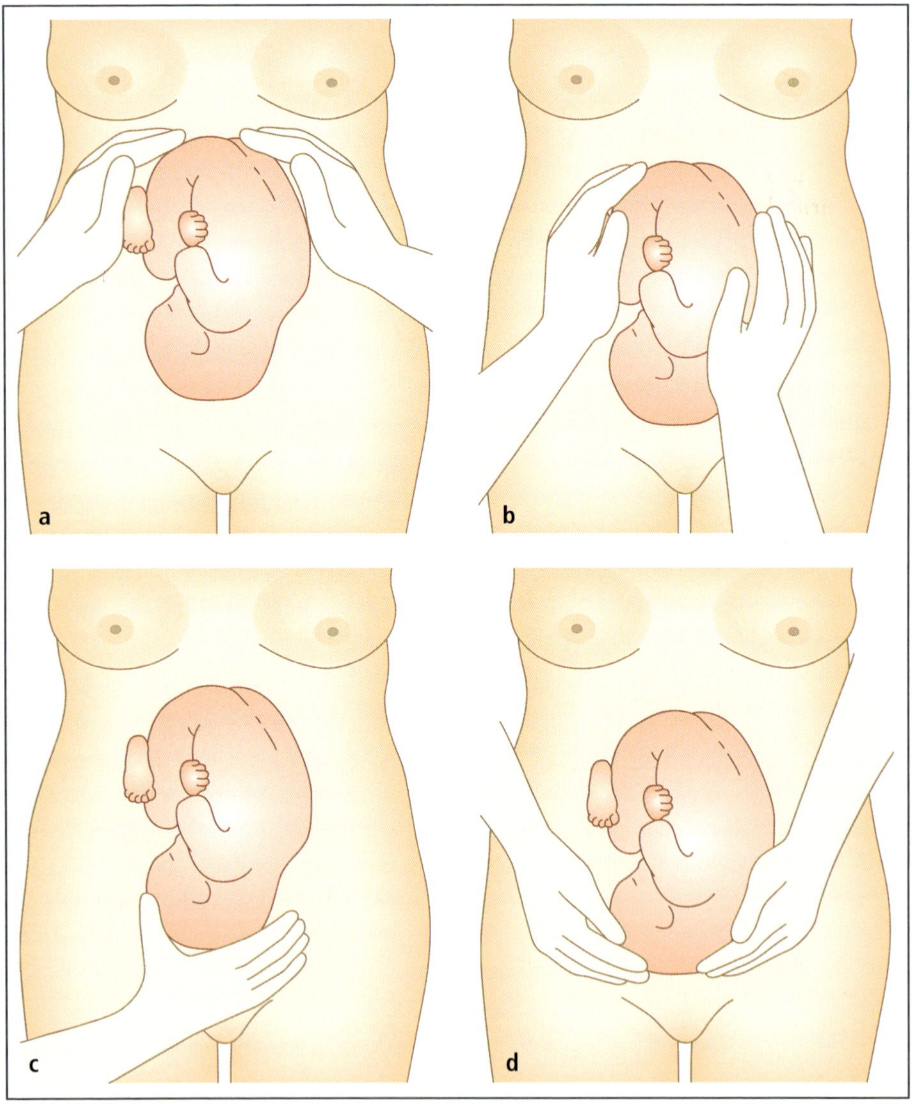

Abb. 7-7 Leopold-Handgriffe: erster Handgriff (**a**); zweiter Handgriff (**b**); dritter Handgriff (**c**); vierter Handgriff (**d**)

die kindliche Herzfrequenz bestimmt werden.

Das kindliche Herz ist bei Schädellage des Kindes je nach Lage auf der rechten oder linken Seite unterhalb des mütterlichen Bauchnabels zu finden und auszukultieren. Die normale fetale Herzfrequenz beträgt 110–150 bpm (»beats per minute«).

Innere bzw. vaginale Untersuchung Die innere bzw. vaginale Untersuchung ist unverzichtbar, um den Beginn und den Fortschritt der Geburt sowie deren Verlauf zu beurteilen! Bei fraglichem oder gesichertem Blasensprung (▶ unten) sowie vorzeitigen Wehen oder drohender Frühgeburtlichkeit sind sterile Handschuhe obligat.
Untersucht wird Folgendes:

- **Muttermundsweite:**
  - Muttermund noch geschlossen oder bereits eröffnet?
  - Muttermund wie weit geöffnet?

  Die Muttermundsweite wird in Fingerbreite angegeben. Ist der Muttermund z. B. für einen Finger passierbar, entspricht dies 1 cm. Ist er »vollständig eröffnet«, dann ist kein Muttermund mehr vor oder neben dem Kopf tastbar, sondern nur noch das kindliche Köpfchen.
- **Muttermundsbeschaffenheit:**
  - Ist hart bzw. rigide (»unreifer« Befund)?
  - Ist weich bzw. dehnbar?
  - Ist noch dick- oder bereits »dünnsäumig«?
- **Zervix:**
  - Ist sie in der ursprünglichen Länge von durchschnittlich 4 cm noch erhalten?
  - Oder ist sie bereits verkürzt bzw. »aufgebraucht«?
- **Fruchtblase:**
  - Ist sie erhalten?
    Häufig ist die Fruchtblase erst in der Wehe zu tasten wie ein sich prall vorwölbender Ballon.
  - Oder ist der Blasensprung bereits erfolgt?
    Ist das Fruchtwasser klar, besteht kein Hinweis auf eine zurückliegende fetale Asphyxie.

! Ist das Fruchtwasser grünlich (mit kindlichem Mekonium vermengt), deutet dies auf eine bestehende oder zurückliegende fetale Gefährdung. Eine engmaschige Überwachung ist erforderlich! Bei grünem, »erbsbreiartigem« Fruchtwasser besteht der dringende Hinweis auf eine fetale Gefährdung. In Kombination mit pathologischer Herzfrequenz handelt es sich um ein Alarmsignal!

Ein Blasensprung ist nicht immer eindeutig zu diagnostizieren. Manchmal kann es auch ungewollter Urinverlust bei fortgeschrittener Schwangerschaftswoche oder Ausfluss sein. Geht im Schwall massiv Flüssigkeit vaginal ab, evtl. noch mit Vernixflocken vermengt, ist die Diagnose eindeutig, ebenso bei grünlichem oder grünem Fruchtwasser. Vernixflocken sind Abschilferungen der sog. Vernix caesosa (»Käseschmiere«), eines weißlichen Belags der Haut eines Neugeborenen vor oder bei termingerechter Geburt. Bei Terminüberschreitung ist die Vernix kaum noch auf der Haut, sondern nur noch ggf. im Fruchtwasser nachweisbar. Bei nur wenig vaginaler Flüssigkeit (hoher, wieder abgedichteter Blasensprung DD: Urin oder Fluorabgang) kann die pH-Messung mittels handelsüblichem pH-Messstreifen weiterhelfen: Liegt der pH-Wert im sauren Milieu (4–5) ist ein Blasensprung sehr unwahrscheinlich. Liegt der pH-Wert im alkalischen Milieu (> 5) ist ein Blasensprung durchaus möglich.

! Soll die Geburt prolongiert werden, um ggf. noch das Krankenhaus zu erreichen, bitte nicht unabsichtlich durch forcierte Untersuchung die Fruchtblase sprengen!

- **vorangehender Teil des Kindes** (wenn nicht bereits durch die o.g. Untersuchungen diagnostiziert):
  Was geht voran?
  - kindlicher Kopf (rundlich, glatt palpabel, ggf. Haare)
  - Steiß (unregelmäßige Oberfläche, Rima ani oder Fuß bzw. Hand tastbar)
  - Nabelschnur (Notfall!)

Zum Zeitpunkt der Geburt liegt in 96 % eine Schädellage vor. Alle anderen Lagen sollten endgültig nur von erfahrenen Geburtshelfern entbunden werden: 3 % Beckenendlagen und 1 % Querlagen (letztere fast ausschließlich bei Mehrgebärenden oder Mehrlingen).

- **Höhenstand des »vorangehenden Teils«** in Bezug zur Interspinalebene:
  Diese Untersuchung ist besonders wichtig im Verlauf der Geburt (► unten; Abb. 7-8).
- **der Vollständigkeit halber:**
  - Liegen Besonderheiten im mütterlichen Becken vor?
  - Wie ist die Erreichbarkeit des Promontoriums? (Ein rachitisches Becken ist heute absolute Rarität.)
  - Liegt eine vorspringende Spinae vor?

Beginn der Geburt

Die Geburt beginnt erst mit regelmäßiger Wehentätigkeit (mind. alle 10 min über mind. einer halbe Stunde) *und* Eröffnung des Muttermunds!
Sonderfall: Auch beim vorzeitigen Blasensprung spricht man vom Geburtsbeginn, selbst wenn noch keine Wehen oder Muttermundseröffnung vorliegen sollten.

Nicht immer bedeuten regelmäßige Kontraktionen der Gebärmutter einen Geburtsbeginn und ein Geburtsbeginn kann auch bei unregelmäßigen oder subjektiv wenig schmerzhaften Wehen vorliegen! Nicht die subjektive Stärke der Wehentätigkeit ist entscheidend, sondern als einziges objektivierbares Kriterium für den Geburtsbeginn gilt die Wirkung der Wehen auf den Muttermund bzw. die *Muttermundseröffnung*!

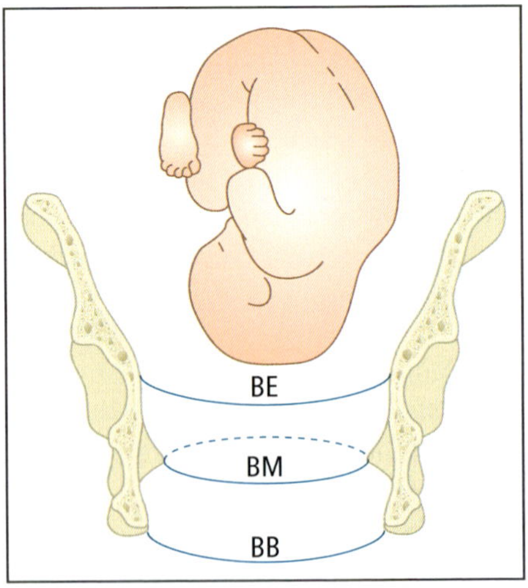

Abb. 7-8 Höhenstand des kindlichen Köpfchens.
BE = Beckeneingang; *BM* = Beckenmitte; *BB* = Beckenboden.

Zum Ende der Schwangerschaft treten häufig **Vor- oder Senkwehen** auf, die insbesondere Erstgebärende durchaus verunsichern können. Diese bereiten den Organismus ideal auf die Geburt vor; die Geburt *beginnt* jedoch *nicht* mit den Vor- oder Senkwehen. Mehrgebärende können in der Regel selbst die Wehentätigkeit gut einschätzen – bei ihnen verläuft eine Geburt oft deutlich schneller und »ungeplanter«. Ein Vorbote des Geburtsbeginns kann die sog. **Zeichnungsblutung** sein. Dabei handelt es sich um den Abgang von blutigem Schleim aus der Zervix bei beginnender Muttermundseröffnung.

Phasen der Geburt

Eröffnungsperiode (EP) Die EP beginnt mit Geburtswehen und endet, wenn der Muttermund vollständig eröffnet ist. Die Dauer beträgt ca. 6–12 h (Mehr- bzw. Erstgebärende).

> In dieser Phase sollte der Geburtsfortschritt durch regelmäßiges Palpieren der Muttermundsweite überprüft werden.

Austreibungsperiode (AP) Ist der Muttermund vollständig eröffnet, beginnt die AP. Sie endet mit der Geburt des Kindes und dauert ca. 30–120 min (Mehr- bzw. Erstgebärende). Im letzten Teil der AP, der **Pressperiode**, werden die uterinen Wehen durch die aktive Mithilfe der Bauchmuskulatur unterstützt: »Mitpressen« der Schwangeren. Der auf Beckenbodenhöhe stehende, kindliche Kopf wird herausgepresst, dabei werden die Weichteile geweitet und bis auf Kopfdurchgängigkeit gedehnt (besonders schmerzhaft!). In dieser Phase ist die Feststellung des Geburtsfortschritts durch Überwachung des **Höhenstands des Köpfchens** und durch den Verlauf der Pfeilnaht wichtig. Für die Bestimmung des Höhenstands des Köpfchens (► Abb. 7-8) sind zwei Parameter entscheidend: die *Leitstelle* (tiefster Punkt des Köpfchen) und die *Interspinalebene* (gedachte Linie zwischen den beiden dorsolateral tastbaren recht spitzen, kleinfingerdicken Vorwölbungen der Spinae ischiadicae). Der Bezug der Leitstelle zur Interspinalebene wird in cm angegeben:

- »Kopf in Beckeneingang«: Leitstelle noch oberhalb der Interspinalebene Die untersuchenden Finger gelangen noch um die Symphyse; der Kopf ist noch »auf Beckeneingang«, also noch nicht in das Becken eingetreten.
- »Kopf in Beckenmitte«: Spinae nur noch mit Mühe erreichbar
- »Kopf auf Beckenboden«: Spinae nicht mehr erreichbar
- »Kopf im Beckenausgang«: Kopf bereits in der Tiefe sichtbar

Das Tiefer- bzw. Eintreten des Köpfchens in das Becken erfolgt durch Drehen des Kopfes: Dabei dreht sich der Kopf aus einem queren Durchmesser über den Beckeneingang über einen schrägen Durchmesser in Beckenmitte zu einem geraden Durchmesser auf dem Beckenboden. Diese Drehung des Kopfes kann bei der vaginalen Untersuchung am Verlauf der Pfeilnaht und der Position der Fontanellen festgestellt werden.

Nachgeburtsperiode Die letzte Phase endet *erst dann*, wenn die Placenta *vollständig* ausgestoßen ist!

Verlauf der Geburt

Wenn keine Kontraindikationen für einen Spontanpartus vorliegen und eine Geburtsklinik nicht ausreichend schnell erreicht werden kann, erfolgt die Vorbereitung der Patientin zur Geburt. Die Patientin wird entsprechend gekleidet, die Harnblase wird entleert (volle Blase = Hemmung der Wehentätigkeit), ggf. wird ein Darmeinlauf zur Darmentleerung durchgeführt, um die Wehen anzuregen.

Eine volle Blase und ein voller Darm erschweren den Kopfeintritt des Kindes.

Eröffnungsperiode (EP)

1. Die Schwangere wird dazu angeregt umherzugehen. Bewegung ist in der EP für den Geburtsverlauf nicht nachteilig, eher im Gegenteil (sofern eine Überwachung für Mutter und Kind gegeben ist). Liegt die Schwangere lieber, so sollte dies nicht streng auf dem Rücken, sondern in Linksseitenlage sein, um ein Vena-cava-Kompressionssyndrom zu verhindern (Symptome: Kreislaufprobleme bis zur Synkope, evtl. konsekutive Minderversorgung des Kindes).
2. Zum rechtzeitigen Blasensprung kommt es am Ende der EP bei vollständig eröffnetem Muttermund. Zeigt sich im Verlauf der EP, dass eine pralle Fruchtblase bei noch hochstehendem Kopf zu einer Verlangsamung des Geburtsverlaufs führt, kann man diese am besten unter Sicht mit einer Lanzette oder Kanüle vorsichtig eröffnen. Wichtig ist dabei, eine zu rasche Entleerung der Fruchtblase und damit das Risiko eines Nabelschnurvorfalls zu vermeiden. (Die Öffnung der Fruchtblase sollte nicht zu groß sein; Eröffnung nur bei SL und bereits tiefstehendem Kopf, am besten in der Wehe, wenn der kindliche Kopf durch die Wehe besser abdichtet und sich die Fruchtblase gut vorwölbt.)

Austreibungsperiode (AP)

1. Für das Kind ist die AP der gefährlichste Abschnitt der Geburt, daher sollte die Kontrolle der fetalen Herztöne in kürzeren Intervallen erfolgen.
2. Erreicht der Kopf den Beckenboden, wird reflektorisch der Drang zum aktiven Mitpressen ausgelöst. Die Schwangere *erst dann* mitpressen lassen (aktive Wehenunterstützung mithilfe der Bauchpresse), wenn folgender vaginaler Untersuchungsbefund vorliegt:
   - Der Muttermund muss vollständig eröffnet sein (früheres Pressen würde zu mütterlicher und kindlicher Erschöpfung bis hin zum Geburtsstillstand führen).
   - Der Kopf befindet sich auf dem Beckenboden.
   - Die Pfeilnaht liegt möglichst im geraden Durchmesser.

   Erst wenn der vaginale Untersuchungsbefund es erlaubt, wird die Schwangere *aktiv* zum Mitpressen *angeleitet*. Auf die richtige Atemtechnik ist zu achten: Die Wehenpause dient der Erholung der Gebärenden; die Atmung sollte regelmäßig, aber nicht hyperventilatorisch sein. In der Wehe wird maximal Druck aufgebaut bei geschlossenem Mund. Die Pressperiode dauert bei 50 % der Geburten nicht länger als 10 min, nur selten über 20 min.
3. Klafft der After und wölbt sich der Damm vor, zeigt dies das beginnen-

de Hochsteigen des Kopfes an. Beim »Durchschneiden« des Kopfes, d.h. beim Durchtritt über den Damm, ist ein aktiver Dammschutz erforderlich (► Abb. 7-9).

4. Die linke Hand reguliert durch leichten Gegendruck das Tempo des hochsteigenden Kopfes, die rechte Hand leitet den Kopf über den Damm und übt leichten Druck auf den Damm aus, wenn der Geburtshelfer rechts von der liegenden Gebärenden steht.

! Das plötzliche Durchschießen des Köpfchens beim Überwinden des Dammwiderstands sollte vermieden werden, da sonst ein Risiko für höhergradige Dammrisse besteht!

5. Ist der Kopf geboren, dreht sich bis zur nächsten Wehe in der Regel das Köpfchen entweder nach rechts oder nach links; in der nächsten Wehe werden dann die Schultern entwickelt (► Abb. 7-10): Der Kopf wird mit bitemporal aufgelegten Händen nach unten gesenkt, bis die vordere Schulter unter der Symphyse erscheint, danach nach oben für die hintere Schulter.

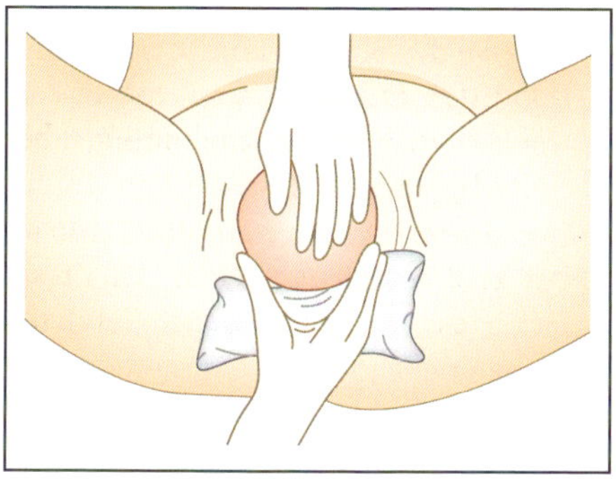

Abb. 7-9 Aktiver Dammschutz

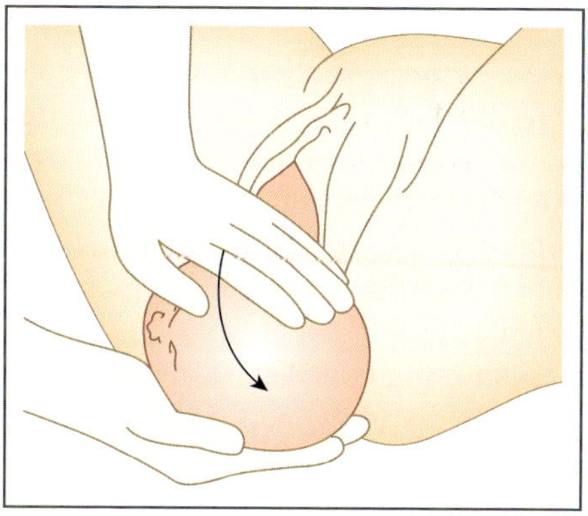

Abb. 7-10 Schulterentwicklung

6. Anschließend folgen Rumpf und Beine ohne Widerstand durch leichten Zug nach vorne.
7. Ein Dammschnitt ist eher selten erforderlich. Zudem sollte bei einem Schnitt auch die spätere Versorgung möglich sein. Eine Indikation ist jedoch dann gegeben, wenn die Pressperiode protrahiert ist und eine Gefährdung des Kindes (Herztonabfall, drohende Asphyxie) vorliegt und durch den Schnitt die Geburt zügiger beendet werden kann.

Nachgeburtsperiode Die Dauer der Nachgeburtsperiode beträgt ≤30 min (alles darüber ist pathologisch und mit höherem, evtl. massivem Blutverlust verbunden!). Der physiologische Blutverlust beträgt 300 bis max. 500 ml. Oft steigt der Uterus durch Bildung eines physiologischen retroplacentaren Hämatoms zunächst hoch.

Um zu prüfen, ob sich die Placenta gelöst hat, wird das *Küstner-Zeichen* geprüft: Dabei wird mit der Hand Druck auf den Uterus hinter der Symphyse ausgeübt. Wird dabei die Nabelschnur ebenfalls mit nach oben gezogen, hat sich die Placenta noch nicht gelöst.

7

1. Wenn vorhanden, werden 3 IE Oxytocin i. v. gegeben, zumindest aber sollte das Neugeborene an die Brust der Mutter gelegt werden, um die *endogene* Oxytocinausschüttung anzuregen!
2. Durch kontrollierten Zug an der Nabelschnur bei gleichzeitigem suprasymphysärem Druck, um eine Involutio uteri zu vermeiden, wird versucht, die Placenta abzulösen (»cord traction«). Dies sollte nicht zu früh geschehen, um ein Abreißen der Nabelschnur zu vermeiden!
3. Der Uterus wird massiert, um manuell Wehen anzuregen.
4. Wenn die Placenta nach 20 min nicht gelöst ist, wird die Harnblase entleert (Einmalkatheterisierung) und der Handgriff nach Credé (► Abb. 7-11) angewendet: Der Uterus wird dabei manuell durch die Bauchdecken gegriffen und kräftig nach unten gedrückt.
5. Wird die Placenta geboren, sollte darauf geachtet werden, dass auch die Eihäute mitenthalten sind und nicht abgerissen werden. Die Placenta wird auf ihre Vollständigkeit überprüft:
   - Fehlen größere Gewebeanteile?
   - Liegen auf den Eihäuten abgerissene Gefäße als Hinweis auf eine zurückgebliebene Nebenplacenta vor?

7

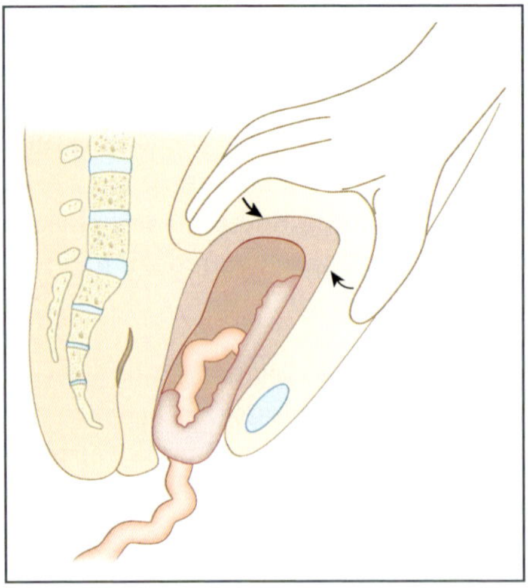

Abb. 7-11 Credé-Handgriff

In Zweifelsfällen ist es ratsam, die Placenta zu asservieren, um zu einem späteren Zeitpunkt eine erneute Inspektion zusammen mit einem erfahrenen Geburtshelfer durchzuführen.

! Eine persistierende Retention der Placenta nach Ausschöpfen aller konservativen Maßnahmen oder eine unvollständige Placenta sind meist verbunden mit deutlich verstärkter Blutung! Eine manuelle (operative) Placentalösung sowie eine Nachkürettage sind erforderlich!

Erstversorgung des Kindes

1. Ein vitales Neugeborenes, welches in den ersten 5–10 s schreit, benötigt keine weiteren Maßnahmen. Es wird lediglich aus der durch Fruchtwasser und Blut meist feuchten Umgebung herausgenommen (Wärmeverlust!) und auf dem nackten Bauch der Mutter gelagert (Körperwärme, Beruhigung des Kindes und der Mutter, Bonding). Das Kind wird mit einem trockenen, evtl. vorgewärmten (Frottier-)Tuch bedeckt.
2. Das direkte Anlegen an die Brust ist bei Stillbereitschaft ideal: Die Vormilch (Kolostrum) ist aufgrund ihrer einzigartigen Zusammensetzung für das Neugeborene wichtig. Bei der Mutter bewirkt die Oxytocinausschüttung das Auslösen von Uterus-

kontraktionen. Dadurch vermindert sich der Blutverlust und es kommt zur schnelleren Geburt der Placenta!
3. Das Absaugen ist *nicht* erforderlich und sogar überflüssig, da es ein Risiko für Schleimhautläsionen sowie reflektorische Bradykardie und Apnoe durch Vagusreiz darstellt. Eine Ausnahme wird nur bei grünem Fruchtwasser und somit bei Risiko einer Mekoniumaspiration gemacht.
4. Das Baden und Reinigen des Neugeborenen ist *nicht* erforderlich: Vernix und Fruchtwasser sind physiologisch. Das Trockenhalten des Kindes reicht aus; es wird lediglich bei Bedarf von Mekonium gereinigt.
5. Bei einem vitalen, gesunden Neugeborenen wird erst nach Sistieren der Nabelschnurpulsationen einige Minuten nach der Geburt abgenabelt. Zwischen zwei sterilen Klemmen (alternativ kann mit Fäden abgebunden werden) wird die Nabelschnur mit einer Schere durchtrennt.

! Es darf nicht zu nah am Kind abgenabelt werden (einige Zentimeter Abstand)!

Idealerweise wird die Klemme am kindlichen Anteil der Nabelschnur anschließend durch eine spezielle Nabelschnurklemme einige Zentimeter vom kindlichen Nabel entfernt ersetzt. Beim kindlichen Anteil ist besonders auf Sterilität zu achten (der mütterliche Anteil der Nabelschnur wird mit der Placenta entsorgt).
Meist ist die Nabelschnur ausreichend lang, sodass das Kind problemlos auf dem Bauch der Mutter gelagert werden kann. Anders ist es bei pathologischen Zuständen wie z.B. intrauteriner Wachstumsretardierung oder Anämie – hier kann es sinnvoll sein, das Kind noch unterhalb der mütterlichen Position zu belassen und mit dem Abnabeln 60 s zu warten. Die Beurteilung dieser Situation erfordert allerdings eine entsprechende Erfahrung.

Postpartale Überwachung Auf drei Dinge ist zu achten:
1. **Geburtsverletzungen**
   - Dammrisse:
     - Grad I: Hautriss ohne Verletzung der Dammmuskulatur
     - Grad II: Riss der Dammmuskulatur bis max. an den M. sphincter ani externus
     - Grad III: Riss des M. sphincter ani
     - Grad IV: Riss in der Rektumvorderwand
   - Scheidenrisse (nur durch genaue Inspektion der Vagina sichtbar)
   - Zervixrisse (selten, aber dann stark blutend)

7

> Höhergradige Verletzungen korrelieren mit der Dauer der Geburt; durch guten Dammschutz (► oben; Abb. 7-9) können zwar nicht alle, aber viele höhergradige Dammverletzungen vermieden werden.

Die fachgerechte Naht der höhergradigen Geburtsverletzungen erfordert chirurgische Expertise, deren Beschreibung an dieser Stelle den Rahmen sprengen würde. Die chirurgische Versorgung solcher Geburtsverletzungen sollte im Anschluss an die Geburt durch erfahrene Geburtshelfer im stationären Rahmen durchgeführt werden. Besonders die letztgenannten Formen können aber z.T. erheblich bluten – hier können unmittelbare Einzelknopfumstechungen zur Blutstillung oder das Setzen von Klemmen hilfreich sein. Dabei sollte eine Person assistieren oder ein vaginales Spekulum zur Hilfe genommen werden!

2. **Kontrolle der Blutung** bzw. **der Kontraktion des Uterus**
   - Ist die Blutung im Normbereich (Periodenstärke) oder blutet es vermehrt?
   - Ist der Uterus gut kontrahiert (also fest und hart, wenige Querfinger über der Symphyse tastbar)?
   - Sind andere Blutungsursachen wie Geburtsverletzungen definitiv ausgeschlossen?
   - Liegt eine Atonie des Uterus vor?

! Bei einer Atonie des Uterus mit erheblichem Blutverlust handelt es sich um einen Notfall, der einen unmittelbaren Transport in eine Geburtsklinik erfordert!

Bei einer Atonie des Uterus wird zunächst der Credé-Handgriff (► Abb. 7-11) angewendet, durch den der Uterus manuell komprimiert wird. Die manuelle Kompression des Uterus muss bis zum Eintreffen in die Klinik erfolgen. Unterstützend kann ggf. Oxytocin gegeben werden. Parallel sollte über einen i.v. Zugang der Kreislauf durch Flüssigkeitssubstitution stabilisiert werden. Weitere Medikamente wie z.B. Prostaglandine sowie eine operative Weiterversorgung sind in der Regel nur in Geburtskliniken verfügbar.

Bei Mehrgebärenden verläuft die Geburt oft schneller, unkomplizierter und mit weniger Geburtsverletzungen. Dafür sind die Risiken in der Nachgeburtsperiode erhöht (verstärkte Blutung, Atonierisiko).

3. **Überwachung des Kindes (Apgar-Wert)**
   - *Herzfrequenz:* kein Herzschlag (0 Punkte); unter 100/min (1 Punkt); über 100/min (2 Punkte)
   - *Atmung:* keine (0 Punkte); unregelmäßig, flach (1 Punkt); regelmäßig, Kind schreit (2 Punkte)
   - *Reflexe:* keine (0 Punkte); Grimassieren (1 Punkt); kräftiges Schreien (2 Punkte)
   - *Muskeltonus:* schlaff (0 Punkte); leichte Beugung der Extremitäten (1 Punkt); aktive Bewegung der Extremitäten (2 Punkte)
   - *(Haut-)Farbe:* blau, blass (0 Punkte); Stamm rosig, Extremitäten blau (1 Punkt); gesamter Körper rosig (2 Punkte)

Nachsorge

Wenn eine Geburt nicht aufgehalten werden kann und keine Kontraindikationen für einen Spontanpartus vorliegen, sollte die Geburt, wie in diesem Abschnitt geschildert, auch in einem nicht geplanten Setting möglich sein. Gleichzeitig sollten aber ein erreichbarer Geburtshelfer, Notarzt und eine Geburtsklinik unverzüglich informiert bzw. organisiert werden. Eine Geburt in der Praxis ist das kleinere Übel gegenüber einer Geburt im Transportfahrzeug. Aber auch wenn die Geburt vielleicht nicht planbar war, so sollten doch nach der Geburt des Kindes die weitere Überwachung, die Versorgung von Geburtsverletzungen und die weitere Versorgung des Kindes im bestmöglichen Setting erfolgen.

Tipps und Tricks
Um »Berührungsängste« mit einer normalen Geburt zu überwinden, ist eine Hospitation in einer geburtshilflichen Klinik sehr zu empfehlen. In der Regel befindet sich dort auch ein »geburtshilfliches Beckenmodell«, an dem praktische Untersuchungen, die einzelnen Schritte der Geburtsleitung und pathologische Geburtsverläufe trainiert werden können. Nur durch gute Kenntnisse eines physiologischen Geburtsablaufs können pathologische Verläufe erkannt werden. Zudem sollten die Neugeborenenerstversorgung und wenn möglich die Neugeborenenreanimation trainiert werden.

Umgang mit Komplikationen

Uterusruptur Risikofaktoren für eine Uterusruptur sind vorausgegangene Uterusoperationen (v. a. vorherige Sectio oder Myomentfernung). Andere Risiken, wie z. B. ein mechanisches Geburtshindernis durch ein Größenmissverhältnis oder durch eine Querlage des Kindes in Kombination mit einer Wehenüberstimulation, sind selten. Symptome einer Uterusruptur sind plötzliches Sistieren der Wehentätigkeit (jedoch nicht immer), Vernichtungsschmerz und Schocksymptomatik.

! Bei einer Uterusruptur ist die Indikation zur unmittelbaren Notsectio gegeben!

Vorzeitige Placentalösung Zu den Risikofaktoren gehören Trauma (z. B. Verkehrsunfall) oder eine Gestose. Eine vorzeitige Placentalösung zeigt sich mit Symptomen wie plötzlich auftretende, starke Unterbauchschmerzen, vaginale Blutung (ohne Blasensprung kann diese jedoch fehlen!), Schocksymptomatik, druckdolenter harter und aufsteigender Uterus sowie pathologische Herztöne des Kindes. Bei lebendem Kind besteht die Indikation zur unmittelbaren Notsectio.

! Bei einer vorzeitigen Placentalösung kann es zur disseminierten intravasalen Koagulopathie kommen!

Jede überperiodenstarke vaginale Blutung muss umgehend bez. Ursache und Zustand des Kindes abgeklärt werden!

Insertio velamentosa – Blutung Dabei handelt es sich um die Insertion der Nabelschnur oder einzelner Gefäße an den Eihäuten. Zu den Symptomen gehört eine mit dem Blasensprung einsetzende starke Blutung: Es blutet das Kind! Die Herztöne des Kindes sind pathologisch, während die Mutter klinisch unauffällig ist. Je nach Verlauf der Geburt ist eine unmittelbare operativ vaginale Entbindung oder eine Entbindung per Sectio indiziert.

Nabelschnurvorfall Es kommt zum Vorfall der Nabelschnur am führenden Teil des Kindes vorbei in die Scheide mit der Gefahr einer Kompression der Nabelschnur v. a. bei Schädellage des Kindes. Der Nabelschnurvorfall äußert sich durch eine plötzliche Bradykardie des Kindes nach dem Blasensprung. Die Nabelschnur ist in der Scheide vor oder neben dem vorangehenden Teil tastbar. Zu den Maßnahmen, die umgehend ergriffen werden müssen, gehören Wehenhemmung, extreme Beckenhochlagerung sowie manuelles Eingehen in die Scheide und Hochschieben des führenden kindlichen Teils. Dadurch wird die Nabelschnur bis zur umgehenden Sectio dekomprimiert (dies ist kontinuierlich, auch während des Transports der Schwangeren durchzuführen!).

Pathologien während des Geburtsverlaufs Diese sind zu umfangreich bzw. zu komplex, als dass sie an dieser Stelle ausreichend wiedergegeben werden könnten. Grundsätzlich gilt aber: Jeder verzögerte Geburtsverlauf bzw. Geburtsstillstand kann ein Hinweis auf eine Einstellungs- oder Haltungsanomalie oder ein Missverhältnis zwischen Größe des Kindes und des mütterlichen Becken sein. Dies *müssen* nicht in allen Fällen, *können* aber Indikationen zu einer vaginal operativen oder Sectioentbindung sein. In Verbindung mit Herztonauffälligkeiten des Kindes ist dringend ein Transport in eine Geburtsklinik erforderlich; während des Transports werden zur Überbrückung Wehenhemmer gegeben.

Beckenendlage Sollte sich eine Beckenendlagenentbindung (welche umfangreiche geburtshilfliche Erfahrung erfordert), z. B. bei einer Mehrgebärenden, nicht verhindern lassen, dann an dieser Stelle nur als Merkregel: Oberstes Gebot ist Geduld! Wird zu früh am Steiß gezogen, führt dies zu vermeidbaren Komplikationen! Daher ist es wichtig, den Steiß so lange abzubremsen, bis so viel Druck vorhanden ist (»Sektkorken«), dass das Kind schnellstmöglich geboren werden kann. Aktive Mithilfe ist erst dann erlaubt, wenn die Schulterblattspitzen sichtbar werden (keinesfalls früher!). Bei zu frühem Eingreifen schlagen die Ärmchen hoch, was unbedingt vermieden werden soll, weil es die Geburt deutlich erschwert und das Kind gefährdet! Ist der Scapularand sichtbar, dann sollte der Kopf aktiv von oben nachgedrückt werden, bis dieser geboren ist!

7

Schulterdystokie Dabei kommt es zum Geburtsstillstand nach der Geburt des Kopfes durch Hängenbleiben der Schulter an der Symphyse. Ursachen der Schulterdystokie können Makrosomie des Kindes, Diabetes mellitus bzw. Gestationsdiabetes und Adipositas der Schwangeren sein. Die wichtigsten Maßnahmen in dieser Situation sind, Ruhe zu bewahren (die meisten Behandlungsfehler resultieren aus einer Panikreaktion heraus), nie von oben zu drücken bzw. von unten zu ziehen sowie keine Wehenunterstützung einzuleiten (sonst verkeilt sich die Schulter nur noch mehr!). Stattdessen wird suprasymphysärer Druck von außen auf die Schulter des Kindes bei gleichzeitiger Stellungsänderung der Symphyse ausgeübt (*McRoberts-Manöver*). Beim diesem Manöver wird die Gebärende flach gelagert, die Beine werden 3-mal hintereinander gestreckt und dann möglichst schnell wieder max. gebeugt (nach oben geführt). Unterstützt wird dieser Vorgang durch suprasymphysären Druck mit der Faust. Befindet sich die Schwangere dagegen im Vierfüßlerstand, soll sie sich daraus mehrfach hintereinander gerade aufrichten und wieder zurück in den Vierfüßlerstand kommen, um eine ähnliche Stellungsänderung der Symphyse wie beim McRoberts-Manöver zu erreichen. Wenn möglich, erfolgt eine großzügige Episiotomie, ggf. eine innere Rotation der Schulter von vaginal.

Weiterführende Literatur

Pschyrembel W, Dudenhausen JW. Praktische Geburtshilfe. Berlin: Walter de Gruyter 1989 (Ältere Auflagen erklären die Geburtsvorgänge meist ausführlicher und mit mehr Grafiken als neuere Ausgaben. Bezüglich therapeutischer

Maßnahmen, Diagnostik und Medikationen sind dagegen neuere Ausgaben besser geeignet).
Uhl B. Gynäkologie und Geburtshilfe compact. Stuttgart: Thieme 2013.
Wacker J, Utz B. Monitoring of normal labour. In: Wacker J, Baldé MD, Bastert G. Obstetrics Unplugged. 2. Aufl. Heidelberg: Verlag Regionalkultur 2005; 125–35.
Wacker J, Baldé MD, Bastert G. Geburtshilfe unter einfachen Bedingungen. Berlin, Heidelberg: Springer 1994.

8 Extremitäten

8.1 Kompressionssonografie der unteren Extremitäten

Kristina Jäkel und Jost Steinhäuser

Hintergrund

Tiefe Venenthrombosen (TVT) können ambulant behandelt werden. Voraussetzung hierfür sind sowohl eigenverantwortlich agierende Patienten in klinisch stabilem Zustand ohne Zeichen einer Lungenembolie (LE) als auch eine sichere Diagnosestellung. Die Mehrheit der TVT treten ambulant auf, sodass sich betroffene Patienten auch in der allgemeinmedizinischen Praxis vorstellen.

Die Klinik der TVT zeigt unspezifische Symptome (Ödem, Schmerz, Spannungsgefühl, Zyanose, verstärkte Venenzeichnung) mit einer Sensitivität von 60 bis 90 % bei ambulanten Patienten. Allerdings verläuft die TVT, v. a. bei immobilisierten, bettlägerigen Patienten, nicht selten asymptomatisch. Die akute Komplikation einer TVT ist die LE; im Langzeitverlauf ist auch eine Gewebeschädigung des Unterschenkels möglich (z. B. postthrombotisches Syndrom).

Es bedarf daher eines zuverlässigen und in der täglichen Praxis erfolgreich umsetzbaren Konzepts, TVT zu diagnostizieren, welches hier im Weiteren vorgestellt werden soll. Das Konzept beinhaltet neben der Bestimmung der klinischen Wahrscheinlichkeit (KW) mithilfe des *Wells-Scores* die *D-Dimer-Testung* und die *Kompressionssonografie* als bildgebende Diagnostik.

Die Abklärung des klinischen Verdachts auf TVT soll schnellstmöglich erfolgen, sodass eine therapeutische Entscheidung umgehend erfolgen kann. Anamnese und körperliche Untersuchung helfen beim Erheben der KW, sind allerdings für den Ausschluss oder den Nachweis einer TVT nicht ausreichend beweisend. Zur Einschätzung der KW einer TVT dient der **Wells-Score** (► Tab. 8-1). Der Score ist einfach zu ermitteln und nachvollziehbar zu dokumentieren.

Wells-Score

- Score ≥ 2,0: Wahrscheinlichkeit für TVT hoch
- Score < 2,0: Wahrscheinlichkeit für TVT nicht hoch

Die Handhabung des Wells-Scores in zweistufiger Graduierung (nicht hohes bzw. hohes Thromboserisiko) ist nach aktueller Leitlinie ausreichend zur Entscheidung über die weitere diagnostische Abklärung.

- Das Ergebnis der ermittelten KW ist zu dokumentieren. Weitere (apparative) Tests sind je nach KW zu veranlassen, da diese nur in bestimmten Risikogruppen einen zusätzlichen Erkenntnisgewinn erbringen. Der weitere diagnostische Prozess beinhaltet je nach KW einen D-Dimer-Test, dessen Ergebnis ebenfalls zu dokumentieren ist.
- Der **D-Dimer-Test** kann als Point-of-Care-Testung in der allgemeinmedizinischen Praxis durchgeführt werden. Das Ergebnis kann bei einem Schnelltest negativ oder positiv sein. Ein D-Dimer-Test schließt sich nur bei Patienten mit nicht hoher KW an.
  - Ein *positiver* D-Dimer-Test hat zwar eine sehr gute Sensitivität, aller-

Tab. 8-1 Wells-Score zur Schätzung der klinischen Wahrscheinlichkeit einer Venenthrombose

Variable	Punktzahl
aktive Tumorerkrankung	1
Lähmung oder kürzliche Immobilisation der Beine	1
Bettruhe (> 3 Tage) oder großer chirurgischer Eingriff (< 12 Wochen)	1
Schmerz bzw. Verhärtung entlang der tiefen Venen	1
Schwellung des gesamten Beins	1
Unterschenkelschwellung mit Umfangsdifferenz > 3 cm zur Gegenseite	1
eindrückbares Ödem am symptomatischen Bein	1
Kollateralvenen	1
frühere, dokumentierte TVT	1
alternative Diagnose mind. ebenso wahrscheinlich wie Venenthrombose	−2

dings nur eine mäßige Spezifität. Positive Testergebnisse liegen daher auch bei anderen Entitäten vor. Bei positivem Ergebnis erfolgt eine Kompressionssonografie zum Nachweis bzw. Ausschluss einer TVT.
  - Ist der D-Dimer-Test *negativ*, ist keine weitere Thrombosediagnostik mithilfe der Kompressionssonografie erforderlich.
- Bei hoher KW ist ein bildgebendes Verfahren obligat. Generell zu beachten ist die aktuelle Ultraschallvereinbarung der jeweiligen Kassenärztlichen Vereinigung (KV) z. B. bez. der Abrechnungsmöglichkeit und Qualitätsstandards, die zur Durchführung dieser Untersuchung eingehalten werden müssen.

Abbildung 8-1 zeigt schematisch das diagnostische Vorgehen bei V. a. TVT. Studien belegen die diagnostische Sicherheit der Kompressionssonografie bei **gekonnter Ausführung**, auch in der ausschließlichen B-Bild-Kompressionssonografie. Die zusätzliche Anwendung des Farbdopplers bringt keine signifikante Verbesserung der Thrombosediagnostik der unteren Extremität.

Indikationen

- V. a. auf TVT
- V. a. LE beim kreislaufstabilen Patienten
- sonografische Kontrolle nach 4 bis 7 Tagen eines unklaren initialen Untersuchungsergebnisses bei V. a. TVT
- sonografische Kontrolle einer Thrombosebehandlung bei klinischen Zeichen einer Thrombusaszension oder bei fehlender Befundbesserung
- sonografische Kontrolle nach den ersten 3 Behandlungsmonaten zur Beurteilung der Residualthrombose als ein Kriterium zur Entscheidung über ein Fortführen der Antikoagulation
- sonografische Kontrolle bei geplanter Beendigung der antikoagulatorischen

8

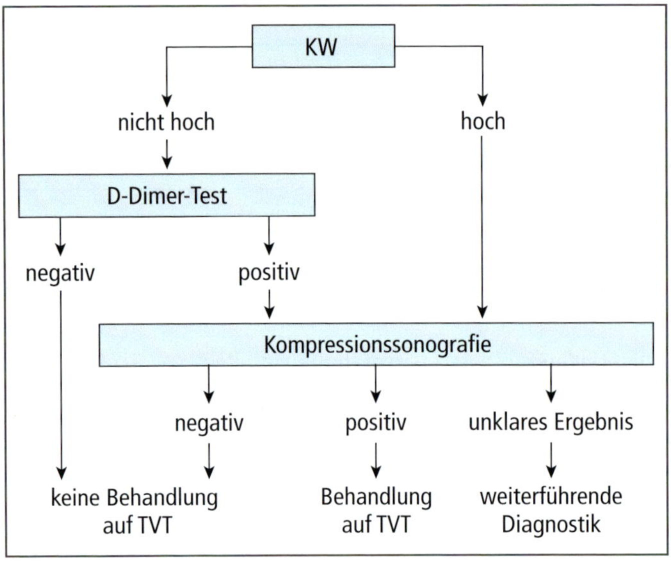

Abb. 8-1 Diagnostisch-therapeutischer Algorithmus bei V. a. auf TVT. KW = klinische Wahrscheinlichkeit.

Therapie einer TVT zur Befunddokumentation und Vergleichsmöglichkeit bei einem späteren V. a. Rezidivthrombose

Kontraindikation

- akut hämodynamisch instabiler Patient mit V. a. LE

Aufklärung

Eine Aufklärung ist nicht notwendig; der Patient sollte jedoch vor der Untersuchung über Indikation und Vorgehen sowie während der Untersuchung über die einzelnen Untersuchungsschritte informiert werden.

Benötigtes Instrumentarium

- B-Bild-Sonografiegerät
  - standardmäßig mit höherfrequentem *Linearschallkopf* (Linear Array); die Frequenz beträgt 5–10 MHz
  - mit *Konvexschallkopf* (Curved Array), insofern die Eindringtiefe nicht ausreicht; die Frequenz beträgt 3,5–5 MHz
- farbkodierte Duplexsonografie ergänzend zur Untersuchung der Beckenvenen erforderlich

Durchführung

Bei der Kompressionssonografie besteht die Untersuchung aus der Darstellung der Becken-, Oberschenkel- und Unterschenkelvenen vom Leistenband bis hinab zur Knöchelregion. Zum Nachweis bzw. Ausschluss einer TVT ist die wichtigste Voraussetzung ein *entsprechend ausgebildeter und geübter Untersucher*, der eine gewissenhafte, standardisierte Untersuchung vornimmt. Der Zeitbedarf für geübte Untersucher beträgt ca. 20 min.

Anatomie des venösen Gefäßsystems Die Kenntnis der Anatomie des venösen Gefäßsystems der unteren Extremität ist Voraussetzung für die Durchführung der Kompressionssonografie. Zur Wiederholung (► Abb. 8-2, 8-3):

- In der Leistengegend liegt die *V. femoralis communis* medial der Femoralarterie. Bogenförmig mündet dort die *V. saphena magna* ein. Mehrere cm distal der Einmündung der V. saphena magna und ungefähr 5–10 cm unterhalb des Leistenbandes entsteht die V. femoralis communis aus der Vereinigung von *V. profunda femoris* und *V. femoralis.*
- Die V. femoralis läuft proximal im Adduktorenkanal medial der Femoralarterie, im mittleren und distalen Abschnitt dorsal der A. femoralis.
- Mehrheitlich sind V. femoralis und V. poplitea unpaarig angelegt; zu rund 20 % sind sie vollständig oder segmentweise doppelt angelegt.
- Die Länge und Anatomie der *V. poplitea* ist sehr variabel. Proximal reicht sie bis zum Hiatus tendineus adductorius, wo sie in die V. femoralis übergeht, und entsteht distal (einige cm unterhalb des Kniegelenkspalts) durch Vereinigung der Stämme der Unterschenkelvenen (V. tibialis posterior und V. tibialis anterior, in der

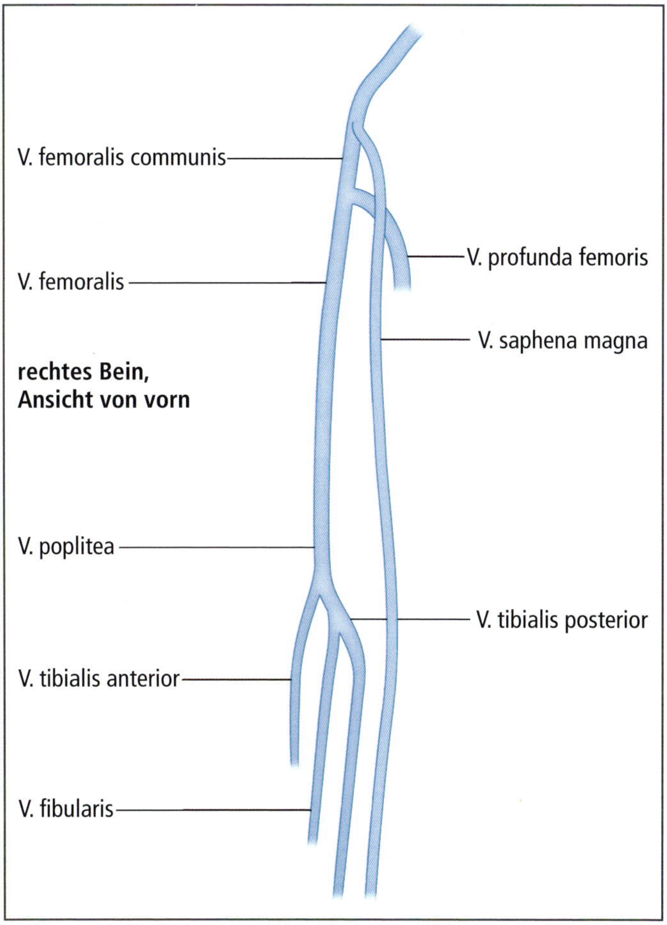

Abb. 8-2 Tiefe Ober- und Unterschenkelvenen mit Darstellung der V. saphena magna. Aus Übersichtsgründen wurde auf die Darstellung der Gastrocnemiusvenen und der V. saphena parva verzichtet (mit freundl. Genehmigung von Herrn PD Dr. Karlheinz Seitz).

8

Regel paarig angelegt; V. fibularis, in der Regel einzeln angelegt).

- Die *V. saphena magna* entstammt der medialen Fußrückenregion und verläuft an der Medialseite der unteren Extremität. Sie nimmt vor der Einmündung in die V. femoralis communis die *V. circumflexa ilium superficialis* von lateral, die *V. epigastrica superficialis* von kranial und die *V. pudenda externa* von medial auf.

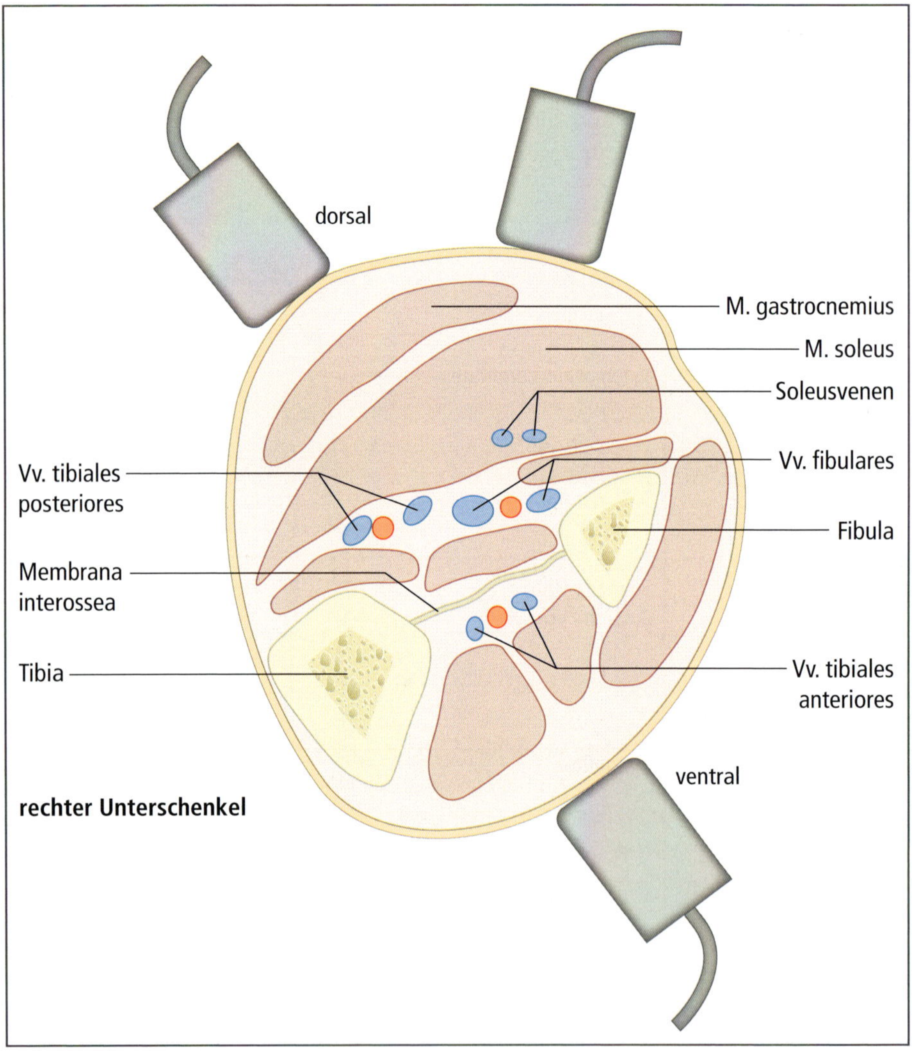

Abb. 8-3 Unterschenkel im Querschnitt mit Darstellung der paarigen Unterschenkelvenen und der typischen Schallkopfpositionen (mit freundl. Genehmigung von Herrn PD Dr. Karlheinz Seitz)

- Die kräftigen *Gastrocnemiusvenen* und die *V. saphena parva* münden von dorsal in die *Poplitealvene*. Die Soleusvenen münden in die V. tibialis posterior oder V. fibularis. Die Muskelvenen des M. gastrocnemius und des M. soleus gehören zu den tiefen Venen.

Untersuchung

1. Die Untersuchung kann am liegenden oder stehenden Patienten erfolgen.
2. Nach Aufsuchen der V. femoralis communis in der Leiste wird der Schallkopf im Transversalschnitt lückenlos mit intermittierender Kompression kontinuierlich nach distal bis ans Ende der V. poplitea verschoben.

> - Die Darstellung der Venen muss lückenlos erfolgen. Zum Ausschluss einer Thrombose müssen die Venen komplett komprimierbar sein.
> - Das diagnostisch entscheidende Kriterium der TVT-Diagnose ist die fehlende oder inkomplette Kompressibilität der Vene bei der Untersuchung im Transversalschnitt.
> - Nur Transversalschnitte sind zuverlässig.

Am distalen Oberschenkel, insbesondere im Bereich des Adduktorenkanals, ist die Kompression der V. femoralis mit dem Schallkopf nur unzureichend möglich, daher muss die komplette Kompression durch Gegendruck mit der zweiten Hand von dorsal herbeigeführt werden.

3. Die Unterschenkelvenen sind in Rückenlage physiologischerweise nahezu komplett kollabiert, daher ist diese Untersuchungsposition nicht geeignet. Die Untersuchung erfolgt am stehenden oder sitzenden Patienten (wobei diese ggf. auch in Bauch- oder Seitenlage möglich ist). Die Darstellung der Venen des Unterschenkels erfolgt ansonsten analog. Typische Schallkopfpositionen sind in Abbildung 8-3 dargestellt. Zu beachten ist, dass die Anzahl der Begleitvenen einer Arterie zwischen eins und vier variieren kann.

> **!** Die Höhe, auf der die Unterschenkelvenen sich zur V. poplitea vereinigen, ist sehr variabel; in rund 20 % liegt eine gedoppelte V. poplitea vor.

4. Zeigt sich bei dieser Untersuchung kein Thrombus im symptomatischen Bein, muss eine Untersuchung mithilfe der Farbdoppler- und ggf. farbkodierten Duplexsonografie in die Wege geleitet werden, um eine Beckenvenenthrombose auszuschließen.

Normalbefund Die *V. femoralis communis* ist im Querschnitt 10–12 mm weit, rund oder leicht bis mäßig queroval. Der Venendiameter ist im Vergleich etwas größer als der Durchmesser der begleitenden Arterie. Das Gefäßlumen ist echofrei. Die Femoralvene lässt sich bis zum vollständigen Kollaps komprimieren (► Abb. 8-4a). Gleiches gilt für die Untersuchung der normalerweise ca. 8 mm weiten *V. poplitea*.

Pathologischer Befund Bei frischer Beinvenenthrombose ist das Gefäßlumen nicht (vollständig) kompressibel (► Abb. 8-4b, c) und es tritt eine Diameterzunahme der Vene auf. Ein frischer Thrombus ist dabei echoarm. Bei einem nicht lumenfüllenden Thrombus besteht ein peripherer Restfluss und die Vene ist dementsprechend partiell kompressibel. Mit der Zeit steigt die Echogenität des Thrombus durch Organisationsprozesse.

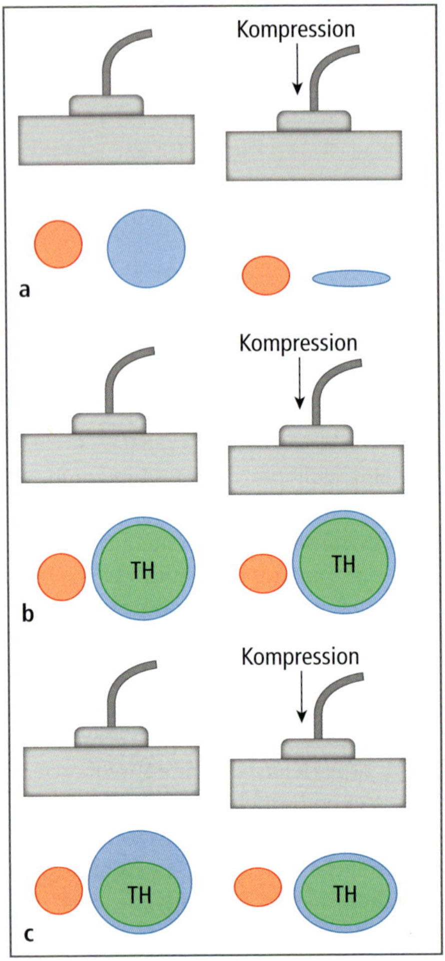

Abb. 8-4 Prinzip der Kompressionssonografie: normaler (**a**) und pathologischer Befund (**b**, **c**) (mit freundl. Genehmigung von Herrn PD Dr. Karlheinz Seitz)

Zusätzliche Befunde

- Bei Thrombusnachweis folgt die Bestimmung der Ausdehnung (»Etagendiagnostik«) sowie ggf. die Darstellung eines »flottierenden Thrombus« und von Kollateralgefäßen.
- Eine Thrombose der V. saphena magna ist oft dadurch gekennzeichnet, dass der Thrombus in die V. femoralis hineinragt.

Ätiologie der Thrombose und Differenzialdiagnosen

- Der Nachweis der Ätiologie einer Thrombose ist möglich bei Kompression der Venen durch Hämatome, Lymphknotenpakete und Tumoren (im Becken oder retroperitoneal).
- Baker-Zysten stellen sowohl eine Differenzialdiagnose als auch einen kausalen Faktor dar.
- Zu den sonografisch erkennbaren Differenzialdiagnosen der Klinik zählen u. a. Zysten, Blutungen, Muskelfaserrisse, Aneurysmen und Tumoren.

Nachsorge

Nach der erfolgten Untersuchung wird der Befund ausführlich mit dem Patienten besprochen. Bei der Initialuntersuchung bei V. a. TVT kann das weitere Vorgehen folgendermaßen gegliedert werden:

Positiver Thrombosenachweis Unmittelbar nach Diagnosestellung wird die gewichtsadaptierte Therapie mit einem niedermolekularen Heparin (Enoxaparin, z. B. Clexane®; Nadroparin, z. B. Fraxiparine®) oder Fondaparinux (z. B. Arixtra®) veranlasst. Unfraktioniertes Heparin wird fast ausschließlich nur noch bei Patienten mit schwerer Niereninsuffizienz mit Dialysepflichtigkeit, bei denen ein niedermolekulares Heparin (NMH) oder Fondaparinux kontraindiziert sind, als Antikoagulans eingesetzt.

Vor jeder Antikoagulanzientherapie ist ein Basisgerinnungsstatus inkl. Thrombozytenzahl abzunehmen. Eine weitere Kontrolle der Thrombozytenzahl ist bei Anwendung von NMH > 5 Tage sinnvoll. Eine Kompressionstherapie

(► Abschn. 8.2) des Beins mit Thrombosenachweis sollte frühzeitig erfolgen. Bei iliofemoraler Thrombose können primär rekanalisierende Maßnahmen eingeleitet werden. Eine Immobilisierung ist nur zur kurzzeitigen Entlastung einer sehr ausgeprägt schmerzhaften Beinschwellung gerechtfertigt.

Negativer Thrombosenachweis Ein eindeutig negativer Thrombosenachweis in der Kompressionssonografie wird auch nicht als TVT behandelt. Eine Umgebungsdiagnostik und die Abklärung von Differenzialdiagnosen passend zur Symptomatik des Patienten sind vorzunehmen.

Unklares Ergebnis der Kompressionssonografie Bei einem unklaren Befund in der Kompressionssonografie erfolgt die weitere Abklärung mithilfe eines erfahreneren Untersuchers, ggf. auch mithilfe von Schnittbildverfahren.

Tipps und Tricks

- Bei mangelhafter Bildqualität bedingt durch Adipositas oder bei massiven Ödemen empfiehlt sich die Anwendung des Konvexschallkopfs (Curved Array) mit der Frequenz 3,5–5 MHz.
- Eine Untersuchung der asymptomatischen unteren Extremität ist bei V. a. TVT laut aktueller Leitlinie nicht grundsätzlich erforderlich, da die diagnostische Aussagefähigkeit sehr gering ist. Ein Vergleich mit der kontralateralen, asymptomatischen Seite kann jedoch bei der Interpretation von Befunden hilfreich sein.
- Im Fall einer nachgewiesenen Thrombose des symptomatischen Beins wird auch die Gegenseite untersucht. Beidseitige Thrombosen treten in ca. 10 % der Fälle auf.
- Zur Unterscheidung von frischen und alten Thrombosen: Im Verlauf einer Thrombose kommt es zu einer Kaliberabnahme (Thrombusretraktion) in der Regel mit Zunahme der Echogenität und (bei Komplettverschluss) Entwicklung von venösen Kollateralen.
- Die Dokumentation der Untersuchung enthält eine vollständige Aufzählung aller untersuchten Segmente sowie die Angabe der Qualität ihrer Darstellungsmöglichkeiten. Die bildliche Darstellung ist obligat. (Bei Komplikationen im Krankheitsverlauf sollte immer erkennbar sein, warum die ursprüngliche Entscheidung für oder gegen eine Antikoagulation getroffen wurde.)

Umgang mit Komplikationen

Die eigentliche Untersuchung ist aufgrund ihrer fehlenden Invasivität komplikationsfrei. Nichtsdestotrotz kann eine nicht fachgerechte Durchführung des Kompressionsultraschalls zu (lebensbedrohlichen) Komplikationen führen: Ein Ausbleiben einer notwendigen Therapie bei falsch negativem Testergebnis kann zur LE führen. Falsch positive Testergebnisse bringen Patienten durch Blutungsrisiken einer therapeutischen Antikoagulation und die Möglichkeit einer heparininduzierten Thrombose in Gefahr. Dementsprechend ist bei ungenügender Kenntnis und Routine des Untersuchungsvorgangs und der Befundung unbedingt ein Spezialist hinzuzuziehen.

Zusatzmaterial

Video 8-1 ► unter www.schattauer.de/3140 oder direkt über QR-Code

Weiterführende Literatur

Amann-Vesti B, Thalhammer C, Huck K (Hrsg). Kursbuch Doppler- und Duplexsonographie. Stuttgart: Thieme 2012.

Deutsche Gesellschaft für Angiologie. S2k-Leitlinie »Diagnostik und Therapie der Venenthrombose und der Lungenembolie«. Stand: 10.10.2015. www.awmf.org/uploads/tx_szleitlinien/065-002l_S2k_VTE_2016-01.pdf (letzter Zugriff: 06.06.2016).

Habscheid W. Sonographie der Beinvenenthrombose. Ultraschall Med 2006; 27: 512–32.

Danksagung

Die Abbildungen 8-2, 8-3, 8-4 verdanken wir PD Dr. Karlheinz Seitz, Dr. Martin Mauch und Dr. Ursel Leicht-Biener.

8.2 Kompressionsverbände

Sandra Lange und Antje Bergmann

Hintergrund

In diesem Abschnitt wird speziell auf den phlebologischen Kompressionsverband eingegangen. Eine Unterschenkelkompression ist für die meisten Indikationen in der allgemeinmedizinischen Praxis ausreichend.

Die Kompression bewirkt eine Verengung des Venendurchmessers. So erhöht sich einerseits die Flussgeschwindigkeit, anderseits können sich die Venenklappen durch diese Verengung wieder effektiv schließen.

Die Patientenadhärenz spielt bei der Therapie mit Kompressionsverbänden eine wichtige Rolle. Entscheidend für die Effektivität der Kompression ist Bewegung und somit die Unterstützung des venösen Rückflusses mithilfe der Muskelpumpe. Dies verdeutlicht die sog. 3S-3L-Regel: »Sitzen und stehen sind schlecht, lieber laufen und liegen«.

Um mögliche Schäden durch den Kompressionsverband zu vermeiden, empfiehlt es sich, vorab die arterielle Durchblutungssituation in der Peripherie mithilfe des *Knöchel-Arm-Index* (cruro-brachialer Quotient, CBQ) festzustellen.

Wird die Kompressionstherapie begonnen, dann bieten sich zunächst Binden oder Bandagen an, bevor ggf. passgenaue Kompressionsstrümpfe zum Einsatz kommen. Die Anwendung von Kurzzugbinden erfolgt meist im Sinne eines Wechselverbands, der in der Regel täglich zu erneuern ist.

Im Gegensatz dazu gibt es Mehrlagenfertigsysteme, die max. 7 Tage am Patienten verbleiben können und somit mit geringem Personalaufwand verbunden sind. Diese Systeme setzen jedoch eine hohe Adhärenz des Patienten voraus, da sie Tag und Nacht getragen werden müssen. Vorteilhaft ist die nicht aufwendige Wickeltechnik, eine rutschfeste Bandagierung und damit je nach Entstauungssituation ein stabiler Anlagedruck.

Nachteilig ist die mangelnde Körperhygiene aufgrund der Tragedauer (Geruchsbildung im Sommer!) und der häufigere Wechsel in der Entstauungsphase aufgrund der Umfangsreduktion.

> Sowohl beim Wechselverband als auch bei Mehrlagenfertigsystemen sollte ein Ruhedruck von 40–60 mm Hg im Knöchelbereich erreicht werden.

Indikationen

- Varikose
- Thrombose und/oder Thrombophlebitis

- chronische Veneninsuffizienz
- sonstige Ödeme

Kontraindikationen

Absolute Kontraindikationen

- fortgeschrittene periphere arterielle Verschlusskrankheit (CBQ < 0,5)
- dekompensierte Herzinsuffizienz
- Phlegmasia coerulea dolens
- septische Phlebitis
- schwere Polyneuropathie

Relative Kontraindikationen

- schwere Sensibilitätsstörungen der Extremitäten
- kompensierte periphere arterielle Verschlusskrankheit (CBQ 0,5–0,7)

Aufklärung

Der Patient wird über die Indikation zur Anlage eines Kompressionsverbands, mögliche Komplikationen (► Abschn. Umgang mit Komplikationen) sowie Alternativen aufgeklärt. Eine effektivere Möglichkeit zur Entstauung als die Kompressionstherapie gibt es nicht. Es besteht lediglich die Möglichkeit, die Beine, so oft es geht, hochzulagern oder auch die Möglichkeit der Lymphdrainage.

Darüber hinaus wird der Patient über wichtige Verhaltensregeln informiert wie:

- Viel Bewegung ist für die Effektivität der Kompressionstherapie entscheidend (lieber laufen oder alternativ liegen als sitzen oder stehen).
- Wärme sollte vermieden werden, um die Volumenausdehnung zu reduzieren.
- In der Nacht sollten die Beine leicht hochgelagert werden.
- Das Tragen von schweren Lasten sowie Pressen (z. B. beim Stuhlgang) sind zu vermeiden, um den Venendruck nicht weiter zu erhöhen.

Benötigtes Instrumentarium

- Liege
- zur Unterpolsterung:
  - Schlauchbinde (3-mal so lang wie die Länge Unterschenkel bis Fußsohle)
  - Watte- oder Schaumstoffbinde
- Kurzzugbinde (Bindenbreite an den Umfang des Unterschenkels anpassen, ca. 8–10 cm)
- Pflasterstreifen

Durchführung

Die Anlage des Kompressionsverbands wird im Liegen empfohlen, bevorzugt am Morgen, wenn die Beine »entstaut« sind. Ist dies nicht der Fall, so sollten die Beine vor der Anlage ca. 10 min hochgelagert werden. Es gibt verschiedene Möglichkeiten, einen Kompressionsverband anzulegen. Als Beispiel wird hier der *modifizierte Verband nach Sigg* beschrieben:

1. Der Patient liegt auf dem Rücken auf einer Untersuchungsliege.
2. Die Länge der benötigten Schlauchbinde wird vermessen; die Schlauchbinde wird anschließend über den Fuß und Unterschenkel gezogen.
3. Zur Polsterung wird eine Watte- oder Schaumstoffbinde angelegt; die Bindentouren sollten sich zur Hälfte überlappen.
4. Mit Kurzzugbinden wird nun der *Kompressionsverband* (► Abb. 8-5a) angelegt. Die Binde sollte dabei mit offenem Bindenwinkel in der Hand liegen (► Abb. 8-5b).
   1. Der Beginn ist unterhalb des Großzehengrundgelenks. Die Binde wird zunächst mit zwei Touren fixiert.

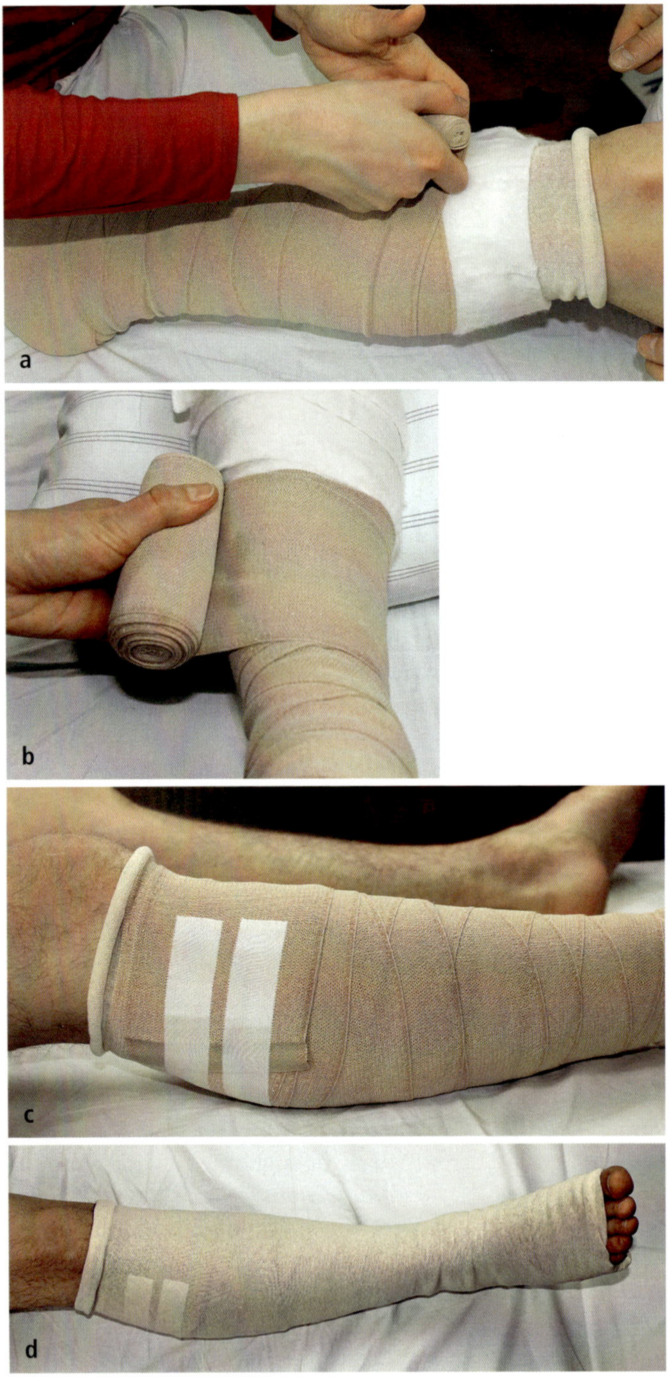

Abb. 8-5 Modifizierter Verband nach Sigg: Komponenten des Kompressionsverbands (**a**); offener Bindenwinkel (**b**); Fixierung des Kompressionsverbands (**c**); fertiger Verband mit Schlauchbinde (**d**)

In *zirkulären* Touren wird bis zum Beginn der Wadenmuskulatur gewickelt, wobei das Sprunggelenk rechtwinklig stehen sollte.
2. Ab der Wadenmuskulatur wird in *Achtertouren*, vergleichbar mit dem Kornährenverband, bis unterhalb des Knies gewickelt.
3. Bis zum Fibulaköpfchen werden wieder *zirkuläre Touren* gewickelt.

Es ist auf ein *abnehmendes* Druckgefälle von *distal nach proximal* zu achten. Dies gelingt am besten, wenn die Bindenrolle unter permanentem Zug an der Haut geführt wird, sodass sich die Binde gleichmäßig anmodellieren kann.

4. Die Binde wird nur mit Pflasterstreifen fixiert (► Abb. 8-5c). Verbandklammern sind obsolet.
5. Die zuvor in ausreichender Länge (► Abschn. Benötigtes Instrumentarium) abgemessene Schlauchbinde wird über den Zehen umgekrempelt und kann so für einen besseren Halt über den Kompressionsverband gezogen werden (► Abb. 8-5d).

Nachsorge

- Zur Kontrolle der aktuellen Durchblutungssituation sollten die Zehen nach spätestens 30 min und im Verlauf (z. B. durch den Patienten selbst) inspiziert werden.
- Der Kompressionsdruck des angelegten Kompressionsverbands sollte möglichst konstant bleiben; bei Bedarf muss neu gewickelt werden.
- Bei täglicher Neuanlage des Kompressionsverbands sollte auf Druckstellen, Ulcera, Schnürfurchen und eine intensive Hautpflege (z. B. mit ureahaltigen Cremes oder Schäumen; Harnstoff, z. B. Eubos® Trockene Haut 3 % Urea Körperlotion oder frei® Körperlotion mit 6 % Urea) geachtet werden.

Nur unter einer ausreichenden Mobilisation kann der Kompressionsverband gut wirken.

Tipps und Tricks

Zur Steigerung der Kompressionseffizienz kann der durch den unerfahrenen Anwender erzeugte Druck ggf. auch mithilfe von speziellen Drucksonden (z. B. Kikuhime® oder PicoPress®) überprüft werden. Nach der erstmaligen Verbandanlage in der Hausarztpraxis erfolgen die täglichen Verbandwechsel sowie ggf. Druckmessungen z. B. durch den Pflegedienst.

Idealer *Anpressdruck nach Milic:* Knöchelumfang + halber Knöchelumfang in cm = idealer Anpressdruck der Bandagen im Knöchelbereich in mm Hg.

Umgang mit Komplikationen

Der Verband muss bei Schmerzen, Missempfindungen wie Kribbel- und Taubheitsgefühl, Durchblutungsstörungen sowie bei Bewegungseinschränkung komplett entfernt werden. Je nach Situation wird er entweder wieder angelegt oder das Therapieregime wird geändert. Werden unter dem Kompressionsverband neue Hautläsionen, Blasen oder Schnürfurchen bis hin zu Gewebeschäden gefunden, deutet dies auf einen zu hohen Kompressionsdruck und eine evtl. mangelnde Polsterung. Eine adäquate Therapie dieser Komplikationen sowie eine Überprüfung der Indikation zur Anlage des Kompressionsverbands sind erforderlich.

Weiterführende Literatur

Deutsche Gesellschaft für Phlebologie. S2-Leitlinie »Phlebologischer Kompressionsverband (PKV)«. Stand: 06/2009 (wird zz. überprüft).

Protz K. Entstauen und Rezidiven vorbeugen. Heilberufe 2012; 64: 32–4.

Protz K, Heyer K, Dörler M et al. Kompressionstherapie – Kenntnisse und Anwendungspraxis. JDDG 2014; 12: 794–802.

9 Punktionen

9.1 Impfungen

Jens-Martin Träder

Hintergrund

Impfen ist eine tägliche Aufgabe in der Hausarztpraxis. Kinder erhalten im Rahmen der U-Untersuchungen meist einen vollständigen Impfschutz, der bezüglich der empfohlenen Impfungen seitens der Ständigen Impfkommission der Ärzteschaft (STIKO) einen Durchimpfungsgrad von nahe 100 % erreicht. Bei den Erwachsenen beläuft sich die Impfquote auf Werte zwischen 50 und 70 % (Robert Koch-Institut 2012). Es ist Aufgabe der Hausärzte, den Impfschutz der Patienten zu überprüfen und ggf. zu komplettieren. Dazu gehört ein sinnvolles Impfmanagement, das das Aufdecken von Impflücken, Prüfen der Indikationsstellung und logistische Vorbereitungen umfasst.

Indikationen

Die in Deutschland empfohlenen Impfungen stellt die STIKO zusammen und veröffentlicht üblicherweise einmal jährlich ihre Empfehlungen. Diese kann man im Internet auf der Seite des Robert Koch-Instituts (RKI) nachlesen oder sich per Post schicken lassen (Robert Koch-Institut 2015).

Nach Empfehlungen des RKI sind die Regelimpfungen gegen *Tetanus* und *Diphtherie* in zehnjährlichem Abstand aufzufrischen, die Impfungen gegen *Polio* und *Pertussis* sollten bei allen Erwachsenen zumindest einmal mit IPV- oder aP-Vakzine komplettiert werden, auch dann, wenn in der Kindheit eine komplette Schluckimpfung gegen Polio durchgeführt wurde.

> Die Kombinationsimpfung mittels *Dreifachimpfstoff* (Tetanus, Diphterie, Polio) oder *Vierfachimpfstoff* (Tetanus, Diphterie, Polio, Pertussis) ist für den Patienten doppelt vorteilhaft: Zum einen muss er sich nur einen einzigen Termin für die Auffrischung merken, und zum anderen ist die Angst vor Schmerzen bei der Impfung dann nur einmal vorhanden und nicht viermal – für viele Patienten ein gewichtiges Argument.

Kontraindikationen

- Impfungen sind fast immer möglich. Bagatellinfekte (Husten, Schnupfen, Harnwegsinfekt, Temperatur bis 38,5 °C) stellen keine Kontraindikation dar.
- Bei Vorliegen einer schweren Infektion (z. B. Pneumonie, Pyelonephritis), eines akuten Schubs einer neurologischen Erkrankung (z. B. multiple Sklerose), einer Veränderung des Immunstatus (z. B. HIV) oder auch in Zeiten einer Schwangerschaft oder in der Stillzeit sollte die Impfung auf die Zeit nach der Abheilung bzw. Konsolidierung oder nach der Entbindung bzw. Stillzeit verschoben werden (Robert Koch-Institut 2015).
- Während einer hoch dosiert durchgeführten immunmodulierenden Therapie (Prednison mit einer Tagesdosis > 10 mg, z. B. Predni Tablinen®, Predni-HEXAL® oder mit Azathioprin, z. B. Imurek®, Zytrim®) sollte nicht geimpft werden – in diesen Fällen hilft die

Rücksprache mit einem kompetenten Zentrum (z.B. Infektiologie-/Rheumatologie- oder Geburtshilfezentrum).

Aufklärung

Die Aufklärung des Impflings (bei unter 16-Jährigen der gesetzlichen Vertreter, also der Eltern) hat vor der Impfung zu erfolgen und ist eine ärztliche Tätigkeit, die zumindest teilweise delegiert werden kann. Informationsmaterial kann ergänzend an die Patienten ausgegeben werden. Es gibt »fertige« Flyer der Kassenärztlichen Bundesvereinigung (KBV), Druckerzeugnisse der Impfstofffirmen oder – oft besser – selbst zusammengestellte Informationen als Patienteninformation zum Thema Impfen, die mit dem eigenen Praxislogo bei Bedarf ausgedruckt werden. Schriftliche Informationen können allerdings die mündliche Aufklärung nicht vollständig ersetzen.

Benötigtes Instrumentarium

- Impfstoff (meist weniger als 1 ml Impfstofflösung)
- 2-ml-Spritze mit einer Kanüle von geringem Durchmesser (0,4 bis 0,6 mm äußeres Lumen; entspricht Ch 12 bis 20; schwarzgrauer, blauer oder durchsichtiger Konus)
  Als Länge wird im Normalfall eine Nadelgesamtlänge von 30 mm ausreichen, bei adipösen Patienten wird die Verwendung einer Nadelgesamtlänge von 40 mm empfohlen.
- Desinfektionsmitteltupfer
- trockener Tupfer
- (hypoallergenes) Pflaster

Durchführung

Die meisten aktiven Impfungen sollen intramuskulär (i. m.) in den Oberarm (M. deltoideus) verabreicht werden. Bei Kindern ist eine Injektion in den Oberschenkel (M. vastus lateralis) zulässig. Die Injektion von aktiven Impfstoffen in den Gesäßmuskel (M. glutaeus maximus) gilt aufgrund geringerer Wirksamkeit und häufigeren Komplikationen laut STIKO als obsolet.

1. Die vorgesehene Injektionsstelle wird mit dem Desinfektionsmitteltupfer desinfiziert – eine ausreichend lange Einwirkzeit des Desinfektionsmittels muss gewährleistet werden. Dafür ist es notwendig, die Beschreibung des verwendeten Mittels auf die erforderliche Einwirkzeit durchzusehen.
2. Die Impfung wird normalerweise am sitzenden Patienten durchgeführt. Der Injektionsort ist die Hauptmasse des M. deltoideus (► Abb. 9-1). Die Injektionsnadel wird senkrecht zur Hautoberfläche, etwa drei Querfinger unterhalb des Acromions eingestochen. Aufgrund der geringen Muskelmasse eignet sich die i. m. Injektion in den M. deltoideus nur für kleinere Injektionsvolumina (< 2 ml); dies reicht aber für fast alle Regelimpfungen aus, da auch die Vierfach-, Fünffach- oder Sechsfachimpfstoffe im Gesamtvolumen unterhalb eines Milliliters bleiben.
3. Nach der Injektion des Impfstoffs wird die Nadel herausgezogen. Die Injektionsstelle wird kurz mit einem trockenen Tupfer komprimiert, um ein Wiederaustreten des Impfstoffs über den Stichkanal zu verhindern.
4. Danach wird die Injektionsstelle mit einem kleinen Pflaster (hautfreundlich, hypoallergen) beklebt – zum einen als Schutz vor Infektionen des Stichkanals, zum anderen als Erin-

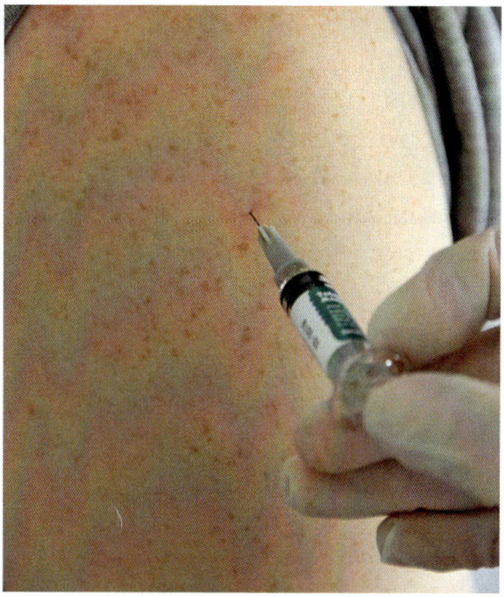

Abb. 9-1 Impfung

nerungszeichen für das medizinische Personal. So kann ggf. im Falle von Impfreaktionen nachvollzogen werden, wo genau die Impfung stattgefunden hat.

Viele Impfstoffe werden schon mit aufgeschweißten Sicherheitskanülen geliefert. Hierbei ist zu bedenken, dass diese Impfstoffe bei der Lagerung mehr Platz benötigen. Viele dieser »Fertigimpfstoffe« haben Nadeln ohne Doppelschliff – sie sind für den Patienten bei der Injektion somit schmerzhafter als Impfungen mit Nadeln, die einen Doppelschliff aufweisen.

Nachsorge

Die Nebenwirkungen der von der STIKO empfohlenen Impfungen sind in der Regel so gering, dass sie als nicht wesentlich wahrgenommen werden. Man sollte dabei zwischen Impfreaktion und Impfkomplikation unterscheiden (Träder 2013).

Impfreaktion Als Impfreaktion werden kurzzeitige und vorübergehende Lokal- und Allgemeinreaktionen bezeichnet. Diese können als temporäre, leichtere Nebenwirkungen auftreten: Schmerzen, Spannung und Schwellung an der Injektionsstelle, Abgeschlagenheit oder Kopf- und Gliederschmerzen. Auch bei Placeboversuchen treten die gleichen Symptome auf.

Impfkomplikation Eine Impfkomplikation ist eine das übliche Ausmaß einer Impfreaktion überschreitende Komplikation nach einer Impfung. Lebendimpfstoffe können in seltenen Fällen zu einem abgeschwächten Ausbruch der Krankheit führen, gegen welche geimpft wurde. Bei der Impfung gegen Masern treten bei 3–5 % der Impflinge sog. »Impfmasern« auf. Die Nebenwirkungen der Impfung weisen dann die Symptome ähnlich derer bei Masern wie Hautausschlag, Fieber und Gliederschmerzen auf, jedoch verlaufen »Impfmasern« in der Regel leichter als das Vollbild der Infektion.

In sehr seltenen Fällen kann es zu einem allergisch-anaphylaktischen Schock als Reaktion auf die Inhaltsstoffe einer Impfdosis kommen. Neben dem Wirkstoff selbst können Zusatzstoffe wie z. B. Konservierungsstoffe, Stabilisatoren oder Stoffe aus der Herstellung des Wirkstoffs wie Hühnerprotein eine allergische Reaktion auslösen (Robert Koch-Institut 2015).

Tipps und Tricks

Lagerung

- Impfstoffe sind sensibel und müssen vor UV-Licht (Sonne, Tageslicht) und Wärme (Raumtemperatur) geschützt werden. Der optimale Lagerungsort ist ein Laborkühlschrank, der eine Lage-

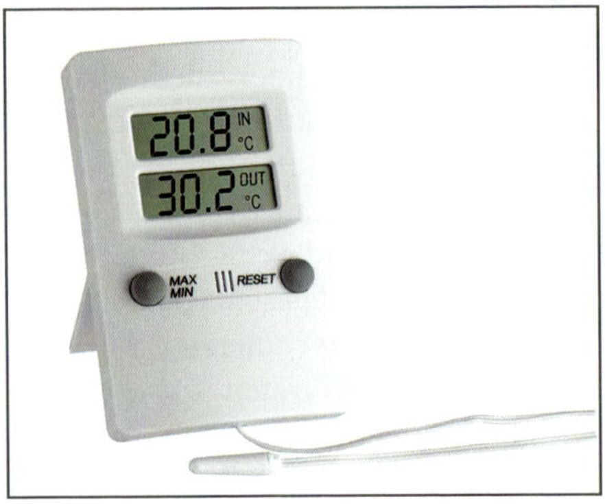

Abb. 9-2 Minimum-Maximum-Thermometer (mit freundl. Genehmigung der TFA Dostmann GmbH & Co KG, Wertheim)

rung zwischen 2 und 8 °C konstant sicherstellt. Frost ist gleichermaßen wie zu hohe Temperatur zu vermeiden. Ein handelsübliches elektronisches Minimum-Maximum-Thermometer (Kosten über Internetversand zwischen 10–20 €), aber auch analoge Anzeigegeräte (5–10 €) stellen das Einhalten der Kühlkette sicher (► Abb. 9-2).

- Die Temperatur sollte täglich mind. einmal überprüft werden. An Wochenenden und Feiertagen ist mithilfe des Minimum-Maximum-Thermometers zu überprüfen, ob die Grenzen überschritten wurden. Im Rahmen des Qualitätsmanagements (QM) ist es sinnvoll, die Kontrolle und die kontrollierende Person zu protokollieren.

> Versehentlich eingefrorene Impfstoffe dürfen genauso wenig verwendet werden wie Impfstoffe, bei denen die Kühlkette unterbrochen wurde.

- Die Temperatur im Kühlschrank (► Abb. 9-3) ist nicht überall gleich – v. a. im unteren Bereich und in der Tür ist es oft wärmer, in der Nähe der Rückwand und des Gefrierfaches ist es oft zu kalt. Man sollte einen entsprechenden Abstand zu diesen Bereichen wahren (Lamers 2014).
- Wenn Schachteln mit Impfstoff frisch eingelagert werden, sollte zwischen den Packungen Abstand gehalten werden, damit die kühle Luft zirkulieren kann. Die Außentemperatur der neu eingelagerten Packungen ist

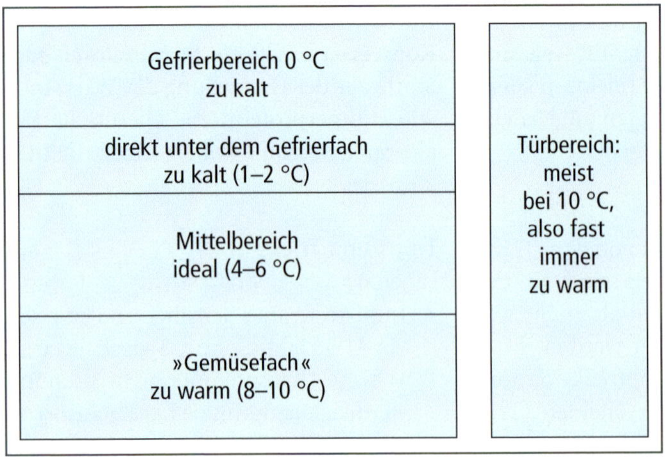

Abb. 9-3 Temperaturen in einem handelsüblichen Kühlschrank

meist wärmer als bei dem sonstigen Kühlgut.

Vorbereitung

- Der Impfstoff wird mit einer Kanüle aufgezogen, die anschließend verworfen wird. Die Injektion selbst erfolgt mit einer *neuen* Kanüle.

Die Injektionskanüle sollte außen »trocken« sein, also durch keine auch noch so geringen Spuren von Impfstoff an der Außenwand benetzt sein.

- Wird die Spritze mit dem Impfstoff direkt nach dem Aufziehen der Spritze etwas in der Hand angewärmt, empfinden die Patienten die Applikation der Ampulle als nicht so schmerzhaft wie die Injektion mit einem »kühlschrankkühlen« (< 10 °C) Impfstoff.

Umgang mit Komplikationen

Der Patient sollte bei Problemen nach der Impfung die Praxis informieren, am Wochenende ggf. den ärztlichen Bereitschaftsdienst aufsuchen, wenn erhebliche Impfreaktionen auftreten. Für leichte Impfreaktionen (örtliche Rötung und/ oder Überwärmung, leichter Schmerz) reicht die Kühlung mittels Coolpack oder Gefrierakku aus der Tiefkühltruhe, beides mit einer ausreichenden Textilummantelung (Frotteehandtuch), für 10 min alle 2–4 h aus.

Literatur

Lamers WM. Kühlschrankmanagement (Heft 03/2014). www.medmarketing.de/mediapool/32/322617/data/k_hlschrankmanagement_1_1_.pdf (letzter Zugriff: 06.06.2016).

Robert Koch-Institut. Impfkalender (Standardimpfungen) für Säuglinge, Kinder, Jugendliche und Erwachsene. Stand: August 2015. www.rki.de/DE/Content/Kommissionen/STIKO/Empfehlungen/Aktuelles/Impfkalender.pdf?__blob=publicationFile (letzter Zugriff: 06.06.2016).

Robert Koch-Institut. Impfquoten bei den Schuleingangsuntersuchungen (§ 34, Abs. 11 IfSG) Deutschland. Stand: April 2014. www.rki.de/DE/Content/Infekt/Impfen/Impfstatus/schulanfaenger/ImpfstatusDeutschland2012.pdf?__blob=publicationFile (letzter Zugriff: 06.06.2016).

Träder J-M. Impfungen. In: Jobst D. Facharztprüfung Allgemeinmedizin. München: Urban & Fischer bei Elsevier 2013; 98–106.

9.2 Legen von Venenverweilkanülen

Nadja Köhl-Hackert und Christian Grönert

Hintergrund

Das Legen einer (peripheren) Venenverweilkanüle (VK) spielt insbesondere bei der Infusionstherapie und in der Notfallversorgung eine wichtige Rolle. Die Punktion muss sicher beherrscht werden.

Indikationen

- Gabe von i. v. Medikamenten
- Infusionstherapie
- Notfallsituationen

Kontraindikationen

- Punktion am Shunt-Arm eines Dialysepatienten
- Punktion an einem Arm nach axillärer Lymphadenektomie (z. B. nach Mastektomie)
- Punktion an einer hemiplegischen Extremität
- Punktion in infizierte Hautareale oder Ekzeme

Aufklärung

Für die Anlage einer Venenverweilkanüle ist eine mündliche Aufklärung ausreichend. Über folgende mögliche Komplikationen sollte aufgeklärt werden:

- Hämatombildung
- paravasale Infusion
- Infektion (z. B. Thrombophlebitis)
- Schmerzen
- Sensibilitätsveränderung

Benötigtes Instrumentarium

- Einmalhandschuhe (► Abb. 9-4a)
- Hautdesinfektionsmittel (► Abb. 9-4e)
- Tupfer (► Abb. 9-4d)
- Stauschlauch
- ggf. Einmalrasierer
- mehrere Venenverweilkanülen (► Abb. 9-4f)
- Abwurfbehälter für spitze bzw. scharfe Abfälle
- Stopfen oder Verschlussmandrin (► Abb. 9-4b)
- Fixationsmaterial (z. B. Pflaster) (► Abb. 9-4c)

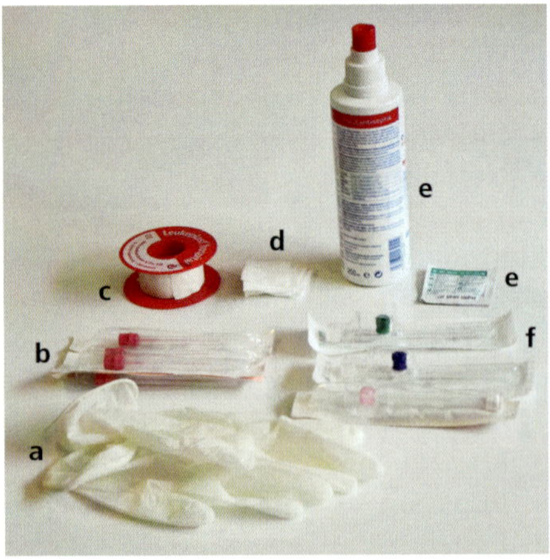

Abb. 9-4 Benötigtes Instrumentarium für die Punktion einer peripheren Vene (vgl. Text)

Durchführung

1. Der Stauschlauch wird angelegt. Dabei sollte ein Finger zwischen Stauschlauch und Extremität gelegt werden, um ein Einklemmen der Haut zu verhindern.
2. Wichtig ist zunächst, sich einen Überblick über die Venenverhältnisse des Patienten zu verschaffen.

> Die Punktion am dominanten Arm des Patienten, in den Ellenbeugen und über den Gelenken sollte möglichst vermieden werden. Kontraindikationen sind bei der Auswahl der Punktionsstelle zu beachten.

3. Die zu punktierende Vene wird mit Zeige- und Mittelfinger ertastet. Ein prallelastischer Widerstand sollte zu spüren sein.

> **!** Auf Pulsationen ist zu achten, da diese auf ein arterielles Gefäß hindeuten können! Es ist wichtiger, die Vene zu fühlen, als sie zu sehen!

4. Einmalhandschuhe werden angezogen.
5. Die zu punktierende Stelle wird großflächig desinfiziert, anschließend wird einmalig mit einem unsterilen Tupfer im Verlauf der zu punktierenden Vene gewischt.
6. Die Punktionsstelle wird erneut desinfiziert und dann nicht mehr berührt. Das Desinfektionsmittel sollte mind. 30 s einwirken.
7. Um ein Ausweichen bzw. Wegrollen der Vene zu verhindern, wird die Haut je nach Punktionsstelle mit der nichtdominanten Hand gespannt (► Abb. 9-5).

9

Bei Punktionen an »Venengabelungen« besteht eine anatomisch bedingt bessere Fixierung der Vene, die bereits durch die Anatomie ein Ausweichen bzw. Wegrollen der Vene erschwert!

8. Die korrekte Haltung der VK wird überprüft: Der Daumen der dominanten Hand liegt auf dem Ende der Plastikkanüle und der Zeige- und Mittelfinger auf dem farbigen Zuspritzventil.
9. Nun wird im 30- bis 40-Grad-Winkel rasch in Richtung des Venenverlaufs gestochen (der Schliff der Kanüle zeigt nach oben). Die Punktion ist erfolgreich, wenn Blut im durchsichtigen Kanülenansatz zu sehen ist.
10. Die VK wird noch einige Millimeter vorgeschoben, um sicherzugehen, dass sie sicher im Gefäß liegt.

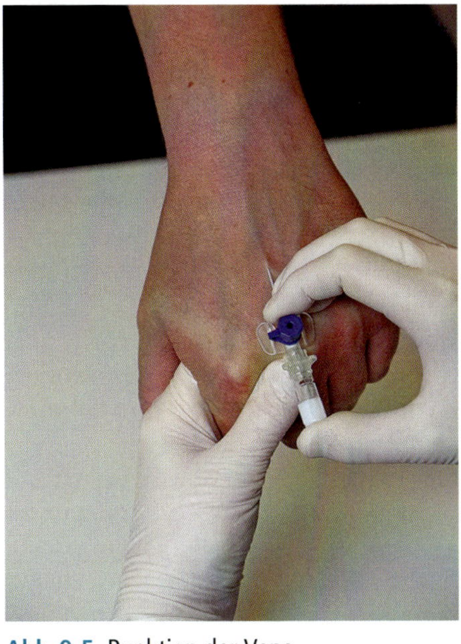

Abb. 9-5 Punktion der Vene

11. Der Stahlmandrin wird ca. 1 cm mit Zeige- bzw. Mittelfinger und Daumen zurückgezogen, damit sich der Schliff in der Plastikkanüle verbirgt. In der Plastikkanüle ist etwas Blut zu sehen.
12. Unter Fixierung des Stahlmandrins wird die Plastikkanüle unter einem abflachenden Winkel weiter vorgeschoben, um dem Verlauf der Vene zu folgen. Dies sollte ohne größeren Widerstand möglich sein.
13. Der Stauschlauch wird gelöst.
14. Zunächst wird die Kanüle mit einem Pflaster fixiert. Ein Tupfer wird unter die Plastikflügel gelegt, um Druckstellen zu vermeiden.
15. Ein weiterer Tupfer wird unter den z. T. herausgezogenen Stahlmandrin gelegt.
16. Die Vene wird ca. 2 cm oberhalb der Plastikkanüle mit der einen Hand abgedrückt, mit der anderen Hand wird der Stahlmandrin herausgezogen. Der Stahlmandrin wird sofort in einem Abwurfbehältnis entsorgt.
17. Eine Infusion wird angeschlossen oder ein Verschlussmandrin in die Plastikkanüle hineingeschoben (► Abb. 9-6).

Nachsorge

Kontrolliert wird, ob die Infusion gut und ohne Schmerzen über die gelegte VK einläuft und ob ein Paravasat entsteht.

Tipps und Tricks

- Die Prozedur sollte am sitzenden oder liegenden Patienten durchgeführt werden, um kollapsbedingten Verletzungen vorzubeugen. Der Arzt selbst sollte beim Punktieren auf einem Stuhl sitzen.

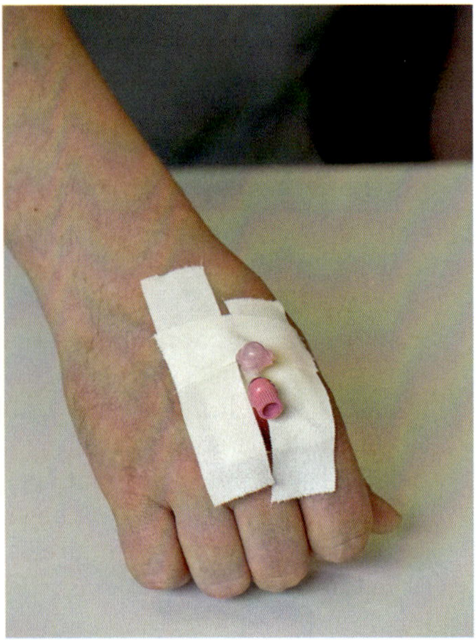

Abb. 9-6 Fixierte, mit Mandrin versorgte Venenverweilkanüle

- Bevor die VK gelegt wird, sollte in Ruhe überprüft werden, ob alle benötigten Materialien zur Verfügung stehen.
- Tipps zur Verbesserung der Venensituation:
  - Der Patient sollte die Hand unter Herzniveau halten.
  - Das Beklopfen und Bestreichen der Punktionsstelle hilft, die Vene aufzufinden.
  - Der Stauschlauch kann vor der Punktion an verschiedenen Stellen angelegt werden, um sich einen Eindruck über die Venenverhältnisse zu verschaffen.
  - Es kann helfen, die Hand bzw. den Arm unter warmes Wasser zu halten.
  - Der Patient kann eine Faust machen oder damit »pumpen«.
  - Nitrospray kann bei Bedarf lokal zur Vasodilatation eingesetzt werden.

Umgang mit Komplikationen

Bei paravasaler Lage: Je nach Dringlichkeit der Anlage einer Venenverweilkanüle kann ein neuer Punktionsversuch weiter distal durchgeführt werden. Dabei kann die ursprüngliche Punktionsstelle mit einem Tupfer versorgt und mit dem Stauschlauch fixiert werden. Gleichzeitig wird so für den neuen Punktionsversuch gestaut.

9.3 Port punktieren bzw. spülen

Kristina Jäkel und Bettina Brandt

Hintergrund

Der Port ist ein vollständig implantierbares System, welches einen zuverlässigen und dauerhaften zentralvenösen Zugang sicherstellt. Die Portsysteme bestehen aus einem zentralvenösen Katheter und einer subcutan zu platzierenden Injektionskammer mit einer nach oben abschließenden Silikonmembran (Septum), die mit einer percutanen, nichtstanzenden Nadel (Huber-Nadel) punktiert wird (► Abb. 9-7). Die Silikonmembran wird dadurch zerteilt, aber nicht ausgestanzt, sodass der Port je nach Hersteller 1000–3000 Mal angestochen werden kann.

Der Portkatheter selbst wird bei der Implantation über die V. cava superior bis kurz vor den rechten Vorhof vorgeschoben mit Zugang zum venösen Gefäßsystem über die V. cephalica, V. jugularis interna oder die V. subclavia.

9

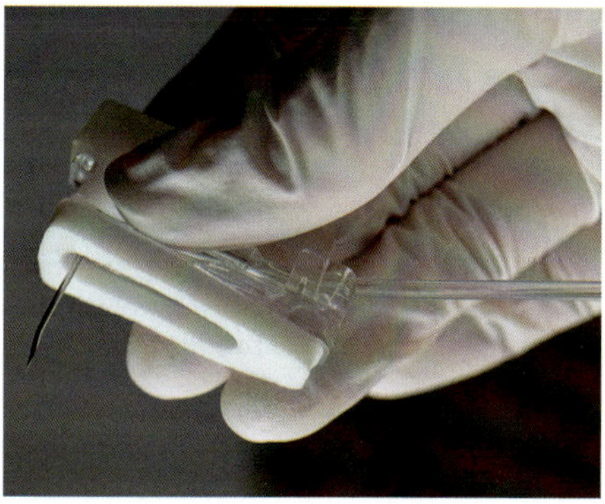

Abb. 9-7 Detailansicht Portnadel mit nichtstanzender Nadelspitze

Indiziert sind Portsysteme bei Patienten, die wiederholt venöse Zugänge für langfristige Infusionstherapien benötigen, insbesondere wenn therapiefreie Intervalle vorherzusehen sind. Der Vorteil dieser Art des zentralvenösen Zugangs liegt v. a. in der Erhaltung der Mobilität und Selbstständigkeit des Patienten, dadurch dass das System auch der ambulanten Behandlung uneingeschränkt und jederzeit zur Verfügung steht. Darüber hinaus führen Ports im Vergleich zu getunnelten und nichtgetunnelten zentralen Venenkathetern zu weniger katheterassoziierten Bakteriämien und zeichnen sich durch ihre lange Beständigkeit aus.

Indikationen

- Applikation systemischer Chemotherapie
- dauerhafte parenterale Ernährung

Sowie bei vorhandenem Portsystem:

- i. v. Applikation von Arzneimitteln
- Blutentnahme
- Bluttransfusion

Kontraindikationen

- hämorrhagische Diathese
- Hautinfektion an der Punktionsstelle
- postoperative Schwellung und Wundschmerz

  Der implantierende Chirurg legt fest, wann der Port angestochen werden darf.

Aufklärung

Eine schriftliche Aufklärung ist bei der Punktion des Ports im Gegensatz zur Implantation des Portsystems nicht notwendig. Der Patient sollte mündlich über die Indikation der beabsichtigten Portpunktion sowie deren Ablauf informiert werden.

Benötigtes Instrumentarium

- Einmalhandschuhe
- Mundschutz
- sterile Kompressen
- Hautdesinfektionsmittel
- ggf. steriles Lochtuch
- sterile Handschuhe
- Portpunktionsnadel in der entsprechenden Länge (abhängig von der Dicke des subcutanen Fettgewebes über dem Port und der Tiefe der Kammer)
- 0,9%ige NaCl-Lösung zum Entlüften der Portpunktionsnadel und zum Spülen
- 10-ml-Spritzen
- Kanülen zum Aufziehen der NaCl-Lösung
- ggf. Blutentnahmeröhrchen und benötigter Adapter
- vorbereitete Infusion bzw. steriler Verschlussstopfen
- ggf. sterile Arbeitsfläche
- Verbandmaterial

Durchführung

Es gibt Portnadeln, deren Verlängerungen mit oder ohne Klemme versehen sind. Verlängerungen ohne Klemme beinhalten ein selbstschließendes Sicherheitsventil, welches verhindert, dass Luft in das System gelangt. Die Gefahr bei einer Verlängerung mit Klemme ist, dass bei offener Klemme und fehlendem Anschluss (z. B. Spritze, Adapter) durch einen pulssynchronen Unterdruck Luft in das System gelangen kann, welche in ausreichender Menge eine Luftembolie verursachen kann. Deshalb sind zeitgerechtes Öffnen und Schließen der Klemme essenziell. Dies muss bei Verlängerungen ohne Klemme nicht beachtet werden.

> Bei offener Klemme werden niemals Spritzen bzw. Adapter an- oder abgestöpselt!

Legen einer Portnadel

1. Eine hygienische Händedesinfektion wird durchgeführt.
2. Der Patient wird in eine nahezu aufrecht sitzende Position gebracht.
3. Aufliegende Pflaster und Pflasterrückstände werden entfernt.
4. Sämtliche Kleidungsstücke, die ein steriles Arbeiten gefährden, werden ebenfalls entfernt.
5. Die Portkammer wird unter der Haut ertastet und die zu punktierende Membran identifiziert.
6. Einmalhandschuhe werden angezogen.
7. Eine sterile Arbeitsfläche sowie alle benötigten Materialien werden vorbereitet (falls kein Assistent zur Hand ist, der über die Dauer der Prozedur anreichen könnte).
8. Eine sterile Kompresse wird mit einem Hautdesinfektionsmittel getränkt. Die Haut über der Punktionsstelle und Portkammer wird mit von innen nach außen kreisenden Bewegungen, insgesamt 3-mal unter Einhaltung der Einwirkzeit (30–60 s), mit der desinfektionsmittelgetränkten Kompresse desinfiziert.
9. Die Einmalhandschuhe werden verworfen.
10. Sterile Handschuhe werden angezogen.
11. Ein die desinfizierte Punktionsstelle eingrenzendes Lochtuch kann zur Vergrößerung der sterilen Arbeitsfläche angebracht werden.
12. Die Portpunktionsnadel wird mit 0,9%iger NaCl-Lösung entlüftet.
    1. Der angebrachte Verschlussstopfen sowie eine ggf. vorhandene Klemme werden gelöst.
    2. Eine 10-ml-Spritze mit NaCl-Lösung wird angesetzt (die Spritze wird zunächst nicht abgenommen); die Portnadel wird bis zur vollständigen Entlüftung gespült und die Klemme am Schlauch der Portpunktionsnadel wird, falls vorhanden, geschlossen.
13. Die Sicherheitsvorrichtung an der Portnadel wird entfernt.
14. Die Portkammer wird fest zwischen Daumen-, Zeige- und Mittelfinger fixiert.
15. Die Portpunktionsnadel wird gerade, senkrecht zur Hautoberfläche in die subcutan gelegene Portkammer eingestochen, bis die Kammer sicher punktiert ist (d. h. bis zum Nadelstopp bzw. Kontakt der Nadel mit dem Boden der Portkammer).
16. Die Klemme, falls vorhanden, wird geöffnet, 1–2 ml Blut werden mit der

9

noch angeschlossenen Spritze aspiriert und die Klemme wird wieder geschlossen. Die Spritze mit aspiriertem Blut wird verworfen. Ohne geplante Blutabnahme weiter bei Punkt 18.

17. Falls eine Blutentnahme stattfinden soll, werden insgesamt 10 ml Blut bei offener Klemme aspiriert. Das Blut wird anschließend verworfen und nicht zur Analyse verwendet.
    1. Die Klemme wird, falls vorhanden, geschlossen.
    2. Der Adapter der Blutentnahmeröhrchen wird bei geschlossener Klemme, falls vorhanden, mit dem Schlauchende der Portnadel verbunden.
    3. Die Klemme, falls vorhanden, wird geöffnet. Nacheinander werden Blutentnahmeröhrchen auf den Adapter gesetzt und befüllt.
    4. Die Klemme, falls vorhanden, wird verschlossen und der Adapter entfernt.
18. Eine 10-ml-Spritze mit 0,9%iger NaCl-Lösung wird angesetzt. Die Klemme wird, falls vorhanden, geöffnet und unter positivem Druck (► Abschn. Tipps und Tricks) gespült. Am Ende dieses Vorgangs ist eine vorhandene Klemme geschlossen.
19. Die leere 10-ml-Spritze wird abgezogen.
20. Das Schlauchende wird desinfiziert.
21. Es folgt entweder ein aseptischer Anschluss einer Infusion oder das Anbringen eines sterilen Verschlussstopfens an das Schlauchende.
22. Das Lochtuch wird entfernt.
23. Die Portnadel wird mit einem am besten durchsichtigen Pflasterverband fixiert, um Schwellung und Rötung der umgebenden Haut als Zeichen einer möglichen Infektion beurteilen zu können.

Entfernen einer Portnadel

Die liegende Portnadel wird folgendermaßen wieder entfernt:

1. Das Schlauchende wird unter Beachtung der Einwirkzeit desinfiziert.
2. Der Verschlussstopfen am Schlauchende wird bei geschlossener Klemme, falls vorhanden, entfernt.
3. Eine leere 10-ml-Spritze wird angesetzt, die Klemme, falls vorhanden, geöffnet. 1–2 ml Flüssigkeit bzw. Blut werden aspiriert und die Klemme verschlossen.
4. Eine 10-ml-Spritze mit 0,9%iger NaCl-Lösung wird angesetzt. Die Klemme, falls vorhanden, wird geöffnet und die Portnadel unter positivem Druck (► Abschn. Tipps und Tricks) gespült. Am Ende dieses Vorgangs ist eine vorhandene Klemme wieder geschlossen. Die Spritze verbleibt am Schlauchende und wird mit der Portnadel im Gesamten entfernt. Sollte ein Assistent zur Seite stehen, der die Portkammer fixieren kann, kann die Portnadel unter kontinuierlicher Spülung gezogen werden.
5. Der aufliegende Verband wird vorsichtig gelöst. Meist wird der Verband an der Nadel verbleibend mit dieser entfernt.
6. Die Portnadel wird bei fixierter Portkammer entfernt.
7. Die Portpunktionsstelle wird mit einem sterilen Pflaster abgedeckt.

> Nicht angestochene Portkatheter brauchen keinen Verband, sodass das Pflaster am Folgetag bei guter Wundheilung entfernt werden kann.

Nachsorge

Liegende Portnadeln sollten täglich auf den korrekten Sitz, die richtige Fixierung und eventuelle Entzündungszeichen in der Umgebung kontrolliert werden. Häufige Manipulationen an der liegenden Portnadel sind zu vermeiden. Eine längere Liegezeit über mehrere Tage ist gegenüber häufigen Punktionen vorzuziehen. Es gibt keine Empfehlung zur max. Liegedauer von Portnadeln. In der Regel werden Portnadel und Verband alle 7 Tage gewechselt.

Das ruhende System sollte alle 4–6 Wochen mit 0,9%iger NaCl-Lösung gespült werden.

Tipps und Tricks

- Die Länge der zu benutzenden Portnadel sollte im Portausweis dokumentiert sein und ist als Orientierung zu verstehen. Die benötigte Länge kann je nach Ernährungszustand des Patienten deutlich variieren und muss bei jeder Punktion kritisch hinterfragt werden. Der Portausweis wird dem Patienten nach der Implantation ausgehändigt und enthält Informationen zum implantierten Portsystem. Einige Systeme sind z. B. für die Kontrastmittelgabe bei CT-Untersuchungen geeignet, andere wiederum nicht. Auch Flughafenkontrollen können, falls der Port einmal den Alarm des Sicherheitssystems auslösen sollte, mit einem vorgezeigten Portausweis zügig passiert werden.
- Um den Schmerz des Einstichs und die damit verbundene Angst zu reduzieren (v. a. bei Kindern), kann ein anästhesierendes Pflaster oder eine anästhesierende Creme (Lidocain, Prilocain, z. B. Emla® Creme) lokal auf die Punktionsstelle aufgetragen werden. Die Einwirkdauer beträgt dabei eine Stunde.
- Vor der Punktion kann der Patient gebeten werden, den Kopf zur Gegenseite zu richten, tief einzuatmen und die Luft anzuhalten. Diese Manöver helfen dabei, den Port zu stabilisieren.
- Beim Spülen des Ports sollten keine Spritzen verwendet werden, die kleiner als 10 ml sind, um einen Katheterbruch oder eine Portkatheterdiskonnektion zu vermeiden. Kleinere Spritzen bauen einen höheren Druck auf und können den Katheter zerstören und damit auch zur Katheterembolie führen.
- Vor der Verabreichung therapeutischer Lösungen sollte das System mit 0,9%iger NaCl-Lösung durchgespült werden. Auch wenn verschiedene Pharmaka hintereinander verabreicht werden, ist *nach jeder* Einzelapplikation mit 0,9%iger NaCl-Lösung zu spülen.
- Das Nutzen eines *positiven Drucks* beim Spülen eines Ports hilft, seine Durchgängigkeit zu erhalten, da sich so kein Vakuum nach dem Beenden des Spülens bildet, das Blut in den Katheter zurückziehen lässt, welches sich dort festsetzen könnte. Erreicht wird dies durch die Abfolge: gleichmäßiges Spülen bei offener Klemme, Schließen der Klemme und sofortiges Beenden des Spülens.

Umgang mit Komplikationen

Keine Aspiration möglich Ist keine Aspiration möglich, heißt das nicht unbedingt, dass die Portnadel falsch liegt. Es kann sein, dass der Portkatheter in diesem Fall der Venenwand anliegt. Durch eine Lagerungsänderung des Patienten (Kopf zur Gegenseite richten, Durchdrücken der Brust mit den Schultern nach hinten, Seitenlage oder Heben des Arms) und Atemmanöver (tief einatmen und Luft anhalten) kann eine Aspiration gelingen. Ist sie weiterhin nicht möglich, kann mit NaCl-Lösung gespült werden, um einen anliegenden Katheter ggf. von der Venenwand zu lösen. Ist der Durchfluss frei und keine Blutentnahme vorzunehmen, kann die Nadel belassen werden.

Kein Spülen möglich Ist auch das Spülen nicht möglich, muss neu punktiert werden. Möglicherweise steht die Nadel schief in der Membran des Ports, sodass sie sich nicht aspirieren und anspülen lässt. Die Nadel muss dann entfernt und ein neuer Punktionsversuch initiiert werden. Nach erneuter Desinfektion ist auf die gerade, senkrechte Führung der Nadel (90-Grad-Winkel zur Hautoberfläche) während der Punktion zu achten.

Fehlpunktion Die Portnadel kann auch gänzlich neben der Portkammer zum Liegen kommen, z. B. wenn der Port im Vorhinein sehr schlecht zu tasten ist, weil viel Unterhautfettgewebe über ihm liegt, oder die Portnadel zu kurz gewählt ist. Eine Aspiration ist in diesen Fällen meist nicht möglich, da die Nadel im Unterhautfettgewebe liegt. Beim Versuch des Spülens wird Kochsalz in das Gewebe gedrückt und es kommt zu einer sichtbaren Schwellung. Bei korrekter Punktion passiert dies nicht. Es muss ein weiterer Punktionsversuch, am besten nach Abklingen der Schwellung, unternommen werden.

> Vor dem Punktieren ist ein unbedingtes Ertasten der Portkammer notwendig, um diese entsprechend fixieren zu können. Ein blindes Punktieren ist selten erfolgreich. Auf die richtige Portnadellänge ist zu achten.

Sollten auch weitere Punktionen erfolglos sein, ist mittels Röntgenkontrolle die korrekte Lage des Katheters zu überprüfen. Wird eine Gefäßthrombose vermutet, sollte zur Feststellung eine Phlebografie durchgeführt werden.

Thrombosierung des Portkatheters Wird der liegende Katheter nach Nutzung nicht geblockt, kann es vermehrt zu Thrombosierung kommen, sodass das Portsystem ggf. unter großem Aufwand und großer Belastung für den Patienten wieder entfernt werden muss. Als Blocken wird die langsame Instillation einer Flüssigkeit in die Portkammer vor einer Therapiepause bezeichnet. Die Flüssigkeit verbleibt als ruhende Flüssigkeitssäule bis zur nächsten Anwendung im System. Konservativ kann bei Thrombosierung zunächst mit heparinisierter Kochsalzlösung (500 IE Heparin/ml NaCl 0,9 %) abwechselnd gespült und aspiriert werden. Bei einem kleinen Thrombus kann dies Wirkung zeigen. Andernfalls kann mit fibrinolytischen Wirkstoffen gearbeitet werden. Zum Beispiel können 3 ml Urokinase (5 000 IE/ml) appliziert werden (z. B. Urokinase HS medac); nach 5–10 minütigem Warten erfolgt ein Aspirationsversuch und ggf. eine erneute Urokinaseapplikation. Das Vorgehen wird alle 5 min wiederholt, bis der Katheter wieder frei durchgängig ist oder max. 30 min vergangen sind.

Ob das Blocken mit Heparin oder mit 0,9%iger NaCl-Lösung erfolgen sollte, wird kontrovers diskutiert. Kochsalzlösung scheint eine sichere und effektive Blocklösung zu sein, sodass Heparin immer seltener genutzt wird und auch hier nicht als Blocklösung beschrieben ist.

Infektion des Portsystems Zu den häufigsten Komplikationen gehört die Infektion des Portsystems, weshalb ein steriler und besonders sorgsamer Umgang bei Punktionen des Systems unbedingt einzuhalten ist. Es kann im Rahmen einer Infektion zur lebensbedrohlichen Sepsis kommen. Bei V.a. eine Portinfektion (Schwellung, Rötung, Schmerzen, Überwärmung der Portimplantationsstelle und/oder Fieber und/oder Hypotonie, für die keine andere Quelle als der Katheter identifiziert werden können) sollten gleichzeitig Blutkulturen jeweils aus dem Port und den peripheren Venen zur Bestimmung der Differential Time to Positivity (DTP) abgenommen werden. Die Blutkulturflaschen werden bebrütet und die Zeit vom Beginn der Bebrütung bis zur Positivdetektion miteinander verglichen. Ein Zeitunterschied von 2 oder mehr Stunden (die Blutkulturflaschen aus dem Port zeigen früher Wachstum) gilt als Nachweis, dass der Katheter kontaminiert ist. Je nach klinischer Situation kann ein konservativer Therapieversuch mit systemischer Antibiose gewagt werden. Bei liegender Portnadel kann die Antibiose durch diese erfolgen. Liegt keine Nadel, sollte zunächst 24–48 h über einen peripheren Zugang antibiotisch behandelt werden. Erst dann wird der Port punktiert und über diesen antibiotisch behandelt. Dabei hat sich in einigen Krankenhäusern das Blocken mittels antimikrobiell wirksamer Blocklösung etabliert. Ist die Infektion konservativ nicht zu beherrschen, ist die Explantation des Portsystems notwendig mit mikrobiellem Nachweis des Keims und anschließender spezifischer antibiotischer Therapie.

Sonstiges Auch bei einem Port kann es zur Paravasation, Portdislokation oder Migration der Portkammer kommen. Bei Auffälligkeiten in der Handhabung ist auch an diese Möglichkeiten zu denken. Der Port muss dann chirurgisch revidiert werden.

Weiterführende Literatur

Darmzentrum Hamm-Süden. Alles Wissenswerte um den Port. Management portassoziierter Komplikationen. www.darmzentrum-hamm.de/fileadmin/pdf/vortraege/Vortrag_Alles_Wissenwerte_um_den_Port_Kuehne.pdf (letzter Zugriff: 06.06.2016).

Schmalzer N, Stangl WM, Guger-Halper U. Umgang mit Port-Systemen aus Sicht der Pflege. A. ö. KH Oberwart. Interne Abteilung mit Onkologie. Stand: 12/2005. www.krages.at/fileadmin/daten/OWA/Umgang_mit_Port_Systemen_aus_Sicht_der_Pflege.pdf (letzter Zugriff: 06.06.2016).

Uhrig M. Portkatheter. Stand: September 2015. www.onkopedia.com/de/onkopedia-p/guidelines/portkatheter/@@view/html/index.html (letzter Zugriff: 06.06.2016).

9.4 Blutabnahme beim Säugling

Anne J. Törmer und Folkert Fehr

Hintergrund

Einer Blutabnahme beim Säugling stehen die Eltern oft kritisch und ängstlich gegenüber. Auf die Frage: »Ist das denn wirklich nötig?« sollte jeder Arzt gut vorbereitet sein, um die Aufklärung und Diskussion mit den besorgten Eltern abzukürzen.

Typischerweise werden von den Eltern folgende Fragen gestellt:

- Wo nehmen Sie das Blut ab?
- Welche Blutwerte und wie viel Blut nehmen Sie ab?

- Muss das Kind dafür nüchtern sein?
- Was sind mögliche Nebenwirkungen oder gar Folgeschäden dieses »Traumas« für das Kind?
- Wann werden die Ergebnisse voraussichtlich vorliegen?
- Welche Konsequenzen ergeben sich aus den Ergebnissen bzw. wenn die Zustimmung zur Blutabnahme verweigert wird?
- Wann haben Sie das zuletzt bei einem so kleinen Kind gemacht?

Indikation

Ergeben sich aus der Verdachtsdiagnose, die klar formuliert sein sollte (ggf. inkl. möglicher Differenzialdiagnosen), notwendige Laborparameter, so ist die Blutabnahme für die Eltern besser nachvollziehbar. Mitunter ergibt sich ein Stufenschema für die Anforderung, z. B. bei Abklärung von hohem Fieber ohne klaren Fokus: im ersten Schritt die Unterscheidung zwischen einer bakteriellen und viralen Infektion und im zweiten Schritt evtl. die spezifische serologische Untersuchung.

Im Zweifelsfall empfehlen wir, aktuelle Leitlinien mit Fließschemata zur Verdachtsdiagnose nachzuschlagen, aus denen weitere Laborparameterbestimmungen bei auffälligen Primärwerten hervorgehen.

Kontraindikationen

- Punktion im Bereich infizierter Haut und Weichteile
- Punktion an einer gelähmten Extremität

Aufklärung

Mit den Eltern werden im Vorfeld die Indikation zur Blutabnahme, der Ablauf inkl. schmerzlindernder Maßnahmen und die möglichen Komplikationen besprochen.

- Mit Ausnahme weniger Parameter, die eine Nüchternheit voraussetzen, sollte der Säugling zuvor *unbedingt* gefüttert werden.
- Lokalanästhetika zum Auftragen auf die Haut vor der Blutabnahme sind bei Säuglingen ab einem Alter von 3 Monaten zugelassen (► Abschn. Durchführung).

Benötigtes Instrumentarium

- Kanüle (20G) oder Butterfly (21G)
- Kinderröhrchen, möglichst immer ein zusätzliches Serumröhrchen
- Handschuhe
- Desinfektionsmittel
- Tupfer
- Pflaster
- ggf. Stauschlauch, auch wenn meist mit der Hand gestaut wird
- Nadelabwurfbehälter
- fokussierte Lichtquelle
- weiche Unterlage, ggf. Wärmequelle

Durchführung

In Rücksprache mit dem zuständigen Labor muss im Vorfeld geklärt sein, *wie viel* Blut in *welchem* Reagenz in *welcher* Form *wann* abgeholt wird. Dabei sollte auch nach dem Vorliegen der altersentsprechenden Normwerte gefragt werden. Die meisten Labore bieten einen Flyer zur Präanalytik an.

Vorbereitung

- Ab einem Alter von 3 Monaten sind Lokalanästhetika zum Auftragen auf die Haut zugelassen. Diese sollten eine Stunde einwirken und mind. 10 min vor der Punktion abgenommen werden, damit die Gefäße wieder weit

werden! Dazu muss der blutabnehmende Arzt im Vorfeld zwei mögliche, optimale Punktionsstellen aussuchen und ggf. markieren.
- Wir würden den Eltern offen lassen, bei der Blutabnahme anwesend zu sein oder – insbesondere bei Kollapsgefahr – vor der Tür zu warten.

Es wird dringend empfohlen, während der Abnahme einen Schnuller oder Finger zum Festsaugen bereitzuhalten.

Finden der Vene

- Mit ein bisschen Glück springen – bei warmen Extremitäten – Venen an Händen und Ellenbeugen ins Gesicht. Sollte dies nicht der Fall sein, empfehlen wir das gründliche Vorprüfen der versteckten Venen unter Stauung.
- Im Zweifelsfall sollte immer auf gut sichtbare Venen am Schädel oder am Fuß ausgewichen werden. Davon abgeschreckte Eltern lenken meist ein, wenn sie verstehen, dass ein blindes oder gar fächerndes Stechen ein erhöhtes Risiko von Gewebs-, Gefäß- und Nervenschäden mit sich bringt.

Das Wichtigste an der Blutabnahme ist, zunächst die *beste* Vene zu finden, um dann mit aller Zuversicht zustechen zu können.

9

Blutabnahme

1. Der blutabnehmende Arzt sollte bequem sitzen und dabei seinen Rücken schonen.
2. Wir empfehlen folgende Möglichkeiten, das Kind zu lagern: Abbildung 9-8a zeigt *Setting 1*, bei dem der Säugling in Froschhaltung liegt. Er nuckelt und ist einem Elternteil zugewandt, das beruhigenden Körperkontakt gibt und ggf. mit festhält. Der Arm für die Punktion (im selteneren Fall das Bein) wird von einer Hilfsperson festgehalten. Abbildung 9-8b zeigt *Setting 2*, bei dem der Säugling liegend in der Froschhaltung in einem Tuch eingewickelt ist. Er nuckelt und sein Kopf wird von einer Hilfsperson fixiert.
3. Mit wenigen Worten und ruhiger Stimme wird das Handeln Schritt für Schritt angekündigt.

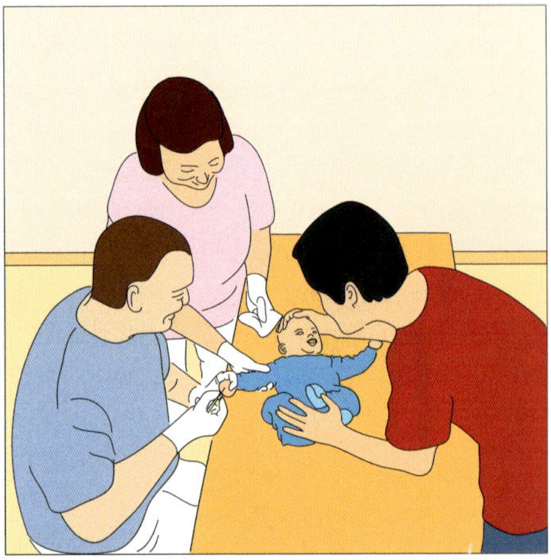

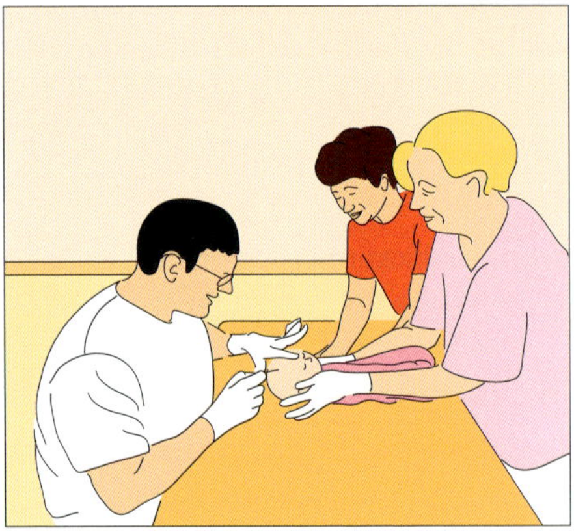

Abb. 9-8 Blutabnahme beim Säugling: Setting 1 (**a**); Setting 2 (**b**)

4. Der zu desinfizierende Bereich wird abgesprüht, mit einem Tupfer abgewischt, dann erneut abgesprüht. Die Einwirkzeit muss beachtet werden. In Gesichtsnähe sollte Wund- und Schleimhautdesinfektionsmittel verwendet werden.
5. Im entsprechenden Bereich wird entweder mit der Hand oder mit dem Stauschlauch gestaut. Spätestens jetzt sollten Froschstellung und Nuckeln herbeigeführt werden.
6. Punktiert wird zunächst zügig durch die Haut, danach je nach Tiefe vorsichtiger, um nicht durchzustechen. Im Zweifelsfall sollte die Nadel vorsichtig zurückgezogen werden. Ein ggf. verwendeter Butterfly wird fixiert.
7. Die Röhrchen werden gefüllt; dabei ist die Reihenfolge und die notwendige Menge zu beachten. Diese hängt von der gewünschten Diagnostik ab. Die Röhrchen werden zügig verschlossen und geschwenkt.
8. Am Ende:
   1. Der Stauschlauch wird gelöst.
   2. Die Nadel wird direkt sicher entsorgt.
   3. Auf eine ausreichende Kompression ist zu achten.
   4. Ein Pflaster wird auf die Haut aufgebracht.

Nachsorge

- Es wird eine Vereinbarung über die Art und Weise sowie über den Zeitpunkt der Befundmitteilung getroffen.
- Die Eltern werden gebeten, das Kind bei zunehmender, schmerzhafter Schwellung an der Punktionsstelle noch einmal vorzustellen.
- Oft wird die Frage gestellt, wann das Kind wieder gebadet werden darf. Dies ist aufgrund der Punktion noch am selben Tag möglich, sollte allerdings von der Grunderkrankung abhängig gemacht werden.

Tipps und Tricks

- möglichst eine zusätzliche Hilfsperson im Hintergrund, z. B. für das zügige Schließen und Wenden der kleinen EDTA-Röhrchen oder für den Fall, dass etwas fehlt bzw. herunterfällt
- für den Säugling grelles Licht – insbesondere Deckenneonröhrenlicht – abschirmen, ggf. ein Tuch locker über die Stirn legen
- optimistische, freundliche und ruhige Stimmung unter allen Anwesenden verbreiten
- bei unruhigem Kind Singen, Spieluhr, knisternde Folie oder andere Ablenkungsmanöver erwägen
- sollte der Säugling nüchtern oder trotz Fütterung unruhig sein, sich nicht ausreichend am Schnuller oder Finger festnuckeln können: Glucose 40 % aus der Ampulle tropfenweise auf die Zunge geben und erneut nuckeln lassen
- bei frustraner Punktion: Ruhe bewahren, für Wärme sorgen, abwägen und die beste Vene suchen, eine Pause oder nach Möglichkeit auch einen Personalwechsel in Betracht ziehen
- häufiges Problem bei Laborproben von Kindern: unzureichend gefüllte Röhrchen; bitte auch bei EDTA und Serum die Strichmarkierung beachten
- für die Ergebnisabzeichnung und -mitteilung: Praxisstandard, um auffällige Befunde nicht zu übersehen und ungeduldigen Nachfragen einen klaren Zeitpunkt zuzuweisen

Umgang mit Komplikationen

Über das Hämatom als häufigste Komplikation sollte primär aufgeklärt und bei Auftreten eine lokale Kühlung empfohlen werden.

Weiterführende Literatur

Herrington CJ, Chiodo LM. Human touch effectively and safely reduces pain in the newborn intensive care unit. Pain Manag Nurs 2014; 15: 107–15.

Johnston C, Campbell-Yeo M, Fernandes A et al. Skin-to-skin care for procedural pain in neonates. Cochrane Database Syst Rev 2014; 23: 1:CD008435.

Librizzi J, Winer JC, Banach L, Davis A. Perceived core competency achievements of fellowship and non-fellowship-trained early career pediatric hospitalists. J Hosp Med 2015; 10: 373–9.

Lopez O, Subramanian P, Rahmat N et al. The effect of facilitated tucking on procedural pain control among babies. J Clin Nurs 2015; 24: 183–91.

Yumoto Y. The procedures for sampling specimens in pediatrics. Rinsho Byori 2014; 62: 766–74.

9.5 Blutabnahme beim Kleinkind

Anne J. Törmer und Folkert Fehr

Hintergrund

Der Blutabnahme beim Kleinkind stehen manche Eltern kritisch gegenüber, gerade weil die Kinder zunehmend verstehen, was mit ihnen geschieht, sich wehren und es allen nachtragen können (► auch Abschn. 9.4 Hintergrund). Es lohnt sich, für die Blutabnahme beim Kleinkind im Team einen klaren Ablauf einzustudieren, der mögliche Missgeschicke und Komplikationen miteinbezieht und den beteiligten Personen Sicherheit gibt. Insbesondere die Person, die das Kleinkind mit festhält, sollte starke Nerven beweisen und darauf vorbereitet sein, trotz Geschrei und ggf. Tritten des Kindes nicht lockerzulassen.
Es sei aber auch erwähnt, dass mit zunehmendem Alter der Kinder und positiver Erfahrung mit Blutabnahmen einige Eltern schon bei den geringsten Symptomen um eine solche zur Klärung bitten. Zum Beispiel: »Mein Kind ist so blass und isst nicht richtig.« An dieser Stelle ist es umso mehr ärztliche Aufgabe, nachzufragen, die Beschwerden ggf. zunächst mithilfe von Protokollen und Symptomkalendern einzuordnen und nicht zuletzt anhand einer gründlichen körperlichen Untersuchung die wirklich notwendigen Laborparameter einzugrenzen.

Indikation

Die Indikation für die Blutabnahme bei einem Kleinkind ergibt sich aus der Verdachtsdiagnose und möglichen Differenzialdiagnosen.
Für die eventuelle Nachmeldung von zusätzlichen Parametern nach der Primärdiagnostik können mit zunehmendem Alter der Kinder immer bereitwilliger Reserveblutröhrchen abgenommen (und meist auch im Labor gelagert) werden. Im Zweifelsfall empfehlen wir, aktuelle Leitlinien zur Verdachtsdiagnose nachzuschlagen, die Fließschemata enthalten, aus denen mögliche Konsequenzen bei auffälligen Laborparametern hervorgehen.
Zuletzt lohnt sich ein erneuter Blick auf die Vorgeschichte und Familienanamnese mit der Frage, ob bei dieser Gelegenheit auch noch andere Werte mit abgenommen werden sollten.

Kontraindikationen

- Punktion im Bereich infizierter Haut und Weichteile
- Punktion an einer gelähmten Extremität

Aufklärung

Mit den Eltern werden im Vorfeld die Indikation, der Ablauf der Blutabnahme inkl. schmerzlindernder Maßnahmen und die möglichen Komplikationen besprochen. Der Einsatz von Lokalanästhetika zum Auftragen auf die Haut zur Schmerzlinderung vor der Blutabnahme wird den Eltern erläutert (► Abschn. Durchführung).

Benötigtes Instrumentarium

- Kanüle (20G) oder Butterfly (21G)
- Kinderröhrchen, möglichst immer ein zusätzliches Serumröhrchen
- Handschuhe
- Desinfektionsmittel
- Tupfer
- Pflaster
- Stauschlauch, falls Handstauung nicht ausreichend möglich
- Nadelabwurfbehälter
- fokussierte Lichtquelle
- ausreichend Sitz- und Abstellmöglichkeiten, ggf. Wärmequelle

Durchführung

In Rücksprache mit dem zuständigen Labor muss im Vorfeld geklärt sein, *wie viel* Blut *in welchem* Reagenz in *welcher* Form *wann* abgeholt wird. Dabei sollten auch altersentsprechende Normwerte erfragt werden. Die meisten Labore bieten einen Flyer zur Präanalytik an.

Vorbereitung

- Es lohnt sehr, sich die Zeit für lokalanästhetische Methoden zu nehmen. Bei einer geplanten Blutabnahme kann den Eltern im Vorfeld ein lokalanästhesierender Pflasterverband mitgegeben werden, um es für eine Stunde dort aufzutragen, wo gestochen werden soll (zwei Optionen sollten vom Arzt eindeutig markiert werden). Das Pflaster wird mind. 10 min vor der Punktion abgenommen, damit die Gefäße wieder weit werden.
- Insbesondere gegenüber dem Kleinkind sollten die Eltern auf der Seite des Arztes stehen: »Es muss sein und es wird gut gelingen, wenn alle mithelfen.« Dann gilt es, in einer geeigneten Sprache auch dem Kleinkind selbst das Vorgehen zu schildern.

> Wir möchten ausdrücklich davon abraten, zu lügen und gar eine schmerzlose Punktion zu prophezeien. Auch die Eltern sollten davon abgehalten werden, das Kind dahingehend zu beeinflussen.

Das Kind wird mit wenigen klaren Worten auf das Festhalten »auf dem Schoß/im Arm/kuschelnd mit dem Elternteil« und einen kurzen »Piks« oder »Stich« vorbereitet, ohne dabei Panik zu schüren. Negative Worte wie »Schmerz, Wehtun, Brennen« sollten vermieden werden.

- Ablenkungsmanöver sind in verschiedener Form erwünscht und gelingen auch tatsächlich manchmal gut, können das Kind aber auch schwer verunsichern oder den Arzt bei der Blutabnahme behindern. Das Wichtigste ist, dass die Eltern in positiver, einvernehmlicher Weise tröstend anwesend sind. Wir würden nur Eltern mit sehr wahrscheinlicher Kollapsgefahr oder extrem kontraproduktivem z. B. angstschürendem Verhalten aus dem Raum lassen. Schnuller- oder Fingernuckeln muss erlaubt werden und die ggf. dafür gebrauchte Hand ist heilig. Als weitere Ablenkung sollte das Kind möglichst in ein reges Gespräch verwickelt werden.

Finden der Vene

- Mit ein bisschen Glück springen – bei warmen Extremitäten – Venen an Händen und Ellenbeugen ins Gesicht. Sollte dies nicht der Fall sein, empfehlen wir das gründliche Vorprüfen der versteckten Venen unter Stauung.
- Im Zweifelsfall sollte immer auf gut sichtbare Venen am Handrücken, radialen Unterarm oder am Fuß ausgewichen werden. Davon abgeschreckte Eltern lenken meist ein, wenn sie verstehen, dass ein blindes oder gar fächerndes Stechen ein erhöhtes Risiko von Gewebs-, Gefäß- und Nervenschäden mit sich bringt.

> Das Wichtigste an der Blutabnahme ist, zunächst die *beste* Vene zu finden, um dann mit aller Zuversicht zustechen zu können.

Blutabnahme

1. Der blutabnehmende Arzt sollte bequem in Augenhöhe zum Kind sitzen und dabei seinen Rücken schonen.
2. Wir empfehlen folgende Möglichkeiten, das Kleinkind zu lagern: Abbildung 9-9a zeigt *Setting 1*, bei dem das Kind quer auf dem Schoß eines Elternteils sitzt, den freien Arm auf dessen Rücken. Es wird vom Elternteil umarmt und hält, so gut es geht, Blickkontakt zu diesem. Abbildung 9-9b zeigt *Setting 2*, bei dem das Kleinkind mit angewinkelten Beinen, die Füße auf die Unterlage gestellt, liegt und zur vertrauten Person blickt.
3. Mit wenigen Worten und ruhiger Stimme wird das Handeln Schritt für Schritt angekündigt oder ein Gespräch über etwas anderes mit dem Kind begonnen.
4. Der zu desinfizierende Bereich wird abgesprüht, mit einem Tupfer abgewischt, dann erneut abgesprüht. Die Einwirkzeit muss beachtet werden.
5. Der Stauschlauch wird angelegt und es wird sichergestellt, dass das Kind ausreichend festgehalten wird.

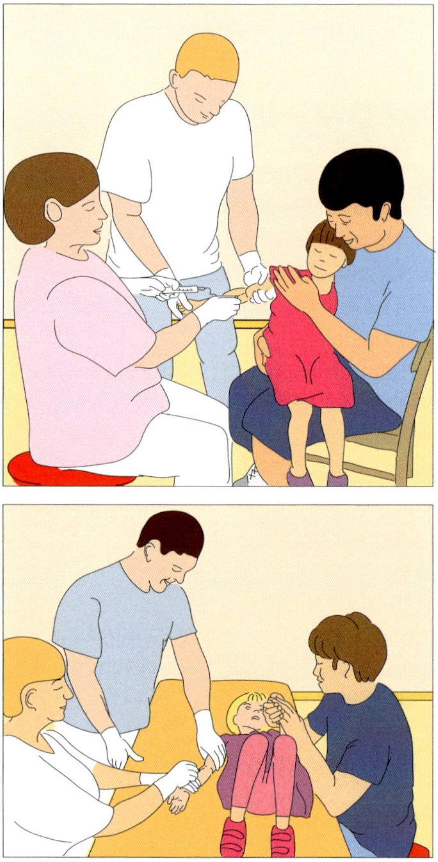

Abb. 9-9 Blutabnahme beim Kleinkind: Setting 1 (**a**); Setting 2 (**b**)

6. Punktiert wird zunächst zügig durch die Haut, danach je nach Tiefe vorsichtiger, um nicht durchzustechen. Im Zweifelsfall sollte die Nadel vorsichtig zurückgezogen werden. Ein ggf. verwendeter Butterfly wird fixiert.
7. Bei der Röhrchenfüllung ist die Reihenfolge und – je nach gewünschter Diagnostik – die notwendige Menge zu beachten. Gegebenenfalls ist ein zusätzliches Serumröhrchen erforderlich. Die Röhrchen werden zügig verschlossen und geschwenkt.
8. Am Ende:
   1. Der Stauschlauch wird geöffnet.
   2. Die Nadel wird direkt sicher entsorgt, bevor das Kind losgelassen wird.
   3. Auf eine ausreichende Kompression ist zu achten.
   4. Ein Pflaster wird angebracht.

Zum Schluss wird der Held mit Süßem oder Salzigem, einem kleinen Geschenk oder einer Tapferkeitsurkunde gefeiert.

Nachsorge

Es wird eine Vereinbarung über die Art und Weise sowie über den Zeitpunkt der Befundmitteilung getroffen. Die Eltern werden gebeten, das Kind bei zunehmender, schmerzhafter Schwellung an der Punktionsstelle noch einmal vorzustellen.

Tipps und Tricks

- möglichst eine zusätzliche Hilfsperson im Hintergrund zum ggf. erforderlichen Festhalten bei starker Gegenwehr, für das zügige Schließen und Wenden der kleinen Röhrchen oder wenn einmal etwas fehlt oder herunterfällt
- grelles, insbesondere Deckenneonröhrenlicht abschirmen
- Lagerungen vermeiden, die eine Fixierung oder ein Überfallen des Kindes suggerieren könnten
- optimistische, freundliche und ruhige Stimmung unter allen Anwesenden verbreiten
- bei frustraner Punktion: Ruhe bewahren, für Wärme sorgen, abwägen und die beste Vene suchen, eine Pause oder nach Möglichkeit auch einen Personalwechsel in Betracht ziehen
- »Gleich vorbei!« oder ähnliche Kommentare der Eltern unterbinden
  Der Arzt selbst sagt, wann etwas vorbei ist oder ob noch einmal gestochen werden muss.
- häufiges Problem bei Laborproben von Kindern: unzureichend gefüllte Röhrchen; bitte auch bei EDTA und Serum die Strichmarkierung beachten
- für die Ergebnisabzeichnung und -mitteilung: Praxisstandard, um auffällige Befunde nicht zu übersehen und ungeduldigen Nachfragen einen klaren Zeitpunkt zuzuweisen

Umgang mit Komplikationen

Über das Hämatom als häufigste Komplikation sollte primär aufgeklärt und bei Auftreten eine lokale Kühlung empfohlen werden.

Weiterführende Literatur

Bisogni S, Dini C, Olivini N et al. Perception of venipuncture pain in children suffering from chronic diseases. BMC Res Notes 2014; 7: 735.

Gwetu TP, Chhagan MK. Use of EMLA cream as a topical anaesthetic before venepuncture procedures in field surveys: a practice that helps children,

9

parents and health professionals. S Afr Med J 2015; 105: 600–2.
Harnik E, Moreiras J. Blood-taking procedures in children. Br J Hosp Med (Lond) 2014; 75: C130–32.
Sahiner NC, Bal MD. The effects of three different distraction methods on pain and anxiety in children. J Child Health Care 2015; pii: 1367493515587062 [Epub ahead of print].
Vetri Buratti C, Angelino F, Sansoni J et al. Distraction as a technique to control pain in pediatric patients during venipuncture. A narrative review of literature. Prof Inferm 2015; 68: 52–62.

9.6 Aderlasstherapie

Elisabeth Flum

Hintergrund

Die Aderlasstherapie ist ein seit der Antike angewendetes Verfahren aus der Erfahrungsheilkunde (Fünf-Säfte-Theorie nach Hippokrates). Heutzutage besteht die Indikation zum Aderlass, wenn das Körpereisendepot reduziert bzw. wenn die Blutviskosität gesenkt werden soll. Ziel ist es, den Ferritin- bzw. den Hämatokritwert in den Normbereich zu senken und dort zu halten. Pro Aderlass von 500 ml werden dem Körper 250 mg Eisen entzogen.

9

Indikationen

- hereditäre Hämochromatose
- Porphyria cutanea tarda
- Polycythaemia vera
- sekundäre Polyglobulie (z. B. bei chronischer Hypoxämie bei COPD oder pulmonaler Hypertonie)
- Zentralvenenthrombose oder Venenastthrombose des Auges

Kontraindikationen

- reduzierter Allgemeinzustand bzw. Kachexie
- höheres Lebensalter
- Exsikkose
- ausgeprägte Anämie
- Hypotonie
- schwere Herzinsuffizienz oder Herzklappeninsuffizienz
- Leberzirrhose
- Schwangerschaft

Aufklärung

Der Patient muss über den Grund, die Durchführung und sämtliche Komplikationen der Prozedur in ausreichender Form aufgeklärt worden sein und sein Einverständnis dazu gegeben haben. Der Patient muss darauf hingewiesen werden, dass am Tag des Aderlasses die körperliche Leistungsfähigkeit und die Fähigkeit, ein Fahrzeug zu führen bzw. Maschinen zu bedienen, eingeschränkt ist. Die Aufklärung und Einwilligung des Patienten muss in der Patientenakte dokumentiert werden.

Benötigtes Instrumentarium

Es kann entweder ein geschlossenes oder ein offenes System verwendet werden. Ein *geschlossenes* System ist hygienischer, jedoch mit höheren Kosten verbunden. Ein *offenes* System ist kostengünstig, jedoch unhygienisch und in der Handhabung umständlicher. Die Gefahr einer Infektion ist beim offenen System größer. Bei Glasverwendung muss eine Sterilisationsmöglichkeit gegeben sein.

Geschlossenes System

- großvolumige Venenkanüle (grün bzw. weiß)
- Sekretbeutel oder Vakuumbehälter
- alternativ: Sekretbeutel mit integrierter Kanüle (► Abb. 9-10)

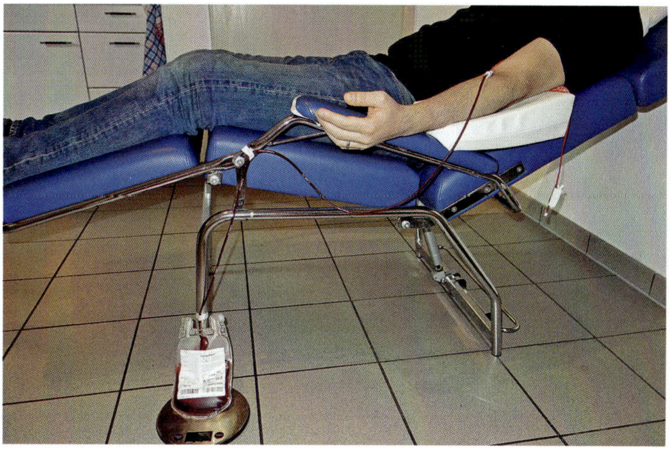

Abb. 9-10 Aderlass: geschlossenes System

Offenes System

- großvolumige Venenkanüle (grün bzw. weiß)
- gekürztes Infusionsbesteck
- ausreichend großer Auffangbehälter aus Plastik oder Glas

Eine Waage ist bei Verwendung eines Sekretbeutels hilfreich. Dabei entsprechen 500 ml Blut ca. 530 g (spezifisches Gewicht 1,06). Im Glasgefäß kann die entnommene Blutmenge gut überwacht werden.

Durchführung

1. Eine Venenverweilkanüle wird gelegt (► Abschn. 9.2).
2. Der Aderlass ist kreislaufbelastend, er muss daher am liegenden Patienten durchgeführt werden. Je nach Indikation werden 200–400 ml bis max. 500 ml Blut (ca. 7 ml/kg KG) entnommen.
3. Bei einem *isovolämischen Aderlass* wird direkt im Anschluss eine Infusion von isotonischer Kochsalz- oder Ringer-Lösung in der Menge des entnommenen Blutvolumens durchgeführt. Dies dient der Vermeidung von kardiovaskulären Komplikationen. Alternativ kann der Patient während oder im Anschluss an die Prozedur die entsprechende Menge an Flüssigkeit trinken.

Nachsorge

Je nach Indikationsstellung wird der Therapieerfolg über die Kontrolle des Serum-Ferritins (Ziel: i. d. R. < 50 µg/l) bzw. des Hämatokritwerts (Ziel: i. d. R. < 45 %) überprüft. Der Aderlass sollte nach frühestens einer Woche wiederholt werden, je nach Indikation ggf. mehrere Male. Nach Erreichen der Zielwerte sind eine regelmäßige Kontrolle der Parameter und ggf. eine Erhaltungstherapie mit wenigen Aderlässen pro Jahr nötig.

Tipps und Tricks

- Zur Gewährleistung der Patientensicherheit muss der Patient kontinuierlich während der gesamten Prozedur von medizinisch geschultem Personal überwacht werden (z. B. Puls- und Blutdruckmessung initial, währenddessen und abschließend).

- Für eine entspannte Vorbereitung, Durchführung und Nachbereitung des Aderlasses sollten sowohl Patient als auch Praxis ausreichend Zeit einplanen (ca. eine Stunde).
- Die Entsorgung der Kanüle erfolgt in durchstichsicheren Abwurfbehältern, alles Restliche über den Hausmüll der Praxis.

Umgang mit Komplikationen

Bei der Aderlasstherapie kann es zu verschiedenen Komplikationen wie z. B. Blutdruckabfall, Veränderung der Herzfrequenz, Schwindel, Kreislaufkollaps oder Synkope kommen, die durch entsprechende notfallmedizinische Maßnahmen (z. B. Lagerung, Infusionstherapie) behandelt werden müssen. Seltene kardiovaskuläre Komplikationen wie Herzinfarkt oder Thrombose – bedingt durch die initiale Hämokonzentration infolge verzögerter Mobilisation von Gewebsflüssigkeit in die Gefäße – müssen sofort notfallmäßig behandelt werden. Hämatome an der Punktionsstelle, Verletzungen von Nerven oder Gefäßen oder Infektionen müssen je nach klinischer Ausprägung entsprechend therapiert werden.

Weiterführende Literatur

Beer A-M, Adler M. Leitfaden Naturheilverfahren – für die ärztliche Praxis. München: Urban & Fischer bei Elsevier 2012.
Classen M, Diehl V, Kochsiek K. Innere Medizin. 6. Aufl. München: Urban & Fischer bei Elsevier 2009.

9

9.7 Punktieren eines Pleuraergusses

Kristin Seele, Grit Hübsch und Antje Bergmann

Hintergrund

Die Punktion eines Pleuraergusses ist in der Hausarztpraxis eine sehr seltene Prozedur.

Ein Pleuraerguss (► Abb. 9-11) entsteht bei Patienten mit tumorösen, infektiösen und fortgeschrittenen kardialen Erkrankungen. Bevor eine Pleurapunktion durchgeführt wird, muss zur Beurteilung der Ergussmenge, der Ausbreitung und zum Aufsuchen einer geeigneten Punktionsstelle eine Ultraschalluntersuchung erfolgen. Nach der Pleurapunktion sollte eine Möglichkeit zur Nachbeobachtung des Patienten gegeben sein.

Indikation

Die Punktion eines Pleuraergusses in der hausärztlichen Praxis ist zur Reduktion von Luftnot in einer hochpalliativen Situation indiziert.

! Die Indikation sollte sehr streng gestellt werden, da evtl. auftretende Komplikationen stationär behandelt werden müssen. Rein diagnostische oder kurative Punktionen erfolgen ausschließlich in einer geeigneten Klinik.

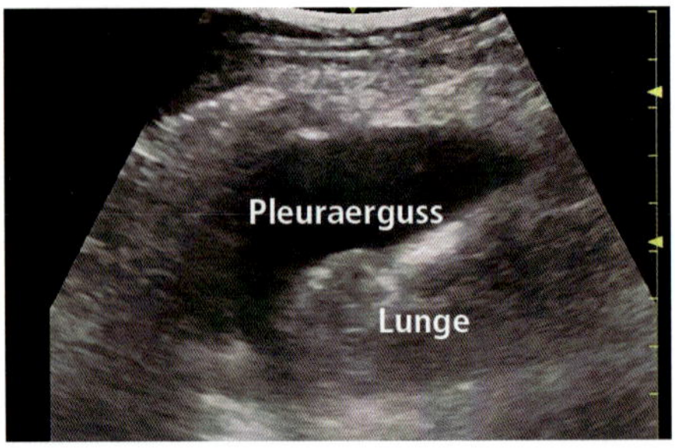

Abb. 9-11 Pleuraerguss rechts

Kontraindikationen

- Gerinnungsstörungen (Thrombozyten < 50 000/µl; INR > 1,5; Quick < 50 %; PTT > 50 s)
- Hautinfektionen im Bereich der Punktionsstelle
- unkooperativer Patient
- V. a. septierten Pleuraerguss
- V. a. ein Pleuraempyem
  Hier ist meist die Anlage einer Thoraxsaugdrainage notwendig, die in der Klinik erfolgen muss.

Aufklärung

Es sollte eine ausführliche Aufklärung durch den Arzt erfolgen, der die Pleurapunktion durchführt. Dabei sollte auf Indikation, Durchführung, Komplikationen und Verhalten des Patienten nach der Punktion eingegangen werden. Neben dem Risiko einer Infektion und dem Blutungsrisiko sollte der Patient v. a. auf die Gefahr eines Pneumothorax (Krankenhausbehandlung, Einlage einer Drainage) und das Risiko des Versterbens hingewiesen werden.

Das Aufklärungsgespräch sollte gut dokumentiert werden!

Benötigtes Instrumentarium

- Haut- und Händedesinfektionsmittel
- sterile Handschuhe
- unsterile Handschuhe für die Hilfsperson
- Mundschutz und OP-Haube
- sterile Abdecktücher
- 1%iges Lokalanästhetikum (Lidocain, z. B. Xylocain®, Xylocitin®-loc) mit 10-ml-Spritze und Aufzugskanüle
- Punktionskanüle, Dreiwegehahn, Verbindungsschlauch und Ablaufbeutel oder ein fertiges Pleurapunktionsset mit Punktionskanüle
- Tupfer, Verbandmaterial
- Ultraschallgerät

Durchführung

Während der Pleurapunktion muss eine regelmäßige Kontrolle der Vitalparameter sichergestellt werden!

1. Der Patient wird aufrecht sitzend in leicht nach vorn gebeugter Haltung gelagert (► Abb. 9-12). Seine Arme stützen sich während der gesamten Prozedur nach vorn und oben ab (z. B. Stuhllehne). Dabei wird der Patient durch eine Hilfsperson unterstützt und gesichert.
2. Mithilfe des Ultraschalls wird der Punktionsort bestimmt und markiert.

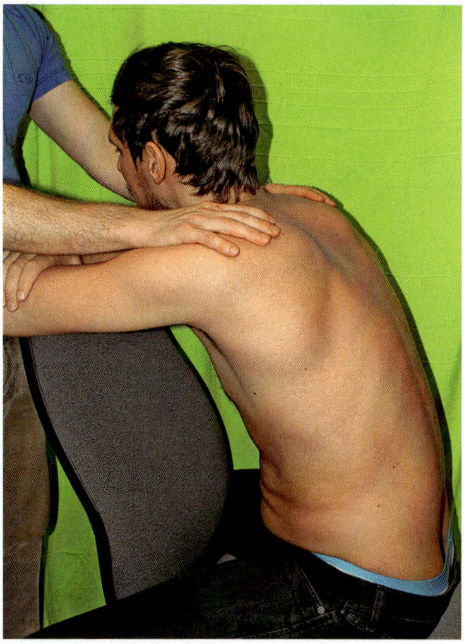

Abb. 9-12 Lagerung des Patienten bei der Pleurapunktion

9

Der Punktionsort sollte zwischen der hinteren Axillarlinie und der Skapularlinie liegen (► Abb. 9-13).

! Ein ausreichend großer Abstand zu Milz und Leber ist einzuhalten!

3. Der Punktionsort wird großflächig nach den entsprechenden Hygienerichtlinien und den Angaben des verwendeten Desinfektionsmittels desinfiziert.
4. OP-Haube, Mundschutz und sterile Handschuhe werden angezogen.
5. Die Punktionsstelle wird mit einem sterilen Lochtuch abgedeckt.
6. Das Punktionsset wird so zusammengesetzt, dass keine Luft eindringen kann.

! Der Sitz des Dreiwegehahns muss auf seine Festigkeit überprüft werden!

7. Die Hilfsperson führt eine erneute Sprühdesinfektion durch. Das sterile Feld darf nicht berührt werden.
8. Mithilfe eines Lokalanästhetikums wird eine Oberflächenanästhesie an der Punktionsstelle durchgeführt. Unter regelmäßiger Aspiration wird das Lokalanästhetikum zunehmend in tiefere Schichten infiltriert, bis Kontakt mit der Rippe vorliegt. Auf eine ausreichende Anästhesie des Periosts sollte geachtet werden. Der Arzt sollte sich die Stichrichtung und -tiefe merken.
9. Mit der Punktionskanüle wird der gleiche Weg wie bei der Applikation

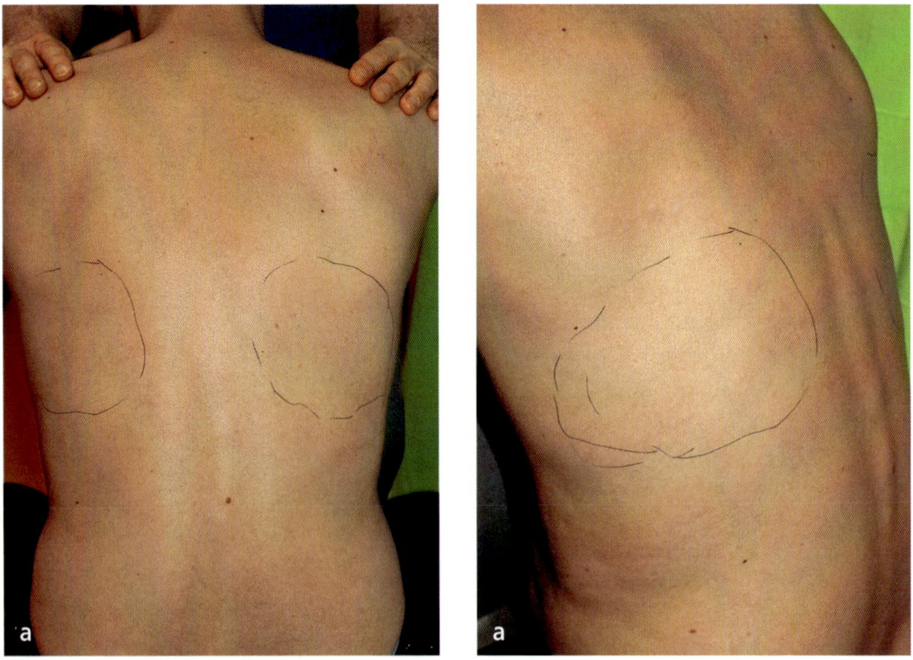

Abb. 9-13 Korrekter Punktionsort: dorsale Ansicht (**a**); laterale Ansicht (**b**)

9

des Lokalanästhetikums vollzogen. Am Oberrand der Rippe wird im 90-Grad-Winkel unter Aspiration bis zum Erguss vorgegangen (»Kulissentechnik«). Anschließend wird der Erguss punktiert. Tipp: Ein Helfer kann die Punktion im Ultraschall darstellen.

10. Die Pleuraflüssigkeit kann nun passiv in den unterhalb der Lunge hängenden Beutel abfließen. Zu achten ist stets auf ein geschlossenes System, um das Eintreten von Luft in den Pleuraspalt zu verhindern.

! Die Punktionskanüle darf auf keinen Fall losgelassen werden, um eine versehentliche Dislokation zu vermeiden!

11. Ein zunehmender Hustenreiz (oder Schmerz, der dadurch entsteht, dass sich die Pleurablätter wieder aneinanderlegen) signalisiert die fast vollständige Drainage des Ergusses.

! Bei einer Pleurapunktion sollten nicht mehr als 1–1,5 l Flüssigkeit in einer Sitzung abgelassen werden.

12. Der Zustand des Patienten wird im Verlauf kontrolliert und der Thorax im Seitenvergleich auskultiert (ergänzend sollte der Stimmfremitus getestet werden!), um Komplikationen frühzeitig zu erkennen.
13. Wenn keine Ergussflüssigkeit mehr abfließt, wird die Punktionskanüle entfernt und die Einstichstelle komprimiert.
14. Ein Verband wird angelegt.

Nachsorge

- Im weiteren Verlauf wird die Einstichstelle auf Feuchtigkeit (Leckage) und Entzündungszeichen kontrolliert.
- Die übliche Indikation zur Röntgenkontrolle in Exspiration nach 2–4 h sollte individuell unter Berücksichtigung der palliativen Situation gestellt werden. Bei zunehmender Dyspnoe sollte der Patient sofort der Möglichkeit einer Röntgenkontrolle zugeführt werden, um einen Pneumothorax oder Verletzungen auszuschließen.

Tipps und Tricks

- Ein Abflusshindernis sollte durch vorsichtiges Anspülen mit isotonischer Kochsalzlösung behoben werden.
- Nicht die Größe des Ergusses, sondern die *Klinik* des Patienten rechtfertigt die Pleurapunktion! Um diese mit einiger Sicherheit durchführen zu können, sollte allerdings erst ab einer Flüssigkeitssichel im Ultraschall von ca. 4 cm punktiert werden.
- Bei bestehendem Hustenreiz sollte vor der geplanten Pleurapunktion die Einnahme eines Hustenstillers veranlasst oder ein Opiat verabreicht werden, da sonst die Verletzungsgefahr zu groß ist.
- Sicherheitspunktionsnadeln und komplette Drainagesets sollten bevorzugt werden, da sich damit die Patientensicherheit erhöht.
- Auch bei beidseitigem Pleuraerguss wird *nur eine* Seite drainiert, da sonst die Gefahr eines beidseitigen Pneumothorax besteht!

Bei rezidivierenden Pleuraergüssen sollte die Möglichkeit einer Pleurodese oder einer Pleuradauerdrainage in Betracht gezogen werden!

Umgang mit Komplikationen

- **Blutungen** bis zum **Hämatothorax:** unverzügliche Klinikeinweisung zur Anlage einer Thoraxsaugdrainage
- **Pneumothorax:** unverzügliche Klinikeinweisung zur Anlage einer Thoraxsaugdrainage
  Bei bereits länger anhaltenden Ergüssen kommt es gelegentlich zum Phänomen der »gefesselten Lunge«: Hierbei kann sich die Lunge nach Entlastung des Ergusses nicht mehr entfalten, da sie fibrinbelegt ist. Im Röntgenbild imponiert das Bild eines Pneumothorax. Hier bedarf es ggf. eines thorakoskopischen Eingriffs.
- **Nervenverletzungen:** Schmerztherapie

Zusatzmaterial

Video 9-1 ► unter www.schattauer.de/3140 oder direkt über QR-Code

Weiterführende Literatur

Loddenkemper F. Management von Pleuraerkrankungen. Pneumologe 2014; 11: 177–89.

9.8 Aszitespunktion

Kristin Seele, Grit Hübsch und Antje Bergmann

Hintergrund

In der hausärztlichen Praxis sollte nur die *therapeutische* Aszitespunktion zur Symptomlinderung v. a. in der palliativen Situation durchgeführt werden. Zu den Ursachen von Aszites gehören:

- dekompensierte Leberzirrhose
- dekompensierte Rechtsherzinsuffizienz
- abdominelle Tumoren oder Metastasen, inkl. Peritonealkarzinose
- Pfortaderthrombosen
- Hypoproteinämie (z. B. beim nephrotischen Syndrom oder Mangelernährung)
- infektiöse Ursachen (z. B. Pankreatitis, Tuberkulose, Peritonitis)

Indikation

Eine Aszitespunktion ist bei palliativen Patienten in einer Hausarztpraxis bei Vorliegen von Aszites und folgenden Symptomen indiziert:

- Dyspnoe
- abdominale Schmerzen bzw. abdominaler Druck
- Völlegefühl bis zum Erbrechen
- Unfähigkeit zur Nahrungsaufnahme durch abdominalen Druck

Kontraindikationen

- Gerinnungsstörungen (Thrombozyten < 50 000/µl; INR > 1,5; Quick < 50 %; PTT > 50)
  In der hochpalliativen Situation muss (bei o. g. Gerinnungsparametern, die für eine schlechtere Gerinnungssituation sprechen) abgewogen werden, ob die Symptome durch das Bauchwasser schwerer wiegen als das Risiko einer Blutung.
- Hautinfektionen an der Punktionsstelle
- unkooperativer Patient
- septierter Aszites
- Verwachsungen zwischen Eingeweiden und der Bauchdecke

Aufklärung

Es sollte eine ausführliche Aufklärung durch den durchführenden Arzt erfolgen. Im Falle von mehrfachen Punktionen innerhalb einer kurzen Zeitspanne (z. B. alle 3 Tage) genügt *eine* Aufklärung. Dabei sollte auf Indikation, Durchführung, Komplikationen (z. B. Blutung, Infektion bis zur Sepsis, Organverletzung, Notwendigkeit der stationären Behandlung, Operation) und Verhalten des Patienten nach der Punktion eingegangen werden. Das Aufklärungsgespräch ist zu dokumentieren.

Benötigtes Instrumentarium

- Haut- und Händedesinfektionsmittel
- unsterile und sterile Handschuhe
- Mundschutz und OP-Haube
- sterile Abdecktücher
- 1%iges Lokalanästhetikum mit Spritze und Kanüle
- Punktionskanüle (14G oder 16G Venenverweilkanüle)
- Infusionssystem zur Ableitung (Tropfenkammer abschneiden), Schlauchverlängerung (z. B. »Heidelberger Verlängerung«)
- Eimer zum Auffangen des Aszites oder Auffangbeutel
- Tupfer, Verbandmaterial
- Ultraschallgerät

> Falls vorhanden sollte ein Ultraschallgerät für die Aszitespunktion eingesetzt werden. Im Rahmen von Hausbesuchen bei Patienten, die bereits ultraschallgesteuert punktiert wurden, ist die Punktion mit ausreichender klinischer Erfahrung auch ohne Ultraschallgerät möglich.

Durchführung

1. Während der Aszitespunktion sollte eine regelmäßige Kontrolle der Vitalparameter sichergestellt sein.
2. Der Patient wird mit leicht erhöhtem Oberkörper, ggf. in leichter Seitenlage gelagert. Diese Position führt zur Aszitesansammlung am geplanten Punktionsort.
3. Die Punktionsstellen befinden sich lateral der epigastrischen Gefäße im linken oder rechten Unterbauch. Am sichersten ist der linke untere Quadrant. Das Ausmaß der Bauchwasseransammlung sollte günstigstenfalls vorher sonografisch identifiziert werden (► Abb. 9-14a).
4. Die Punktionsstelle wird mit einem Stift oder einer Kanülenkappe markiert.
5. Unsterile Handschuhe werden angezogen.
6. Die Punktionsstelle wird unter Beachtung der Einwirkzeit des Desinfektionsmittels großflächig desinfiziert (► Abb. 9-14b).
7. An der Punktionsstelle wird eine Oberflächenanästhesie durchgeführt. Unter regelmäßiger Aspiration wird das Lokalanästhetikum zunehmend in tiefere Schichten (Peritoneum) bis zur Aspiration von Aszites infiltriert (► Abb. 9-14c). Der punktierende Arzt sollte sich die Stichrichtung und -tiefe merken.
8. Mundschutz und OP-Haube werden angelegt. Sterile Handschuhe werden angezogen. Während der Anschlagzeit der Lokalanästhesie wird die Punktionsstelle mit einem sterilen Lochtuch abgedeckt.
9. Die Punktionskanüle wird im 90-Grad-Winkel zur Haut eingestochen. Wenn in der hinteren Kammer der Punktionskanüle Bauchwasser sichtbar ist, wird die Kanüle noch wenige Millimeter nach vorn geschoben. Im Anschluss wird der Stahlmandrin bei gleichzeitigem Vorschieben des Plastikschlauches entfernt, was das Risiko einer Organverletzung minimiert (► Abb. 9-14d).

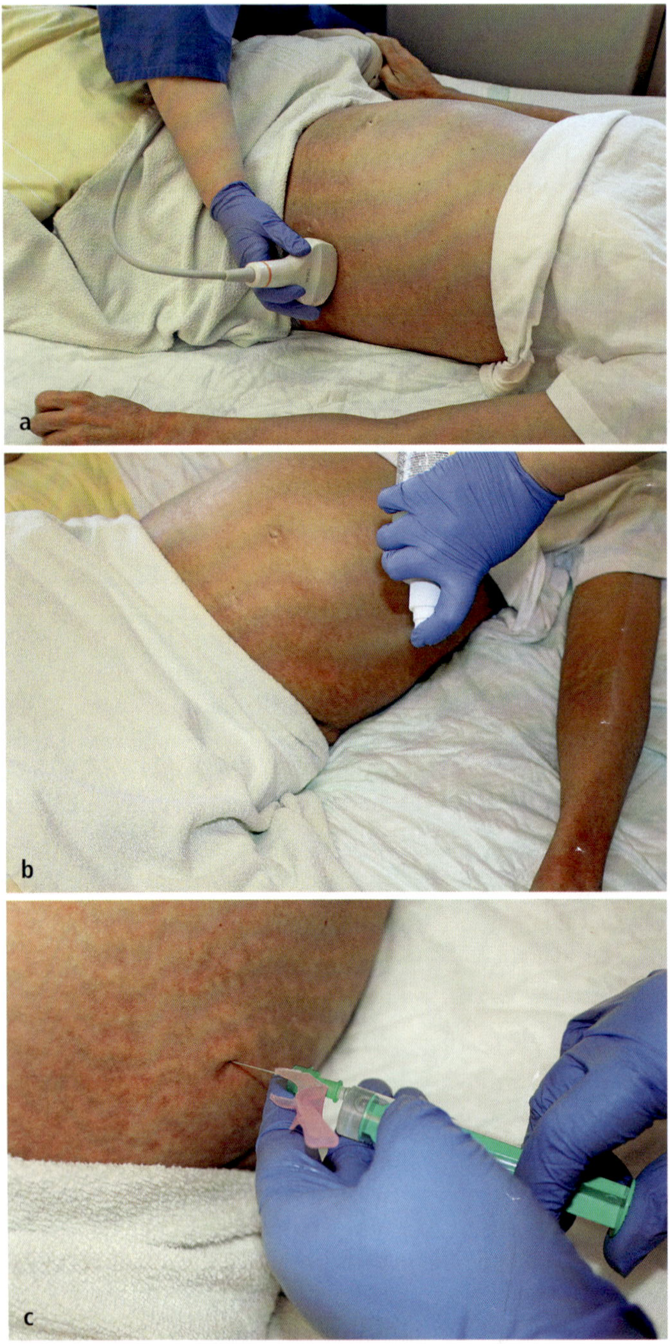

Abb. 9-14 Durchführung der Aszitespunktion: Sonografie (**a**); Desinfektion (**b**); Infiltration mit Lokalanästhetikum (**c**);

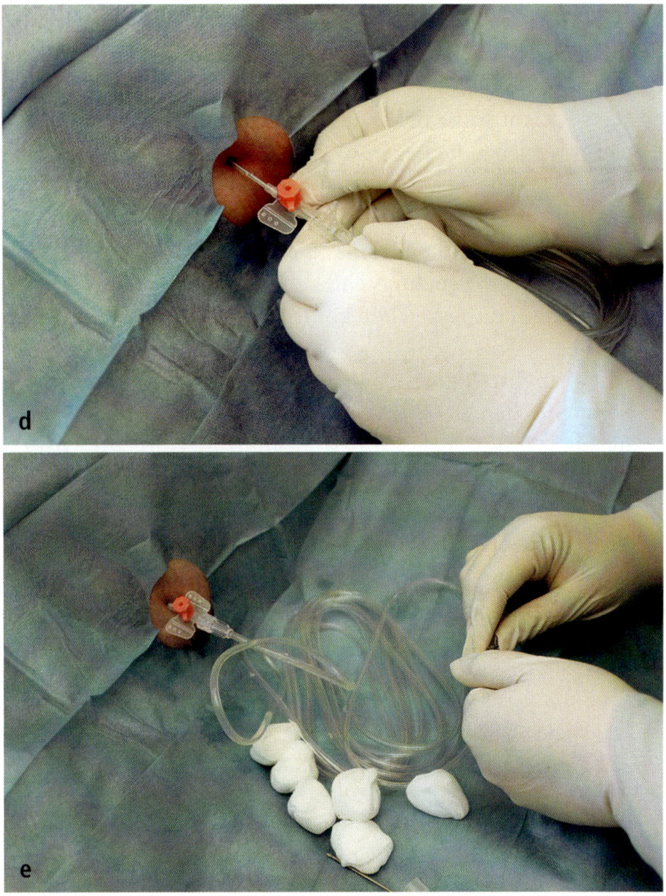

Abb. 9-14 (Fortsetzung) Punktion (**d**); Anschluss des Infusionssystems (**e**)

10. Das Infusionssystem wird angeschlossen (► Abb. 9-14e). Die Tropfkammer sollte mit einer sterilen Schere abgeschnitten werden. Das Ende wird in einen Ablaufeimer gehängt.
11. Die Punktionskanüle wird mithilfe von Tupfern und Pflastern an der Bauchdecke fixiert.
12. Der Aszites kann nun in einen Eimer ablaufen. Die Ablaufmenge und das Aussehen des Aszites werden beobachtet und dokumentiert. Es sollten initial nicht mehr als 1–3 l abgelassen werden.
13. Es muss eine kontinuierliche Krankenbeobachtung inklusive Vitalzeichenkontrolle durchgeführt werden. Je größer die Aszitesmenge, desto wahrscheinlicher sind Auswirkungen auf den Kreislauf. Der Ablauf des Aszites sollte ggf. dosiert werden. Patienten, die öfter punktiert werden, vertragen in der Regel auch das Ablassen großer Mengen (5–10 l), wenn vorherige Punktionen gut vertragen wurden.
14. Wenn kein Aszites mehr abfließt, wird die Punktionskanüle entfernt.

Ein trockener, steriler Verband wird angelegt und die Einstichstelle z. B. mit einem Sandsack komprimiert. Der Patient sollte dabei auf der nicht punktierten Seite liegen.

Nachsorge

- Im weiteren Verlauf sollte die Einstichstelle auf Feuchtigkeit (Leckage) und Entzündungszeichen kontrolliert werden.
- Mit proteinreicher Ernährung wird versucht, den Proteinverlust auszugleichen. Zusätzlich können Proteindrinks oder -pulver verordnet werden. Humanalbumin ist keine alternative für das ambulante Setting.

> Der Albumin- und Gesamteiweißspiegel ist häufig durch die Grunderkrankung und die entsprechende katabole Stoffwechsellage sowie zusätzlich durch die Aszitesdrainage erniedrigt. Da Patienten in der palliativen Situation meist deutlich weniger Nahrung zu sich nehmen (allgemeiner Appetitverlust, Schwäche, Tumor im Verdauungstrakt, Schmerzen, Übelkeit, Erbrechen) kann es schwierig sein, den Patienten zur Aufnahme der nicht besonders gut schmeckenden Proteinpräparate zu bewegen.

- Es sollten, wenn möglich und indiziert, flankierend Diuretika zur Verminderung des massiven Nachlaufens des Aszites eingesetzt werden. Eine moderate Kochsalzrestriktion kann empfohlen werden.

Tipps und Tricks

Die Punktion kann in Z-Stichtechnik erfolgen. Bei dieser Technik sind der Einstich in die Haut und der Einstich ins Peritoneum nicht deckungsgleich, was die Wahrscheinlichkeit für das Auftreten der postpunktionellen Leckage minimiert.
Falls der Ablauf des Aszites sistiert, kann versucht werden, den Patienten leicht umzulagern oder den Bauch der Gegenseite vorsichtig mit der Hand zu palpieren (► Abb. 9-15). Dadurch kann manchmal eine bessere Entleerung des Aszites eintreten.

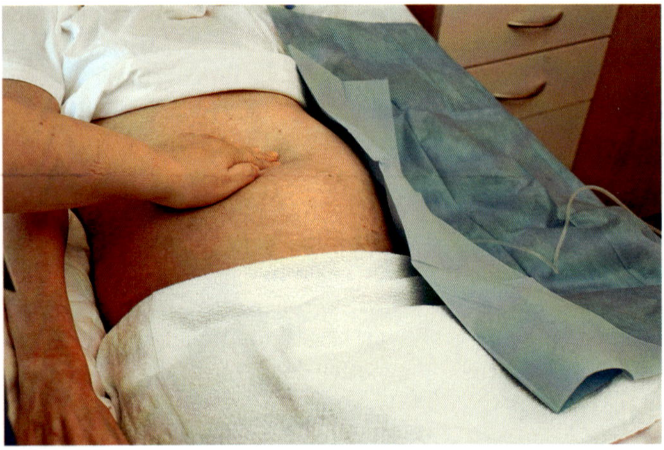

Abb. 9-15 Palpation des Bauches während der Aszitespunktion

9

Umgang mit Komplikationen

- **Leckage:** Die Punktionsstelle muss gut komprimiert und ggf. übernäht werden.
- **Kreislaufdepression:** Elektrolytlösungen oder ggf. kolloidale Lösungen sollten infundiert werden. Vorsorglich sollte der Ablauf großer Mengen Aszites titriert werden.
- **Blutungen aus der Einstichstelle:** Ein Druckverband wird angelegt, ggf. kann eine Blutung mit einer Umstechungsnaht gestoppt werden.
- **intraabdominelle Blutungen:** Unter Beachtung der palliativen Situation ist ggf. eine Krankenhauseinweisung erforderlich.

Zusatzmaterial

Video 9-2 ► unter www.schattauer.de/3140 oder direkt über QR-Code

Weiterführende Literatur

Bosshard S, Müllhaupt B. Aszitespunktion: Abdominale Parazentese. Praxis 2012; 101: 757–66.

Gerbes AL, Gülberg V, Sauerbruch T et al. S3-Leitlinie »Aszites, spontan bakterielle Peritonitis, hepatorenales Syndrom«. Z Gastroenterol 2011; 49: 749–79.

Wiest R, Schölmerich J. Diagnostik und Therapie des Aszites. Dtsch Ärztebl 2006; 103: A-1972–81.

10 Apparate

10.1 Anlegen eines EKG

Kristina Jäkel und Bettina Brandt

Hintergrund

Das Elektrokardiogramm ist die am häufigsten durchgeführte kardiovaskuläre diagnostische Prozedur in der Hausarztpraxis. Aufgrund der Reproduzierbarkeit und der Risikolosigkeit für den Patienten ist es ein fundamentales Hilfsmittel in der klinischen Praxis zur Beurteilung der elektrischen Herzfunktion.

Indikationen

- offensichtliche, bekannte oder vermutete Erkrankungen des kardiovaskulären Systems sowie dessen Mitbeteiligung bei primär extrakardialen Erkrankungen
- Therapiekontrolle

Kontraindikationen

Es gibt keine Kontraindikationen. In Notfallsituationen sollten dringlicher durchzuführende Maßnahmen nicht durch die Anlage eines EKGs verzögert werden.

Aufklärung

Eine Aufklärung im eigentlichen Sinn ist bei dieser Prozedur nicht nötig. Der Patient sollte über die geplante Untersuchung und deren Ablauf informiert werden (z. B. inwieweit er sich entkleiden muss, ggf. warum und in welchem Umfang Haare rasiert werden müssen).

Benötigtes Instrumentarium

Je nach EKG-Gerät:

- ausreichender Papiervorrat
- Klebeelektroden
- Kontaktspray
- ggf. Einmalrasierer
- Möglichkeit zur Beschriftung des EKGs

Durchführung

1. Die Identität des Patienten wird durch Erfragen des Namens und des Geburtsdatums geklärt.
2. Der Patient sollte Uhr, Schmuck und Schuhe ausziehen und den Oberkörper freimachen.
3. Der Patient wird gebeten, sich entspannt auf den Rücken zu legen.
4. Die Haut an den Ableitungspunkten wird gereinigt; ggf. werden störende Haare bei ausgeprägtem Haarwuchs mit Einwilligung des Patienten rasiert.
5. Bei Saugelektroden wird die Vakuumfunktion am EKG-Gerät eingeschaltet und die Haut an den Ableitungspunkten mit Kontaktspray eingesprüht. Dieser Schritt entfällt bei Klebeelektroden.
6. Die Elektroden der **Extremitätenableitungen** werden angebracht:
   1. Die *rote* Elektrode wird am *rechten Handgelenk* angelegt.
   2. Die *gelbe* Elektrode wird am *linken Handgelenk* angebracht.
   3. Die *grüne* Elektrode wird am *linken Fußgelenk* angelegt.
   4. Die *schwarze* Elektrode wird am *rechten Fußgelenk* angebracht.
7. Die Elektroden der **Brustwandableitungen** werden angelegt:
   1. Die Elektrode *V1 (rot)* wird über dem *4. Intercostalraum (ICR)* parasternal rechts angebracht.

2. *V2 (gelb)* wird links über dem *4. ICR parasternal* angelegt.
3. *V4 (braun)* wird über dem *5. ICR links medioclaviculär* angebracht.
4. *V3 (grün)* wird auf der gedachten *Verbindungslinie zwischen V2 und V4* angelegt.
5. *V5 (schwarz)* wird in der *vorderen Axillarlinie links* auf der gleichen horizontalen Höhe wie V4 angebracht.
6. *V6 (violett)* wird in der *mittleren Axillarlinie links* auf der gleichen horizontalen Höhe wie V4 und V5 angebracht.

8. Bei Klebeelektroden werden die Kabel der Ableitungen mit den geklebten Elektroden verbunden.
9. Der Patient wird gebeten, für die Zeit der Aufzeichnung ruhig und entspannt liegen zu bleiben, ohne zu sprechen.
10. Der Schreibvorgang wird gestartet.
11. Das EKG wird auf Artefakte während des Schreibvorgangs überprüft.
12. Liegen keine Artefakte vor, wird das EKG mit den korrekten Patientendaten (Name, Alter, Geschlecht), dem Datum des Untersuchungstags sowie Schreibgeschwindigkeit und Eichung (vorzugsweise 50 mm/s, 10 mm/1 mV) beschriftet, sofern dies nicht automatisch vom Gerät dokumentiert wird.
13. Bei Unsicherheiten bez. des geschriebenen EKGs sollten die korrekte Lage der Elektroden kontrolliert und der Schreibvorgang wiederholt werden.
14. Zuletzt werden Kabel und Elektroden entfernt. Bei Vakuumsystemen sollte zuvor der Sog ausgeschaltet werden.

Nachsorge

Dem Patienten wird das Ende der Untersuchung mitgeteilt, sodass er sich wieder ankleiden kann. Nach erfolgreichem Aufzeichnen und Auswerten erfolgt eine gemeinsame Befundbesprechung.

Tipps und Tricks

- Eine Einweisung am jeweils verwendeten EKG-Gerät vor Verwendung ist selbstverständlich.
- Zur Vermeidung von Artefakten muss der Patient entspannt sein. Dies erreicht man durch freundlich zugewandtes Verhalten, Aufklärung über die anstehende Untersuchung und Achtung der Intimsphäre. Für optimale Umgebungsbedingungen (ausreichende Raumtemperatur für einen entkleideten Patienten, große Unterlage, die den ganzen Körper des Patienten stützt, ungestörte Umgebung) sollte gesorgt werden. Es gibt Patienten, denen ein ruhiges Liegen nicht möglich ist (z. B. wenn ein Tremor vorliegt). In solchen Fällen sollte der Grund für die Artefakte dokumentiert werden.
- Zur Identifikation der korrekten Brustwandableitungsstellen dient der Angulus sterni, an dem die zweite Rippe ansetzt. Darunter befindet sich der 2. ICR gefolgt von 3. und 4. ICR. V1 und V2 werden direkt neben dem Sternum im 4. ICR angelegt.
- Bei auffallenden oder vorbekannten Arrhythmien sollte ein Rhythmusstreifen (üblicherweise Ableitung II) für mind. 10 s geschrieben werden.
- Das Erscheinungsbild des EKGs ist maßgeblich abhängig von der Körperhaltung und -position des Patienten. Ist eine Anfertigung in Rückenlage nicht möglich, kann eine halb liegende Position bis 45 Grad Rückenneigung zur Horizontalen versucht werden. Bis zu dieser Neigung fehlen Hinwei-

se darauf, dass es zu Veränderungen des EKGs kommt. Andere Positionierungen müssen auf dem EKG deutlich gekennzeichnet werden.
- Das hand- bzw. fußgelenknahe Anbringen der Extremitätenableitungen ist der Standard. Sollte dies einmal nicht möglich sein, muss auch in diesem Fall eine Dokumentation im EKG-Befund erfolgen, da sowohl das EKG selbst als auch die Befundung dadurch beeinflusst werden können. Es kann, falls notwendig, die rote Elektrode rechts subclaviculär, die gelbe Elektrode links subclaviculär, die grüne Elektrode in der linken Leistengegend und die schwarze Elektrode in der rechten Leistengegend platziert werden.

Umgang mit Komplikationen

Komplikationen im eigentlichen Sinn treten beim Anlegen eines EKGs nicht auf. Folgendes gilt es zu beachten: Sind die EKG-Komplexe von zu hoher Spannung (überlagerte QRS-Komplexe), sollte die Verstärkung halbiert werden (5 mm/mV), um eine adäquate Abbildung zu erhalten. Jede Änderung muss vermerkt oder notiert werden.

Weiterführende Literatur

American Heart Association, American College of Cardiology, Heart Rhythm Society. Scientific Statements. Recommendations for the standardization and interpretation of the electrocardiogram. Part I: The electrocardiogram and its technology. J Am Coll Cardiol 2007; 49: 1109–27.

Deutsche Gesellschaft für Kardiologie – Herz- und Kreislaufforschung (DGK). Positionspapier zur Durchführung von Qualitätskontrollen bei Ruhe-, Belastungs- und Langzeit-EKG. Z Kardiol 2005; 94: 844–57.

The Society for Cardiological Science & Technology. Clinical Guidelines by Consensus. Recording a standard 12-lead electrocardiogram. Stand: Juni 2014. www.scst.org.uk/resources/CAC_SCST_Recording_a_12-lead_ECG_final_version_2014_CS2v2.0.pdf (letzter Zugriff: 06.06.2016).

10.2 Durchführen einer Lungenfunktionsprüfung

Kristina Jäkel und Bettina Brandt

Hintergrund

Die Spirometrie ist eine einfache, schnelle, nichtinvasive und preisgünstige Funktionsuntersuchung zur Bestimmung von Lungenvolumina und Atemstromstärken. Gemessen werden u. a. die forcierte Vitalkapazität (FVC), die Einsekundenkapazität (FEV_1) und der Peak-Flow (PEF) (► Abb. 10-1). Residualvolumen und totale Lungenkapazität können mit der reinen Spirometrie nicht bestimmt werden.
Besonders hilfreich erweist sich die Spirometrie in der Diagnostik obstruktiver Ventilationsstörungen, die durch eine Verminderung des Tiffeneau-Index (FEV_1/FVC) auf Werte unterhalb des 5. Perzentils (Z-Score < –1,645) definiert sind. Die Spirometrie hilft, den Schweregrad der Obstruktion festzulegen sowie bei der Beurteilung von Therapieerfolg, Krankheitsverlauf und Prognose.

> Patienten mit nahezu normalen spirometrischen Kennwerten können eine insuffiziente Atmung haben, da Störungen wie der Gasaustausch und die Funktion der Atempumpe mit der Spirometrie nicht bzw. nur eingeschränkt beurteilt werden können.

10

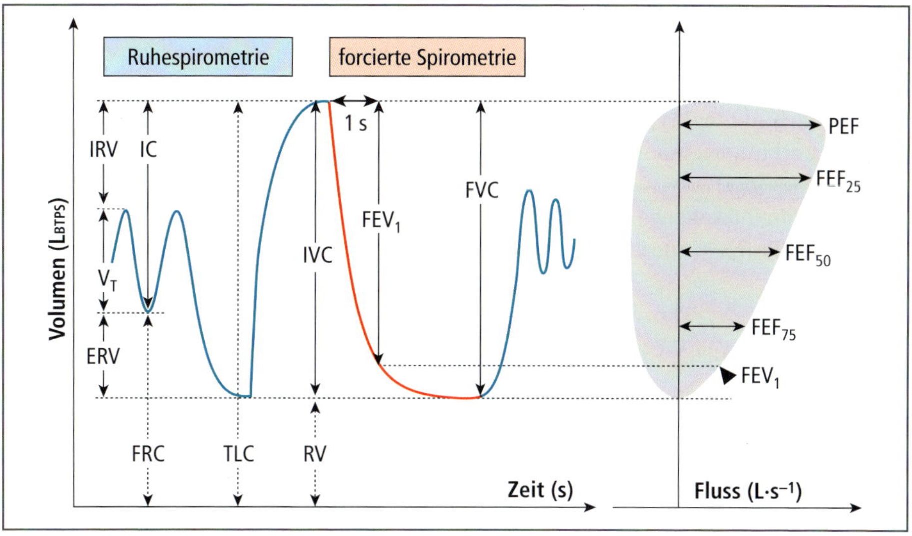

Abb. 10-1 Ruhespirometrie und forcierte Spirometrie (mod. nach der S2k-Leitlinie Spirometrie; mit freundl. Genehmigung der Deutschen Atemwegsliga e. V. und des Dustri-Verlags). BTPS = body temperature pressure saturated (37 °C Körpertemperatur und 100 % relative Feuchte bei gegebenem Luftdruck); ERV = exspiratorisches Reservevolumen; FEF_{75} = max. exspiratorischer Fluss bei 75 % der FVC; FEF_{50} = max. exspiratorischer Fluss bei 50 % der FVC; FEF_{25} = max. exspiratorischer Fluss bei 25 % der FVC; FEV_1 = forciertes exspiratorisches Volumen in 1 s bzw. Einsekundenkapazität; FRC = funktionelle Residualkapazität; FVC = forcierte Vitalkapazität; IC = inspiratorische Kapazität; IRV = inspiratorisches Reservevolumen; IVC = inspiratorische Vitalkapazität; PEF = max. exspiratorischer Spitzenfluss bzw. Peak-Flow; RV = Residualvolumen; TLC = totale Lungenkapazität; V_T = Atemzugvolumen.

Indikationen

- Diagnostik von Atemwegserkrankungen (z. B. chronisch obstruktive Lungenerkrankung [COPD], Asthma bronchiale) und bei Erkrankungen mit Auswirkungen auf die Atmung (z. B. des Atemzentrums, des muskuloskelettalen Systems)
- Differenzialdiagnose bei Dyspnoe, Husten und/oder Auswurf
- Gesundheitsuntersuchung bzw. Früherkennung
- Verlaufsbeobachtung (und Therapiekontrolle) bronchopulmonaler Erkrankungen und Erkrankungen, die die Lungenfunktion beeinflussen
- arbeitsmedizinische Verlaufskontrollen und Früherkennung (z. B. bei Exposition gegenüber Allergenen, anorganischen Stäuben, Rauchbelastungen)
- ggf. präoperative Diagnostik
- Überwachung von Medikamentennebenwirkungen, die eine bekannte pulmonale Toxizität aufweisen wie
  - Amiodaron
  - Methotrexat
  - Bleomycin
- Evaluation der Beeinträchtigung oder Behinderung (im Rahmen von Rehabilitationsprogrammen, als Teil einer Versicherungsanfrage, aus rechtlichen Gründen)

Kontraindikationen

Absolute Kontraindikationen

- akute, lebensbedrohliche Krankheitsbilder (z. B. akuter Myokardinfarkt, fulminante Lungenembolie, Spannungspneumothorax)

Relative Kontraindikationen

- Pneumothorax (innerhalb der ersten Wochen)
- Abdomen- oder Thoraxoperation (je nach Befund 1–4 Wochen postoperativ)
- instabiler kardiovaskulärer Status (Verschlimmerung einer Angina pectoris oder Änderungen des Blutdrucks durch forcierte Exspirationsmanöver), kürzlich (ein Monat) zurückliegender Herzinfarkt oder Lungenembolie
- Thorax-, Abdominal- oder Hirnaneurysmata (Gefahr der Ruptur aufgrund erhöhten thorakalen Drucks)
- Augen-, Hirn- oder Ohrenoperation (variabel, Rücksprache Operateur)
- Hämoptysen unklarer Genese (Verschlimmerung der zugrunde liegenden Beeinträchtigung durch forcierte Exspirationsmanöver)
- akuter bzw. chronischer Erkrankungsprozess, der die Testleistung beeinträchtigen könnte (z. B. Übelkeit, Erbrechen, Brust- oder Bauchschmerz, Mund- oder Gesichtsschmerzen, die durch das Mundstück verstärkt werden, Stressinkontinenz, Demenz oder verwirrter Zustand)

Aufklärung

Eine Aufklärung im eigentlichen Sinn ist bei einer Lungenfunktionsprüfung nicht nötig. Der Patient sollte darüber informiert werden, wozu die Untersuchung dient und wie sie abläuft. Die Mitarbeit des Patienten ist essenziell für den diagnostischen Wert einer Lungenfunktionsprüfung.

Benötigtes Instrumentarium

- kalibriertes Spirometer mit ggf. ausreichend vorhandenem Registrierpapier
- Papiermundstück für die einmalige Verwendung oder wiederverwendbares Plastikmundstück und/oder Filter
- Nasenclip

Durchführung

1. Der Patient wird gebeten, beengende Kleidungsstücke zu öffnen bzw. abzulegen.
2. Die Körpergröße und das Körpergewicht des Patienten werden gemessen.
3. Der Patient wird aufgefordert, sich zu setzen.
4. Dem Patienten wird bereits zu Beginn der Untersuchungsablauf mit den einzelnen Atemkommandos erläutert. Der Arzt sollte sich vergewissern, dass er diese verstanden hat.
5. Die Nase des Patienten wird luftdicht mit einer Nasenklemme verschlossen.
6. Der Patient wird gebeten, das Mundstück bzw. den Filter vor dem Strömungssensor zwischen die Zähne zu nehmen, sodass die Zunge unterhalb des Mundstücks zum Liegen kommt.
7. Der Patient wird darauf hingewiesen, dass ein fester, kompletter Lippenschluss um das Mundstück gewährleistet sein muss.
8. Der Lippenschluss wird überprüft, insbesondere an den Mundwinkeln.
9. Der Patient wird gebeten, ruhig und gleichmäßig um die Atemmittellage herum zu atmen.

10. Das Vorgehen bei der Untersuchung wird dem Patienten detailliert erklärt: Der Patient soll so tief, wie es ihm möglich ist, langsam ausatmen. Danach soll er zügig und vollständig einatmen, um dann ohne Pause (< 1 s) so schnell und stark, wie es ihm möglich ist, auszuatmen.
11. Der Arzt sollte die Kommandos nun nacheinander geben, wenn sicher ist, dass der Patient verstanden hat, was zu tun ist.
    1. Der Patient wird gebeten, langsam auszuatmen, so weit wie er kann.
    2. Der Patient wird gebeten, zügig und vollständig einzuatmen.
    3. Der Patient wird gebeten, mit voller Kraft und so schnell, wie es ihm möglich ist, auszuatmen.
    4. Der Patient darf normal weiteratmen.
12. Die Untersuchung wird mind. 3-mal wiederholt, bis drei *akzeptierte Versuche* (► unten) vorliegen.
13. Die Testreproduzierbarkeit wird überprüft und ggf. werden – wenn nötig – weitere Manöver durchgeführt: Um die Reproduzierbarkeit und damit die Güte der Mitarbeit bestimmen zu können, müssen drei *akzeptable Versuche* durchgeführt werden. *Akzeptanzkriterien* sind:
    - Es liegt ein max. exspiratorischer Spitzenfluss (PEF) innerhalb von 120 ms (steiler Anstieg) vor.
    - Die Exspirationszeit ist > 6 s; bei Kindern < 10 Jahre > 3 s.
    - Es liegen keine Artefakte (Husten, Glottisschluss, Leckagen, vorzeitige Beendigung, unterschiedliche Anstrengung) vor.
    - Die Exspiration ist erst beendet, wenn das ausgeatmete Volumen ein Plateau erreicht hat oder die Volumenänderung in der letzten Sekunde < 25 ml bleibt.
    - Das rückextrapolierte Volumen ist < 5 % der FEV_1 bzw. FVC und < 150 ml.

    Darüber hinaus gilt als Reproduzierbarkeitskriterium, dass die Differenzen zwischen dem größten und zweitgrößten Wert für FEV_1 und FVC nicht mehr als 5 % und weniger als 150 ml (bei FEV_1 und FVC < 1 l nicht mehr als 100 ml) betragen.
14. Der Patient wird gebeten, das Mundstück loszulassen. Die Nasenklemme kann entfernt werden. Der Arzt sollte sich vergewissern, dass es dem Patienten gut geht.

Nachsorge

Eine gemeinsame Befundbesprechung findet nach der Auswertung statt.

Tipps und Tricks

- In der Abbildung 10-2 werden typische Hinweise auf eine fehlerhafte Untersuchung dargestellt.
- Vor dem Patientenkontakt sollte eine Einweisung an dem verfügbaren Spirometer stattfinden, sodass ein reibungsloser Ablauf während der Untersuchung des Patienten gewährleistet werden kann. Der Umgang mit dem Gerät und dem Zubehör (Mundstücke, Filter, Nasenklemme) muss sicher beherrscht werden können.
- Es ist oft nützlich, dem Patienten alle durchzuführenden Atemmanöver vorzumachen, bevor die Untersuchung beginnt.
- Lockere Zahnprothesen können die Testleistung beeinflussen und sollten

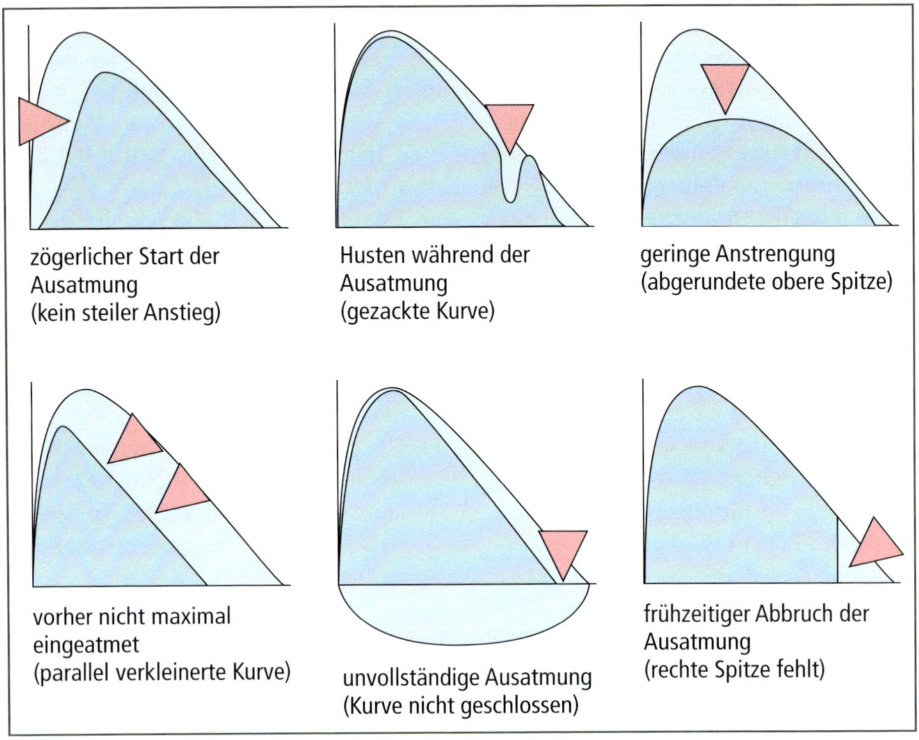

Abb. 10-2 Typische Fehlerzeichen bei einer Spirometrie (mod. nach der S2k-Leitlinie Spirometrie; mit freundl. Genehmigung der Deutschen Atemwegsliga e. V. und des Dustri-Verlags)

entfernt werden. Der Patient sollte sich wohlfühlen und entspannt sein.

- Auf folgende Aktivitäten sollte vorzugsweise vor der Lungenfunktionstestung verzichtet werden:
  - Rauchen innerhalb einer Stunde vor dem Test
  - Alkoholkonsum innerhalb von 4 Stunden vor dem Test
  - Durchführung stark anstrengender körperlicher Aktivität innerhalb einer halben Stunde vor dem Test
  - Tragen von Kleidung, die eine volle Thorax- und Abdomenausdehnung verhindert
  - Essen einer großen Mahlzeit innerhalb von 2 Stunden vor dem Test
- Die Entscheidung, ob lang oder kurz wirksame Bronchodilatatoren als medikamentöse Therapie vor der Untersuchung vermieden werden sollten, ist abhängig von der Fragestellung. Soll eine Erkrankung diagnostiziert werden, ist der Verzicht – soweit möglich – sinnvoll. Geht es darum, den Therapieerfolg abzubilden, ist der vorhergehende Verzicht auf die bronchodilatatorische Therapie u. U. nicht unbedingt sinnvoll.
- Bei der Dokumentation und korrekten Auswahl der Referenzwerte sind folgende Dinge zu beachten:
  - Alter des Patienten am Tag der Untersuchung

- Größe des Patienten
  Der Patient sollte aufrecht stehen, so groß wie möglich, mit geschlossenen Füßen und ohne Schuhe; die Augen sind nach vorn gerichtet. Bei Patienten, die nicht stehen können oder Wirbelsäulendeformitäten haben (z. B. Kyphoskoliose), kann die Armspanne von Fingerspitze zu Fingerspitze der beiden Mittelfinger bei komplett ausgestreckten Armen (am besten gegen die Wand gelehnt, um das Maximum zu erreichen) als Näherung der Größe genutzt werden.
- Gewicht des Patienten
  Das Gewicht des Patienten sollte ohne Schuhe in normaler Innenbekleidung auf einer Waage ermittelt werden.
- Tageszeit, Gerät und Untersucher
- ggf. vorhandene bronchodilatatorische Therapie des Patienten

- Die im Abschnitt Durchführung beschriebene Methode beschreibt das »closed circuit testing«, bei dem das Mundstück im Vorhinein in den Mund genommen, ruhig geatmet wird und dann die Atemmanöver ausgeführt werden. Das »open circuit testing« sieht vor, dass der Patient max. einatmet, das Mundstück erst dann in den Mund nimmt, um dann vollständig und kraftvoll auszuatmen. Nicht jeder Patient ist in der Lage, die max. Inspiration zu halten und gleichzeitig das Mundstück in den Mund zu nehmen. Zudem kann der vollständige Verschluss des Mundstücks nicht adäquat überprüft werden, sodass der Patient Vitalkapazität durch einen Nebenstrom verlieren kann. Aus diesen Gründen ist die Closed-Circuit-Methode zu empfehlen.
- Die Kalibrierung bzw. Verifizierung des Spirometers ist täglich vor der ersten Messung mit einer Kalibrierpumpe, die ein geprüftes bzw. zertifiziertes Hubvolumen von einem bis vorzugsweise drei Litern bei einem Fehler unter 0,5 % hat, durchzuführen. Sollte ein Ergebnis ungeachtet guter Mitarbeit des Patienten nicht plausibel erscheinen, sollte eine erneute Kalibrierung vorgenommen werden. Ein verunreinigtes System ist dabei eine häufige Fehlerquelle.
- Ein Bronchodilatationstest sollte durchgeführt werden, sobald eine obstruktive Ventilationsstörung vermutet wird. Dabei wird die FEV_1 bei einer einfachen Akutreversibilitätstestung vor und 15 min nach Inhalation von zwei Hüben eines kurz wirksamen Betamimetikums (200 µg Salbutamol, z. B. Salbutamol-ratiopharm®, Apsomol® N) gemessen. Alternativ kann eine Akutreversibilitätstestung vor und frühestens 30 min nach Inhalation eines schnell wirksamen Anticholinergikums (160 µg Ipratropiumbromid, z. B. Atrovent®) erfolgen. Anzunehmen ist eine sicher positive Reaktion bei einem Anstieg der FEV_1 um > 12 % des Ausgangswerts und einem absoluten Anstieg über 200 ml. Die Diagnose eines Asthmas bei entsprechender Klinik ist wahrscheinlicher, je höher die Reversibilität. Nur bei Normalisierung der Obstruktion ist die Diagnose COPD auszuschließen.

Umgang mit Komplikationen

- Die forcierte Exspiration fällt v. a. Patienten mit einer obstruktiven Ventilationsstörung und Kindern schwer. Ist nach 15 s Exspiration noch kein deutliches Plateau zu erkennen, kann der Versuch abgebrochen werden, um den Patienten zu entlasten. Nachweislich tragen längere Exspirationszeiten nicht wesentlich zur Verbesserung der Volumenregistrierung bei.

- Mit zunehmender Zahl der Versuche wird die Induktion eines »Spirometer-Asthmas« wahrscheinlicher. Bei entsprechend disponierten Patienten kann jede forcierte Exspiration eine Art Bronchoprovokation darstellen, sodass eine hohe Reproduzierbarkeit trotz guter Mitarbeit nicht erreicht werden kann.
- Sind die Akzeptanzkriterien (▶ Abschn. Durchführung) nicht erfüllt, sollten weitere Atemmanöver durchgeführt werden, jedoch nicht mehr als acht.
- Der Patient kann während der Untersuchung, v. a. während der forcierten Manöver, Schwindelgefühle entwickeln bis hin zur Bewusstlosigkeit. Es ist darauf zu achten, dass der Patient sicher platziert ist und nicht ungeschützt zu Boden stürzen kann.
- Zu den Komplikationen, von denen vereinzelt berichtet wurde, gehören:
  - Pneumothorax
  - erhöhter intracranialer Druck
  - Brustschmerz
  - paroxysmaler Husten
  - Erwerb nosokomialer Infektionen
  - Sättigungsverlust aufgrund unterbrochener Sauerstofftherapie

Weiterführende Literatur

Deutsche Atemwegsliga, Deutsche Gesellschaft für Pneumologie und Beatmungsmedizin, Deutsche Gesellschaft für Arbeitsmedizin und Umweltmedizin. S2k-Leitlinie »Spirometrie«. Stand: 19.12.2014. www.awmf.org/uploads/tx_szleitlinien/020-017l_S2k_Spirometrie-2015-05.pdf (letzter Zugriff: 06.06.2016).

Miller MR, Crapo R, Hankinson J et al.; ATS/ERS Task Force. General considerations for lung function testing. Eur Respir J 2005; 26: 153–61.

Miller MR, Hankinson J, Brusasco V et al.; ATS/ERS Task Force. Standardisation of spirometry. Eur Respir J 2005; 26: 319–38.

10.3 Antiobstruktive Therapie mit dem Düsenvernebler

Jan Buschmann und Folkert Fehr

Hintergrund

Ein Düsenvernebler (z. B. PARI Boy® oder Micro Drop®) gehört zur Standardausrüstung einer jeden allgemeinmedizinischen Praxis. Das ist sicherlich seiner breiten Anwendbarkeit zu verdanken. Die meisten zur Inhalationstherapie vorgesehenen Medikamente sind vernebelbar. Die Inhalation mit einem Düsenvernebler ist weitgehend unabhängig von der Kooperation und Koordination der Patienten. Mit entsprechendem Zubehör ist er daher für jede Altersstufe einsetzbar. Vor allem bei der Anwendung in Akutsituationen kann es von Vorteil sein, dass höhere Konzentrationen eines Aerosols kontinuierlich über einen längeren Zeitraum vernebelt werden können. Dennoch verliert der Düsenvernebler immer mehr an Bedeutung zugunsten des primären Einsatzes von Inhalierhilfen (▶ Abschn. 10.4).

Indikationen

- akuter, schwerer Asthmaanfall (in jeder Altersgruppe als Alternative zum Einsatz einer Inhalierhilfe)

- akute obstruktive Bronchitis (bei Säuglingen und Kleinkindern, sofern eine Behandlung mit einer Inhalierhilfe nicht erfolgreich oder verfügbar ist)
- Bronchiolitis (probatorisch bei Säuglingen mit einer vorbestehenden bronchialen Hyperreagibilität)
- laryngeale Obstruktion (als Applikationsform der ersten Wahl):
  - Infektkrupp
  - Spasmodic Croup (»Kehlkopfasthma«)
  - allergisches Larynxödem

Kontraindikationen

Absolute Kontraindikationen

- bekannte Überempfindlichkeit gegen den Wirkstoff der verwendeten Inhalationslösung
- für die Inhalation von *Epinephrin:*
  - paroxysmale Tachykardien, hochfrequente absolute Arrhythmie
  - Engwinkelglaukom

Relative Kontraindikationen

- für die Inhalation von *Salbutamol* oder *Epinephrin:*
  - schwere kardiovaskuläre Erkrankungen (z. B. frischer Herzinfarkt, koronare Herzkrankheit, hypertrophe obstruktive Kardiomyopathie, tachykarde Arrhythmien, schwere unbehandelte Arrhythmie, Aneurysmen, Einnahme von Digitalis)
  - schwer einstellbarer Diabetes mellitus
  - ausgeprägte Hyperthyreose
  - Phäochromozytom
- für die Inhalation von *Ipratropium*:
  - Engwinkelglaukom (möglichst Mundstück und keine Maske zur Inhalation verwenden)
  - Miktionsstörungen (Risiko des Harnverhalts)

Aufklärung

- häufige Nebenwirkungen bei Inhalation von *Salbutamol* oder *Epinephrin* (»wie bei Genuss einer starken Tasse Kaffee«):
  - Muskelzittern, Unruhe, Kopfschmerzen, Schlafstörungen
  - Tachykardie, Palpitationen
- häufige Nebenwirkungen bei Inhalation von *Ipratropium* zusätzlich zu den für Salbutamol und Epinephrin genannten:
  - Husten, Rachenreizung
  - trockener Mund, Geschmacksstörungen
  - Übelkeit
- seltene Komplikation (< 1 : 10 000) bei allen vernebelten Wirkstoffen:
  - paradoxer Bronchospasmus (v. a. bei Säuglingen)

Benötigtes Instrumentarium

- Kompressor mit Netzkabel (z. B. PARI JuniorBoy® SX; ▸ Abb. 10-3a)
- Vernebler mit Verbindungsschlauch (z. B. PARI LC® Sprint; ▸ Abb. 10-3b, f) Durch das Ventilsystem dieses Verneblers wird während der Einatemphase um ein Vielfaches mehr Aerosol produziert als während der Ausatmung. Trotz Dauerverneblung sind so die Medikamentenverluste während der Ausatmung gering. Es erübrigt sich daher die Verwendung eines Intervallverneblers mit Unterbrecher, der dem Patienten deutlich mehr Koordination abverlangt.
- weiche Gesichtsmasken (▸ Abb. 10-3d)
  - Babymaske Größe 1 für Säuglinge < 1 Jahr
  - Babymaske Größe 2 für Kinder von 1–3 Jahren

- Babymaske Größe 3 für Kinder >3 Jahre
- Kindermaske soft
- Erwachsenenmaske soft

Die Kindermaske soft und die Erwachsenenmaske soft sollten nur eingesetzt werden, wenn eine Inhalation mit dem Mundstück an der Koordination des Patienten scheitert.

- Babywinkel (► Abb. 10-3c)
  Die Babymasken Größe 1–3 müssen mit dem Babywinkel verwendet werden, da sich an der Maske selbst keine Ausatemschlitze befinden; das frei drehbare Winkelstück ermöglicht zudem die Inhalation auch im Liegen mit aufrecht gehaltenem Vernebler.
- Mundstück (so früh wie möglich verwenden; ab 3.–4. Lebensjahr versuchen; ► Abb. 10-3e)
- Inhalationslösung (► unten)
- ggf. sterile physiologische Kochsalzlösung zum Verdünnen
- ggf. sterile Spritze (zum Aufziehen der Verdünnungslösung)

Inhalationslösungen zur antiobstruktiven Therapie

- **Salbutamol** (z. B. Sultanol® Inhalationslösung oder SalbuHEXAL® Inhalationslösung, 5 mg/ml = 20 Tropfen)
  → Mittel der Wahl zur Therapie der akuten bronchialen Obstruktion.

Dosierung
- Säuglinge und Kleinkinder <2 Jahre: 2,5 mg (= 10 Tropfen Inhalationslösung)
- Kinder >2 Jahre und Erwachsene: 2,5–5 mg (= 10–20 Tropfen Inhalationslösung)

Salbutamol *Tropfen* sollten zur Verneblung mit 1,5 ml physiologischer Kochsalzlösung verdünnt werden. Salbutamol ist auch als *Fertiginhalat* in zwei verschiedenen Wirkstärken verfügbar (z. B. Sultanol® Fertiginhalat oder SalbuHEXAL® Fertiginhalat mit 1,25 mg/2,5 ml Ampulle bzw. Sultanol®

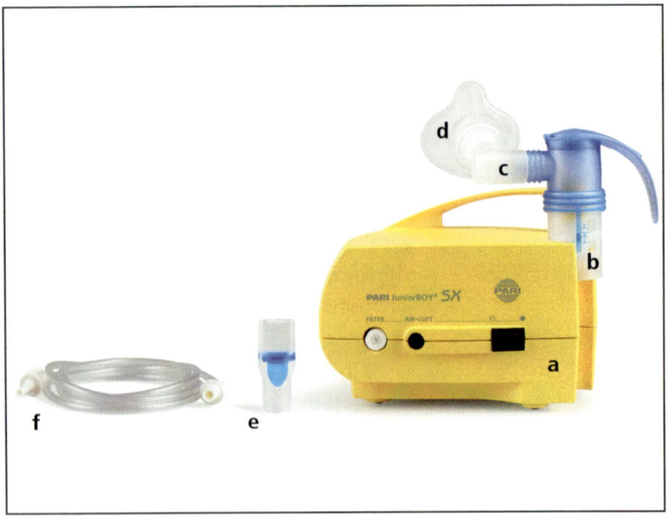

Abb. 10-3 Benötigte Ausstattung für die Therapie mit einem Düsenvernebler: Kompressor (**a**, hier am Beispiel PARI JuniorBoy® SX) mit Vernebler (**b**, z. B. PARI LC® Sprint) mit aufgesetztem Babywinkel (**c**) und weicher Babymaske (**d**); zusätzlich Mundstück (**e**) und Verbindungsschlauch (**f**) (mit freundl. Genehmigung der PARI GmbH, Starnberg, Deutschland)

forte Fertiginhalat mit 2,5 mg/2,5 ml Ampulle).

- **Ipratropium** (z. B. Atrovent® Inhalationslösung, 250 µg/ml = 10 Hübe = 20 Tropfen)
  → zusätzlich zu Salbutamol bei schwerer akuter Bronchialobstruktion

Dosierung
- Säuglinge und Kinder < 12 Jahre: 250 µg (= 10 Hübe Inhalationslösung)
- Jugendliche > 12 Jahre und Erwachsene: 500 µg (= 20 Hübe Inhalationslösung)

Ipratropium *Inhalationslösung* sollte zur Verneblung mit 3 ml physiologischer Kochsalzlösung verdünnt werden. Es kann mit Salbutamol im Vernebler gemischt werden.
Ipratropium gibt es auch in verschiedenen Wirkstärken als *Fertiginhalat.* (z. B. Atrovent® Fertiginhalat mit 250 µg/2 ml Ampulle bzw. Iprabronch® oder Ipratropium Teva® Fertiginhalat mit 250 µg/1 ml Ampulle bzw. Atrovent® oder Iprabronch® Fertiginhalat mit 500 µg/2 ml Ampulle).

- **Epinephrin** (InfectoKrupp® Inhal, 4 mg/ml = 7 Hübe)
  → Mittel der Wahl zur Therapie der laryngealen Obstruktion, probatorisch auch bei Bronchiolitis

Dosierung
- ab einem Alter von 6 Monaten für alle Altersgruppen: 4–8 mg (7–14 Hübe)

Durchführung

1. Der Kompressor wird an das Stromnetz angeschlossen.
2. Der Vernebler wird entweder mit dem Mundstück oder mit der Maske zusammengebaut. Bei Verwendung einer Babymaske muss der Babywinkel eingesetzt werden. Die Maskenposition kann dann entsprechend der Lage des Babys ausgerichtet werden.
3. Zwischen Kompressor und Vernebler wird eine Schlauchverbindung hergestellt.
4. Der Verschlussdeckel des Verneblers wird geöffnet, die vorbereitete Inhalationslösung eingefüllt und der Deckel verschlossen.
5. Der Kompressor wird eingeschaltet.
6. Zur Funktionskontrolle sollte überprüft werden, ob die Inhalationslösung verdampft wird und ob der Dampf aus dem Mundstück bzw. der Maske strömt.
7. Der Patient sollte stehen oder aufrecht auf einem Stuhl sitzen; ein Säugling oder Kleinkind kann am besten auf dem Schoß einer Bezugsperson sitzen (▸ Abb. 10-4).
8. Zur Inhalation muss der Vernebler senkrecht gehalten werden. Der Patient sollte das Mundstück des Verneblers in den Mund nehmen, mit den Schneidezähnen darauf beißen und es mit den Lippen vollständig umschließen. Dabei sollte der Kopf aufrecht gehalten werden. Bei Verwendung einer Maske muss diese dicht abschließend (!) auf das Gesicht aufgesetzt werden (andernfalls geht ein Großteil des Wirkstoffs verloren).
9. Nun sollte tief eingeatmet werden. Bei der Inhalation mit dem Mundstück ist darauf zu achten, dass möglichst nur durch den Mund und nicht gleichzeitig durch die Nase eingeatmet wird (ggf. kann eine Nasenklammer verwendet werden).

10. Sofern möglich, sollte der Patient nach jedem Einatmen ca. 1–2 s die Luft anhalten, also kurz warten, und erst dann wieder durch das Mundstück ausatmen.
11. Es sollte so lange inhaliert werden, bis die Inhalationslösung aufgebraucht ist. Der Patient erkennt am veränderten Geräusch des Verneblers den Aufbrauch des Medikaments.
12. Der Kompressor wird ausgeschaltet.

Nachsorge

Nach der Inhalationsbehandlung sollte eine Überprüfung des klinischen Zustands und des Auskultationsbefunds zur Beurteilung des Therapieerfolgs vorgenommen werden.

Bei unzureichendem Ansprechen sind nach 10–20 min eine Wiederholung der Inhalation oder eine Erweiterung der Therapie durch Inhalation zusätzlicher Medikamente zu erwägen. Darüber hinaus können zusätzliche Maßnahmen wie z. B. die Gabe systemischer Steroide (mind. 2 mg/kg KG Prednisolon p. o. bzw. i. v. oder 100 mg Prednisolon supp. rectal) und evtl. die Gabe von Sauerstoff über Maske oder Nasensonde (2–3 l/min) initiiert werden. Bei schwerer Symptomatik ist eine stationäre Behandlung indiziert.

Kann der Patient bei gutem Ansprechen auf die antiobstruktive Therapie anschließend nach Hause entlassen werden, bedarf es eines genauen Behandlungsplans für die Durchführung weiterer Inhalationsbehandlungen bzw. ggf. zusätzlicher Maßnahmen zu Hause.

Die Verordnung einer häuslichen Inhalationsbehandlung sollte nur nach sorgfältiger Anleitung in deren Durchführung (► Abschn. Durchführung) und Überprüfung der korrekten Handhabung erfolgen. Die entsprechende Ausstattung und das Zubehör müssen als Hilfsmittel verordnet werden.

Wenn es sich bei der obstruktiven Episode des Patienten mutmaßlich um eine einmalige Episode und nicht um ein rezidivierendes oder chronisches Geschehen handelt und wenn eine häusliche Inhalationsbehandlung lediglich für ein paar Tage erforderlich ist, kann ein Inhalationsgerät (nur der Kompressor) auch leihweise verordnet werden. Vernebler,

Abb. 10-4 Durchführung der Inhalation bei einem Kleinkind mit Babywinkel und Maske (mit freundl. Genehmigung PARI GmbH, Starnberg, Deutschland)

Anschlussschlauch und Zubehör verbleiben aus Hygienegründen stets beim Patienten. Aber nicht jede Krankenkasse übernimmt die Kosten für das Ausleihen eines Inhaliergeräts und nicht jede Apotheke hält Geräte für den Verleih vor. Hier bedarf es der Einzelfallklärung.

Tipps und Tricks

- Für den Fall, dass zur Behandlung einer akuten obstruktiven Erkrankung eine Fortsetzung der Inhalationsbehandlung zu Hause erforderlich ist, ein Düsenvernebler aber nicht mehr am gleichen Tag in der Apotheke beschafft werden kann, ist es sinnvoll, in der Praxis ein Leihgerät zur Überbrückung des Zeitraums bis zur Beschaffung eines Leihgeräts aus der Apotheke vorzuhalten.
- Die Tröpfchenzusammensetzung des Aerosols und somit die Effektivität der Inhalationsbehandlung ist abhängig von der Präzision der Verneblerdüse. Diese besteht aus Kunststoff und unterliegt durch die mechanische und thermische Beanspruchung einem gewissen Verschleiß. Es wird daher empfohlen, den Vernebler sowie ferner auch den Anschlussschlauch und den Luftfilter des Kompressors jährlich auszutauschen. Hierzu gibt es von den Anbietern Sets, die diese Einzelteile enthalten (z. B. PARI® TurboBoy Year Pack S).

Umgang mit Komplikationen

Bei jeder antiobstruktiven Inhalationsbehandlung kann ein paradoxer Bronchospasmus mit rascher Zunahme der Atemnot und der obstruktiven Symptomatik auftreten. Die Verneblung der verwendeten Inhalationslösung sollte in diesem Fall sofort abgebrochen werden. Es sollte entweder mit einer anderen Darreichungsform oder mit einem anderen inhalativen Bronchodilatator mit schnellem Wirkeintritt behandelt oder eine alternative Therapie eingeleitet werden.

! Bei einer schweren bronchialen oder laryngealen Obstruktion ist meist die Therapie mit dem Vernebler alleine nicht ausreichend und es bedarf parallel zusätzlicher Maßnahmen (z. B. Sauerstoffgabe, systemische Steroide).
Die antiobstruktive Therapie mit dem Vernebler hat nur einen transienten Effekt von 2–4 h. Dem Patienten müssen daher genaue Handlungsanweisungen für den Fall einer erneuten Zunahme der obstruktiven Beschwerden mit auf den Weg gegeben werden.

Weiterführende Literatur

BÄK, KBV, AWMF. Nationale Versorgungs-Leitlinie »Asthma«. Stand: August 2013 (wird zz. überprüft). www.leitlinien.de/nvl/asthma/mdb/downloads/nvl/asthma/asthma-2aufl-vers5-lang.pdf (letzter Zugriff: 06.06.2016).

Weblinks

Homepage der Firma PARI mit umfassenden Informationen zu Produkten, Zubehör, Inhalationstechnik, Handhabung, Pflege und Wartung sowie Gebrauchsanweisungen zum Download (www.pari.de)

10.4 Antiobstruktive Therapie mit der Inhalierhilfe

Jan Buschmann und Folkert Fehr

Hintergrund

Dosieraerosole sind heute wegen ihrer geringen Größe und Handlichkeit sowie des geringen Zeitbedarfs zur Durchführung der Inhalation die beliebteste Form der Inhalationsgeräte. Bei einer direkten Anwendung – dabei wird das Dosieraerosol direkt in den Mund gehalten – wird allerdings ein großer Teil der Partikel mit hoher Geschwindigkeit an die Rachenwand geschleudert und gelangt nicht bis an den eigentlichen Wirkort. Auch erfordert die korrekte Anwendung eine genaue Koordination von Einatmung und Auslösung des Dosieraerosols. Dies gelingt selbst Erwachsenen nur dann, wenn sie eine sorgfältige Schulung erhalten.

Deshalb wurden Vorschaltkammern (Inhalierhilfen bzw. Spacer) entwickelt, die zwischen Dosieraerosol und Mund positioniert werden. Das Aerosol gelangt dabei nach Auslösen des Sprühstoßes zuerst in die Inhalierhilfe, wo sich die Teilchen verlangsamen und der Anteil zu großer Teilchen an der Kammerwand sedimentiert. Über ein einfaches Atemventil können dann mit tiefen Atemzügen die respirablen Teilchen inhaliert werden. Mithilfe dieser Technik wird die unerwünschte oropharyngeale Deposition deutlich reduziert, v. a. aber wird die Koordination zwischen Auslösen des Dosieraerosols und Einatmung erheblich vereinfacht. Deshalb kann eine Inhalierhilfe mit Maske auch bei Säuglingen und Kleinkindern verwendet werden und ist in dieser Altersgruppe zur Therapie der akuten Bronchialobstruktion sogar effektiver als der Einsatz eines Düsenverneblers. Aber auch bei Erwachsenen kann die intrabronchiale Deposition des Aerosols durch Verwendung einer Inhalierhilfe im Vergleich zur alleinigen Verwendung eines Dosieraerosols signifikant gesteigert werden.

Gemäß der Empfehlungen der Nationalen Versorgungsleitlinie »Asthma bronchiale« ist bei einem akuten Asthmaanfall in jeder Altersgruppe – auch bei Erwachsenen – die Inhalation von kurz wirksamen Betamimetika mithilfe einer Inhalierhilfe Therapie der ersten Wahl.

Auch bei der antiinflammatorischen Dauertherapie mit inhalativen Steroiden hat der Einsatz von Inhalierhilfen neben Pulverinhalatoren einen großen Stellenwert. Darauf soll aber in diesem Abschnitt nicht weiter eingegangen werden.

Indikationen

Akute Bronchialobstruktion bei folgenden Krankheitsbildern:

- obstruktive Bronchitis des Kleinkindalters
- Asthma bronchiale
- chronisch obstruktive Lungenerkrankung (COPD)

Kontraindikationen

Absolute Kontraindikation

- bekannte Überempfindlichkeit gegen den Wirkstoff des verwendeten Dosieraerosols

Relative Kontraindikationen

- für die Inhalation der rasch wirksamen β_2-Mimetika (*Salbutamol, Fenoterol):*
  - schwere kardiovaskuläre Erkrankungen wie frischer Herzinfarkt, koronare Herzkrankheit, hypertrophe obstruktive Kardiomyopathie, tachykarde Arrhythmien,

unbehandelte Arrhythmie, Aneurysmen, Einnahme von Digitalis
  - schwer einstellbarer Diabetes mellitus
  - ausgeprägte Hyperthyreose
  - Phäochromozytom
- für die Inhalation von *Ipratropium:*
  - Engwinkelglaukom (möglichst Mundstück und keine Maske zur Inhalation verwenden)
  - Miktionsstörungen (Risiko des Harnverhalts)

Aufklärung

- häufige Nebenwirkungen bei Inhalation von rasch wirksamen β_2-Mimetika wie *Salbutamol* und *Fenoterol* (»wie bei Genuss einer starken Tasse Kaffee«):
  - Muskelzittern, Unruhe, Kopfschmerzen, Schlafstörungen
  - Tachykardie, Palpitationen
- häufige Nebenwirkungen bei Inhalation von *Ipratropium* zusätzlich zu den für Salbutamol und Fenoterol genannten:
  - Husten, Rachenreizung
  - trockener Mund, Geschmacksstörungen
  - Übelkeit
- seltene Komplikation (< 1 : 10 000) bei allen inhalativen Wirkstoffen:
  - paradoxer Bronchospasmus (v. a. bei Säuglingen)

Benötigtes Instrumentarium

Abbildung 10-5 gibt eine Übersicht über die benötigte Ausstattung:

- Inhalierhilfe
  Eine Inhalierhilfe sollte ein Inspirationsventil besitzen und mit verschiedenen Dosieraerosolen kompatibel sein (z. B. PARI Vortex®, RC-Chamber reusable®, RC-Compact Space

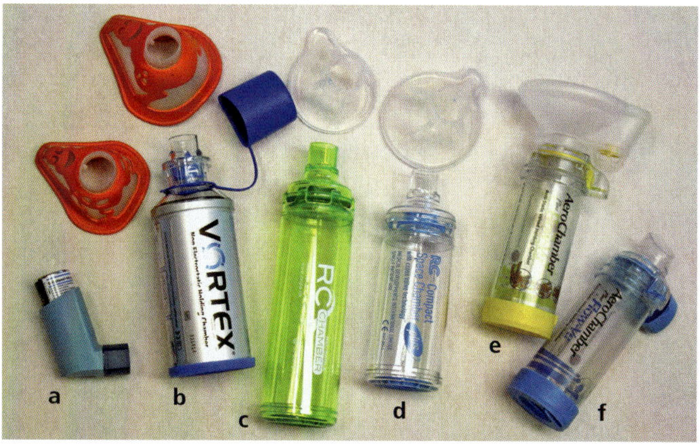

Abb. 10-5 Benötigte Ausstattung: Dosieraerosol (**a**) und Beispiele für verschiedene Inhalierhilfen: PARI Vortex® mit zugehöriger Babymaske und Kleinkindmaske (**b**); RC-Chamber reusable® (**c**) und RC-Compact Space Chamber plus® (**d**) mit zugehöriger Babymaske und Kleinkindmaske; Aerochamber® mit Kleinkindmaske (**e**) und Aerochamber® mit Mundstück (**f**); (mit freundl. Genehmigung von PARI GmbH, Starnberg, Deutschland; R. Cegla GmbH & Co. KG, Montabaur, Deutschland und Trudell Medical International, London [Ontario], Kanada)

Chamber plus®, Aerochamber®). Zum Mehrpatientengebrauch sind nur sterilisierbare Inhalierhilfen zugelassen (PARI Vortex®, RC-Chamber reusable®). Eine Inhalierhilfe mit Mundstück kann etwa ab 4 Jahren eingesetzt werden.

- Babymaske für Säuglinge und Kleinkinder von 0–2 Jahren
- Kleinkindmaske für Kleinkinder ab 2 Jahren
  Babymaske und Kleinkindmaske können beim PARI Vortex®, RC-Chamber reusable® und RC-Compact Space Chamber plus® als Zubehör auf das Mundstück aufgesetzt werden. Den Aerochamber® gibt es in verschiedenen Varianten mit Mundstück oder fest aufgesetzter Maske in unterschiedlichen Größen.
- Dosieraerosol

Dosieraerosole zur akuten antiobstruktiven Therapie

- **Salbutamol** (z. B. Sultanol® oder Apsomol® N Dosieraerosol 100 µg/Sprühstoß)
  → Mittel der Wahl zur Therapie der akuten bronchialen Obstruktion

Dosierung
- für alle Altersgruppen 2(–4) Hübe pro Anwendung
- Ausnahme: im lebensbedrohlichen Asthmaanfall bei Kindern 4–8 Hübe

Die Anwendung kann bei Kindern ggf. alle 20–30 min (max. alle 10 min), bei Erwachsenen ggf. alle 10–15 min wiederholt werden. Eine Tageshöchstdosis von 12 Hüben sollte möglichst nicht überschritten werden.

- **Fenoterol** (z. B. Berotec® N Dosieraerosol 100 µg/Sprühstoß)
  → Alternative zu Salbutamol bei der Therapie der akuten Bronchialobstruktion

Dosierung
- für alle Altersgruppen 2(–4) Hübe pro Anwendung

- **Ipratropium** (z. B. Atrovent® N oder Ipratropiumbromid HEXAL Dosieraerosol 20 µg/Sprühstoß)
  → zusätzlich zu Salbutamol bei schwerer, akuter Bronchialobstruktion

Dosierung
- für alle Altersgruppen 2(–4) Hübe pro Anwendung

- **Kombinationspräparate**
  Kombinationspräparate aus Fenoterol und Ipratropium (z. B. Berodual® N Dosieraerosol mit 20 µg Ipratropium und 50 µg Fenoterol/Sprühstoß) sind eine mögliche Alternative zum Einsatz der Einzelpräparate. Der Anteil von Fenoterol ist im Vergleich zu Ipratropium gering.

Dosierung
- für alle Altersgruppen 2(–4) Hübe pro Anwendung

Durchführung

Vorbereitung

1. Die Verschlusskappe des Dosieraerosols wird entfernt. Das Mundstück sollte auf lose Fremdkörper überprüft werden.
2. Das Dosieraerosol muss kräftig geschüttelt werden, damit sich der Wirkstoff mit dem Treibmittel vermischt; nach längerer Nichtbenutzung sollten

zwei Sprühstöße in die Luft ausgelöst werden.

3. Das Mundstück des Dosieraerosols wird in den hinteren Anschlussring der Inhalierhilfe gesteckt; dabei ist darauf zu achten, dass die gewählte Inhalierhilfe für das jeweilige Dosieraerosol geeignet ist.
4. Bei der ersten Verwendung der frisch gereinigten Inhalierhilfe sollten 1–2 Sprühstöße des Dosieraerosols zur Verminderung elektrostatischer Ladung der Kammerwand in die Inhalierhilfe gegeben werden. Dies ist nicht erforderlich bei Verwendung einer Inhalierhilfe aus antielektrostatischem Material (PARI Vortex® oder Aerochamber®).

Inhalation mit Mundstück (Kinder >4 Jahre und Erwachsene)

1. Der Patient sollte aufstehen – in der Regel wird im Stehen inhaliert.
2. Zunächst atmet der Patient tief aus.
3. Das Mundstück der Inhalierhilfe wird in den Mund genommen, die Schneidezähne beißen darauf und die Lippen umschließen es vollständig. Dabei sollen Dosieraerosol und Inhalierhilfe gerade gehalten werden.
4. Das Dosieraerosol wird zwischen Daumen und Zeigefinger einmal heruntergedrückt, um einen Sprühstoß auszulösen.
5. Der Patient sollte langsam und tief einatmen und dabei darauf achten, dass möglichst nur durch den Mund und nicht gleichzeitig durch die Nase eingeatmet wird.
6. Der Atem sollte möglichst kurz angehalten werden (sofern der Patient dazu in der Lage ist) und es sollte bis fünf gezählt werden. Anschließend wird über das Mundstück wieder ausgeatmet.
7. Zur vollständigen Entleerung der Inhalierhilfe sollten Kinder 2–4 Atemzüge lang inhalieren, bei Erwachsenen reicht ein tiefer Atemzug.
8. Falls zwei oder mehr Sprühstöße pro Anwendung inhaliert werden sollen, werden die Schritte 2 bis 6 wiederholt.

> Es sollten keine mehrfachen Sprühstöße ohne dazwischen liegende Inhalation erfolgen! Ein zweiter Sprühstoß darf also erst in die Inhalierhilfe gegeben werden, wenn diese zuvor leer geatmet wurde.

9. Das Dosieraerosol wird von der Inhalierhilfe abgenommen und die Verschlusskappe aufgesteckt.

Inhalation mit Maske (Säuglinge und Kleinkinder unter 4 Jahren)

1. Der Säugling oder das Kleinkind sollte aufrecht auf dem Schoß einer Bezugsperson sitzen (► Abb. 10-6).
2. Die Maske der Inhalierhilfe wird dicht abschließend über Mund und Nase auf das Gesicht aufgesetzt, dabei werden Dosieraerosol und Inhalierhilfe gerade gehalten.
3. Die Atmung des Kindes wird beobachtet. Das Dosieraerosol sollte möglichst am Ende einer Ausatemphase einmal heruntergedrückt werden, um den Sprühstoß auszulösen.
4. Zur vollständigen Entleerung der Inhalierhilfe sollten Kinder unter 18 Monaten mind. 4–6 Atemzüge, Kinder über 18 Monate 2–4 Atemzüge lang inhalieren. Dabei muss die Maske unbedingt dicht abschließend auf dem Gesicht gehalten werden.
5. Falls zwei oder mehr Sprühstöße pro Anwendung inhaliert werden sollen, werden Schritte 2–4 wiederholt.

Abb. 10-6 Durchführung der Inhalation mit Dosieraerosol und Inhalierhilfe mit Maske beim Kleinkind (mit freundl. Genehmigung der PARI GmbH, Starnberg, Deutschland)

> Es sollten keine mehrfachen Sprühstöße ohne dazwischen liegende Inhalation erfolgen! Ein zweiter Sprühstoß darf also erst in die Inhalierhilfe gegeben werden, wenn diese zuvor leer geatmet wurde.

6. Das Dosieraerosol wird von der Inhalierhilfe abgenommen und die Verschlusskappe aufgesteckt.

10

Nachsorge

Nach der Inhalationsbehandlung sollte eine Überprüfung des klinischen Zustands und des Auskultationsbefunds zur Beurteilung des Therapieerfolgs vorgenommen werden.

Bei unzureichendem Ansprechen sind nach 10–20 min eine Wiederholung der Inhalation oder eine Erweiterung der Therapie durch Inhalation zusätzlicher Medikamente zu erwägen. Darüber hinaus können zusätzliche Maßnahmen wie z. B. die Gabe systemischer Steroide (mind. 2 mg/kg KG Prednisolon p. o. bzw. i. v. oder 100 mg Prednisolon supp. rectal) und evtl. die Gabe von Sauerstoff über eine Maske oder eine Nasensonde (2–3 l/min) initiiert werden. Bei schwerer Symptomatik ist eine stationäre Behandlung indiziert.

Kann der Patient bei gutem Ansprechen auf die antiobstruktive Therapie nach Hause entlassen werden, bedarf es eines genauen Behandlungsplans für die Durchführung weiterer Inhalationsbehandlungen bzw. ggf. zusätzlicher Maßnahmen zu Hause.

Die Verordnung einer häuslichen Inhalationsbehandlung sollte nur nach sorgfältiger Anleitung in der Durchführung (► Abschn. Durchführung) und Überprüfung der korrekten Handhabung erfolgen. Inhalierhilfe und Zubehör sollten als Hilfsmittel verordnet werden.

Tipps und Tricks

- Einige Arzneimittelhersteller bieten wirkstofffreie Dosieraerosole zu Demonstrationszwecken an. Hierzu kann ggf. beim Hersteller oder dessen Außendienstmitarbeiter nachgefragt werden. Mit einem wirkstofffreien Dosieraerosol kann die Inhalationstechnik von Dosieraerosol und Inhalierhilfe demonstriert und mit den Patienten geübt werden – wenn es die Situation erlaubt.
- Man kann den Aufwand einer hygienischen Aufbereitung zum Mehrpatientengebrauch umgehen, wenn man einzelne Inhalierhilfen für den Einpa-

tientengebrauch in der Praxis bereithält, die man nach der Behandlung in der Praxis dem Patienten für die weitere Anwendung zu Hause mitgeben kann. Durch eine patientenbezogene Hilfsmittelverordnung unter Angabe der Pharmazentralnummer (PZN) der herausgegebenen Inhalierhilfe kann der Praxisvorrat wieder aufgefüllt werden.

Umgang mit Komplikationen

Bei jeder antiobstruktiven Inhalationsbehandlung kann ein paradoxer Bronchospasmus mit rascher Zunahme der Atemnot und der obstruktiven Symptomatik auftreten. In diesem Fall soll die Behandlung mit dem verwendeten Dosieraerosol abgebrochen werden und entweder mit einer anderen Darreichungsform oder mit einem anderen inhalativen Bronchodilatator mit schnellem Wirkeintritt behandelt oder eine alternative Therapie eingeleitet werden.

! Bei einer schweren bronchialen Obstruktion ist meist die antiobstruktive Therapie mit Dosieraerosol und Inhalierhilfe alleine nicht ausreichend und es bedarf parallel zusätzlicher Maßnahmen (z. B. Sauerstoffgabe, systemische Steroide). Die antiobstruktive Therapie mit Dosieraerosol und Inhalierhilfe hat nur einen transienten Effekt von 2–4 h. Dem Patienten müssen daher genaue Handlungsanweisungen für den Fall einer erneuten Zunahme der obstruktiven Beschwerden mit auf den Weg gegeben werden.

Weiterführende Literatur

BÄK, KBV, AWMF. Nationale Versorgungs-Leitlinie »Asthma«. Stand: August 2013 (wird zz. überprüft). www.leitlinien.de/nvl/asthma/mdb/downloads/nvl/asthma/asthma-2aufl-vers5-lang.pdf (letzter Zugriff: 06.06.2016).

Weblinks

Homepages der Herstellerfirmen der Inhalierhilfen mit umfassenden Informationen zu Produkten, Zubehör, Inhalationstechnik, Handhabung, Pflege und Wartung sowie Gebrauchsanweisungen zum Download: **PARI Vortex®** (www.pari.de/de-de/produkte/inhalierhilfe-vortex/vortex); **RC-Chamber reusable®** (www.cegla.de/klinik/rc-chamber-reusable.html); **RC-Compact Space Chamber plus®** (www.cegla.de/produkte/inhalationstherapie/rcchamber.html); **Aerochamber®** (www.atemwege.hexal.de/richtig-inhalieren/aerochamber-inhalierhilfe/aerochamber-inhalierhilfen)

11 Notfallprozeduren

11.1 Maskenbeatmung

Linda Meixner, Jeannine Schübel
und Antje Bergmann

Hintergrund

Das Freihalten der Atemwege sowie die Beatmung mithilfe einer Maske sind Maßnahmen, die in der Hausarztpraxis in Notfallsituationen beherrscht werden müssen. Diese Situationen kommen in der hausärztlichen Praxis selten vor, bedürfen aber der zügigen und routinierten Handhabung. Die Kompetenz, eine suffiziente Maskenbeatmung durchzuführen, ist wichtig und hilfreich zur Oxygenierung sowie zur Ventilation und kann nur durch regelmäßiges Üben auf dem erforderlichen Niveau gehalten werden.

Indikationen

- fehlende oder insuffiziente Spontanatmung bei Patienten aller Altersklassen
- Alternative zu invasiven Beatmungsformen (z. B. endotracheale Intubation) für den Ungeübten

Kontraindikationen

- schwere Gesichtstraumata
- massive oro- und/oder nasopharyngeale Blutungen

Aufklärung

In Notfallsituationen ist keine Aufklärung notwendig und möglich. Der Arzt handelt zum Wohle des Patienten, um eine lebensbedrohende Gefahr abzuwenden.

Benötigtes Instrumentarium

- geeignete *Beatmungsmaske:* Es gibt Modelle mit unterschiedlicher Maskenform, unterschiedlichem elastischem Material und verschiedenen Größen (Erwachsene: Größe 3–5).
- geeigneter *Beatmungsbeutel:*
  - Erwachsenenbeutel (ca. 1,5 l Volumen, > 30 kg, > 10 Jahre)
  - Kinderbeutel (ca. 0,5 l Volumen, zwischen 10–30 kg, 1–10 Jahre)
  - Babybeutel (ca. 0,25 l Volumen, < 10 kg, < 1 Jahr)
- fakultativ:
  - Absaugpumpe, Magill-Zange
  - Hilfsmittel zur Freihaltung der Atemwege: Naso- bzw. Oropharyngealtuben
  - Reservoir für Beatmungsbeutel
  - Sauerstoff mit Anschluss

Durchführung

1. Zunächst erfolgt eine Mundraumkontrolle, bei der ggf. grobe Fremdkörper oder Flüssigkeiten aus dem Mund- und Rachenraum (z. B. lockere Prothesen, Erbrochenes) entfernt werden. Es handelt sich um eine digitale Ausräumung, bei der Hilfsmittel wie z. B. eine Magill-Zange oder eine Absaugpumpe verwendet werden können.
2. Die Atemwege werden durch Reklination des Kopfes bzw. durch den Esmarch-Handgriff, bei dem der Unterkiefer vorgezogen wird (► Abb. 11-1), freigemacht, um ein Zurückfallen der Zunge in den Hypopharynx zu verhindern. Der Mundboden wird gespannt und der Zungengrund angehoben. Die Atmung wird kontrolliert.

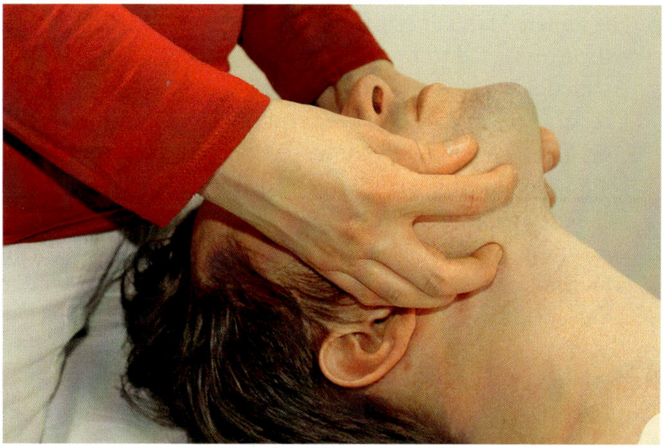

Abb. 11-1 Esmarch-Handgriff

3. Bei der Maskenbeatmung kniet der Helfer in der Regel am Kopfende des Patienten.

Die Kopfposition entspricht der Führungsposition (»Kopf gibt die Kommandos«).

Eine geeignete Maske wird mit einer Hand fest auf Mund und Nase des Patienten positioniert, luftdicht mithilfe des »C-Griffs« angedrückt, wobei Zeigefinger und Daumen in Form eines C gehalten werden. Die restlichen Finger der Hand umfassen den Unterkiefer und ziehen ihn nach vorn, um so die Atemwege weiter freizuhalten (► Abb. 11-2). Die Maske ist bereits mit dem Beatmungsbeutel verbunden und – wenn vorhanden – am Sauerstoff angeschlossen.

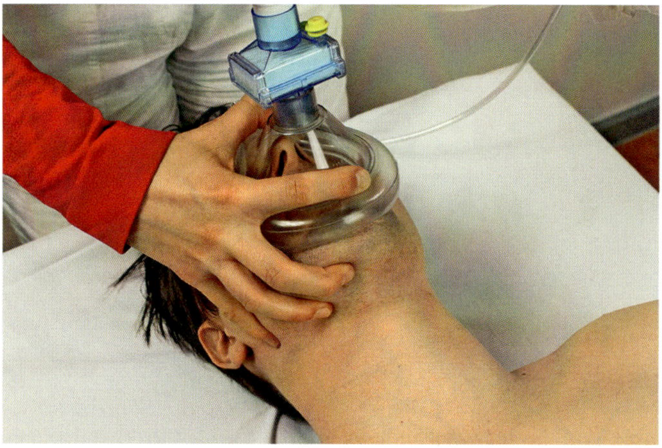

Abb. 11-2 C-Griff

4. Die andere Hand übernimmt die Beutelbeatmung durch gleichmäßiges Ausdrücken des Beatmungsbeutels über eine Sekunde. Die Thoraxexkursion dient der Qualitätskontrolle und sollte gleichzeitig sichtbar werden. Bei der passiven Exspiration wird der Beatmungsbeutel für 1,5–2 s entlastet, während die Beatmungsmaske weiterhin fest sitzt.

Nachsorge

Parallel zu o.g. Maßnahmen muss der Rettungsdienst bzw. Notarzt alarmiert werden, um die weitere Versorgung und den Transport des Patienten ins Krankenhaus zu gewährleisten. Die Alarmierung sollte möglichst durch eine Hilfsperson geschehen.

Tipps und Tricks

Naso- oder Oropharyngealtuben Zum Freihalten der Atemwege ist die Einlage von Naso- oder Oropharyngealtuben hilfreich. Sie verhindern weitgehend das Zurückfallen der Zunge in den Hypopharynx. Der *Guedel-Tubus* darf als Oropharyngealtubus (► Abb. 11-3) nur beim bewusstlosen Patienten eingesetzt werden, da sonst bei bestehenden Schutzreflexen die Gefahr des Erbrechens besteht. Die richtige Größe lässt sich durch den Abstand zwischen Ohrläppchen und Mundwinkel des Patienten bestimmen. Er wird zunächst mit der konkaven Seite gaumenwärts eingeführt und schließlich in der Mundhöhle um 180 Grad gedreht, sodass die konkave Seite sich der Zunge anschmiegt. Der *Wendl-Tubus* kann als Nasopharyngealtubus (► Abb. 11-4) auch beim wachen Patienten angewendet werden und wird parallel zum Nasenboden in ein Nasenloch eingeführt. Die richtige Größe lässt sich durch den Abstand zwischen Ohrläppchen und Nasenspitze des Patienten bestimmen.

Richtige Technik Die Maske liegt dichter auf, wenn der Beutel auf dem Oberschenkel des Helfers ausgedrückt werden kann. Dazu wird dieser direkt neben den Kopf des zu Beatmenden gelegt. Diese Technik ist zudem kräftesparend, da nicht zusätzlich das Gewicht des Beutels ausbalanciert werden muss.

Sauerstoffanschluss und Reservoirbeutel Ziel jeder Beatmung ist die optimale Oxygenierung des Patienten. Diese kann mithilfe eines angeschlossenen Reser-

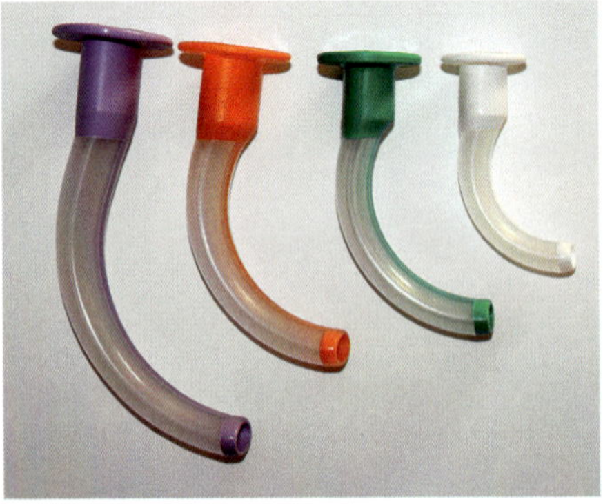

Abb. 11-3 Oropharyngealtuben

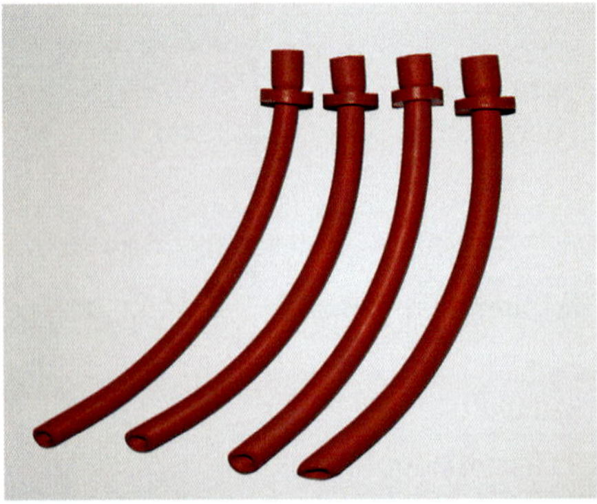

Abb. 11-4 Nasopharyngealtuben

voirbeutels und/oder möglichst 100%iger Sauerstoffzufuhr aus der Sauerstoffflasche bzw. aus einem Sauerstoffanschluss mit mind. 10 l/min gesteigert werden (► Tab. 11-1). Als Monitoring kann die Pulsoxymetrie genutzt werden.

Umgang mit Komplikationen

- Entweicht Luft bzw. sitzt die Maske nicht dicht genug, wird die Beatmungsmaske auf dem Gesicht hin- und herbewegt und fester angedrückt. Maskenposition und -größe sollten überprüft, Hilfsmittel zum Freihalten der Atemwege verwendet werden. Die Beatmungsmaske kann ggf. mit beiden Händen abgedichtet werden, wenn der Beatmungsbeutel durch eine Hilfsperson komprimiert wird.
- Erschwert werden kann die Maskenbeatmung durch ungünstige anatomische Verhältnisse, fehlende Zähne bzw. Prothesen, Verletzungen im Gesichtsbereich oder durch starke Gesichtsbehaarung.
- Lässt sich der Beatmungsbeutel schwer ausdrücken, wird der Kopf weiter rekliniert und der Unterkiefer weiter vorgezogen. Eine Ausnahme bilden Säuglinge und junge Kleinkinder: In diesen Fällen sollte auch probiert werden, den Kopf in die »Schnüffelstellung« zu bringen (z. B. mit einem Handtuch, das in den Nacken gelegt wird). Sinnvoll ist es, die vorgestellten Hilfsmittel zum Freihalten der Atemwege zu nutzen.
- Wenn keine Thoraxexkursionen sichtbar sind, sollten alle im Abschnitt Durchführung beschriebenen Punkte überdacht werden. Auch eine Fremdkörperaspiration ist in Betracht zu ziehen.

! Die Maskenbeatmung wie auch der Einsatz von Hilfsmitteln zur Freihaltung der Atemwege stellen keinen Aspirationsschutz dar! Die Gefahr des Erbrechens und der Aspiration besteht immer!
Hohe Beatmungsdruckspitzen und damit die Gefahr der Magenüberblähung sollten vermieden werden.
Die Beatmung sollte möglichst gleichmäßig über eine Sekunde erfolgen, der Beutel nicht zu schnell und zu stark ausgedrückt werden und der Kopf ausreichend rekliniert sein!

Weiterführende Literatur

Deutsche Gesellschaft für Anästhesiologie und Intensivmedizin. S1-Leitlinie »Atemwegsmanagment« (Stand: 12.03.2015). www.awmf.org/uploads/tx_szleitlinien/001-028l_S1_Atemwegs management_2015-04_01.pdf (letzter Zugriff: 06.06.2016).

Deutscher Rat für Wiederbelebung – German Resuscitation Council e. V. (Hrsg). Reanimation 2015 – Leitlinien kompakt. www.grc-org.de/leitlinien2015 (letzter Zugriff: 06.06.2016).

Tab. 11-1 Sauerstoffkonzentration bei verschiedenen Maskenbeatmungsverfahren

Maskenbeatmung mit Beatmungsbeutel	Inspiratorische Sauerstoffkonzentration
Raumluft	21 %
Sauerstoffanschluss 10 l/min	bis 40 %
Sauerstoffanschluss 10 l/min und Reservoirbeutel	bis 95 %

11.2 Anwenden eines Larynxtubus

Linda Meixner, Jeannine Schübel und Antje Bergmann

Hintergrund

Der Larynxtubus ist ein extraglottisches Atemwegshilfmittel, welches unterhalb der Glottisebene platziert wird und zur Freihaltung der Atemwege sowie zur Oxygenierung und Ventilation verwendet wird. Er ist ein Einlumen-Tubus. Im distalen Bereich wird er durch einen Cuff am Ösophaguseingang geblockt, welcher somit den Ösophagus gegen den Larynx abdichtet. Ein zweiter, proximal gelegener Cuff dichtet im Pharynxbereich diesen gegen den Mund- und Rachenraum ab. Die zwischen den beiden Cuffs befindliche Ventilationsöffnung liegt bei korrekter Positionierung vor dem Kehlkopfeingang (► Abb. 11-5).

Die Beatmung mithilfe des Larynxtubus ist der Beutel-Masken-Beatmung in einigen Punkten überlegen. So bietet der Larynxtubus einen besseren Aspirationsschutz durch eine verringerte Mageninsufflation und es besteht eine höhere Effektivität der Beatmung. Er ist mit einer hohen Sicherheit schnell und blind platzierbar und kann ebenfalls von medizinischem Assistenzpersonal verwendet werden. Ein regelmäßiges Training der praktischen Durchführung ist dennoch unerlässlich.

Indikationen

- Notfallsituationen mit fehlender bzw. insuffizienter Spontanatmung und erloschenen Schutzreflexen
- als Alternative zur endotrachealen Intubation für den im oberen Airway-Management Ungeübten
- insuffiziente Maskenbeatmung

Kontraindikationen

- Verletzungen im Pharynxbereich
- Patient mit erhaltenen Schutzreflexen

Aufklärung

In Notfallsituationen ist keine Aufklärung notwendig und möglich. Der Arzt handelt zum Wohle des Patienten, um eine lebensbedrohende Gefahr abzuwenden.

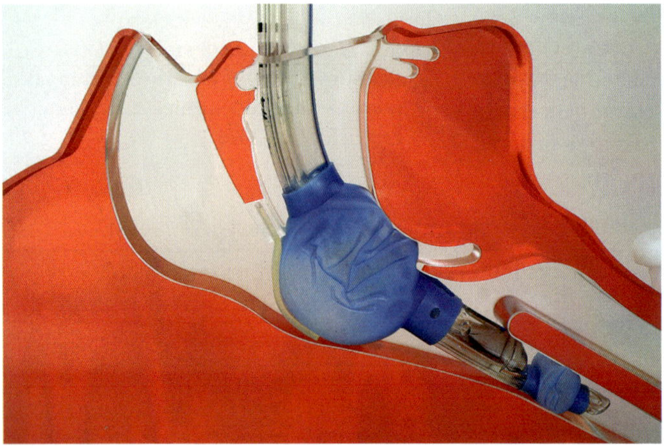

Abb. 11-5 Position Larynxtubus

Benötigtes Instrumentarium

- Larynxtubus in geeigneter Größe (► Tab. 11-2; Abb. 11-6)
- Beatmungsbeutel bzw. maschinelles Beatmungsgerät
- ggf. Gleitmittel, Cuffdruckmessgerät

> Es ist sinnvoll, Larynxtuben in der Größe 3–5 in der Praxis vorzuhalten. Diese gibt es oftmals als Set zu kaufen.

Durchführung

1. Die Cuffs des Larynxtubus werden mit der beiliegenden Spritze komplett entlüftet.
2. Der Larynxtubus wird gleitfähig gemacht (wasserlösliches Gleitgel wie z. B. Aquagel®, TrachJell®), alternativ kann Wasser benutzt werden.
3. Es folgt eine Mundraumkontrolle. Dabei werden digital grobe Fremdkörper oder Flüssigkeiten aus dem Mund- und Rachenraum entfernt, ggf. können zusätzliche Hilfsmittel verwendet werden.
4. Idealerweise wird der Kopf leicht überstreckt, ggf. kann dabei der *Esmarch-Handgriff* (► Abschn. 11.1 Hintergrund) hilfreich sein.
5. Der Mund wird mithilfe des *Kreuzgriffs*, bei dem mit dem Daumen die

Tab. 11-2 Unterschiedliche Larynxtubusgrößen

Konnektorfarbe	Größe	Patient	Cuffvolumen
transparent	0	Neugeborenes < 5 kg	10 ml
weiß	1	Säugling 5–12 kg	20 ml
grün	2	Kind 12–25 kg	35 ml
gelb	3	kleiner Erwachsener < 155 cm	60 ml
rot	4	Erwachsener 155–180 cm	80 ml
violett	5	großer Erwachsener > 180 cm	90 ml

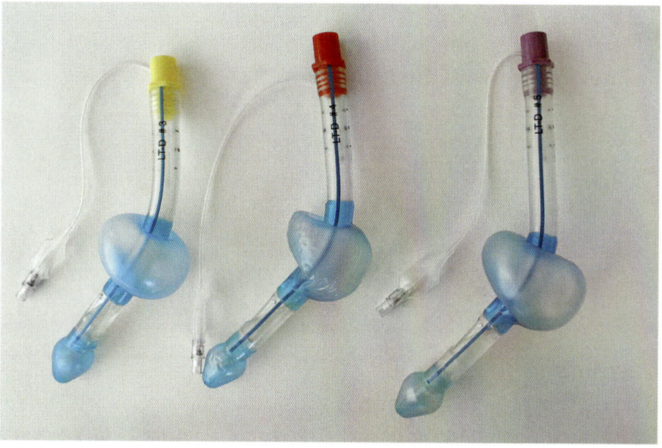

Abb. 11-6 Larynxtuben

untere und mit dem Mittelfinger die obere Zahnreihe bewegt wird, um ca. 3 cm geöffnet.

6. Ein geeigneter Larynxtubus wird wie ein Stift mit der konvexen Seite zum harten Gaumen hin in den Rachenraum eingeführt bis ein federnder Widerstand auftritt (Ösophaguseingang). Hierbei ist eine Schienung über den Zeigefinger möglich.

! Der Tubus sollte nicht mit Gewalt einführt werden!

7. Die korrekte Einschubtiefe ist durch eine Markierung am Tubus gekennzeichnet, diese sollte auf Höhe der vorderen Schneidezähne liegen.
8. Der Larynxtubus wird durch die Blockerspritze (► Abb. 11-7) mit der notwendigen Luftmenge entsprechend der Konnektorfarbe (► Tab. 11-2) blockiert. Der Tubuskonnektor und die Blockerspritze sind je nach Größe einheitlich farblich gekennzeichnet. Der Cuffdruck sollte zwischen 60–70 cmH_2O liegen; ggf. sollte der Druck mit dem Cuffdruckmessgerät überprüft werden.
9. Der Beatmungsbeutel (möglichst mit Reservoir und angeschlossenem Sauerstoff) oder ein maschinelles Beatmungsgerät wird angeschlossen.
10. Die korrekte Lage des Larynxtubus wird durch Auskultation überprüft, ggf. auch durch sichtbare Thoraxexkursionen.
11. Zur Fixierung kann ggf. ein Beißschutz eingesetzt werden. Der Larynxtubus wird fixiert.

Nachsorge

Parallel zu o.g. Maßnahmen muss der Rettungsdienst bzw. Notarzt alarmiert werden, um die weitere Versorgung und den Transport des Patienten ins Krankenhaus zu gewährleisten. Die Alarmierung sollte möglichst durch eine Hilfsperson geschehen.

Tipps und Tricks

Kurz nach Einbringen des Larynxtubus kann es durch einen reflektorisch ausgelösten Laryngospasmus zur Verlegung der Atemwege kommen. Deshalb sollte ggf. einen kurzen Moment abgewartet werden, ohne vorschnell auf eine Fehlplatzierung zu schließen.

Umgang mit Komplikationen

Der Tubus darf nie mit Gewalt eingeführt werden! Lässt sich der Tubus schwer einführen, verlegt evtl. der Zungengrund den Rachenbereich. In solchen Fällen

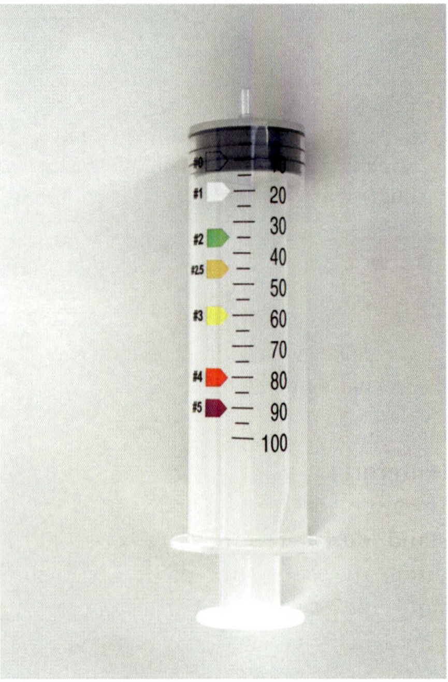

Abb. 11-7 Blockerspritze

können der Kopf rekliniert und der Esmarch-Handgriff angewendet werden. Ist die Beatmung insuffizient, wird der Tubus max. 1 cm tiefer eingeführt oder etwas herausgezogen. Hilft dies nicht, sollte der Tubus entfernt werden und ein neuer Versuch mit einer neuen Tubusgröße erfolgen. Bleibt auch dieser Versuch erfolglos, sollte auf eine Maskenbeatmung umgestiegen werden.

! Die Beatmung mithilfe des Larynxtubus stellt keinen 100%igen Aspirationsschutz dar! Die Gefahr des Erbrechens und der Aspiration bleibt bestehen!

Weiterführende Literatur

Deutsche Gesellschaft für Anästhesiologie und Intensivmedizin. S1-Leitlinie »Atemwegsmanagment« (Stand: 12.03.2015). www.awmf.org/uploads/tx_szleitlinien/001-028l_S1_Atemwegs management_2015-04_01.pdf (letzter Zugriff: 06.06.2016).

Deutscher Rat für Wiederbelebung – German Resuscitation Council e. V. (Hrsg). Reanimation 2015 – Leitlinien kompakt. www.grc-org.de/leitlinien2015 (letzter Zugriff: 06.06.2016).

11.3 Defibrillation

Jeannine Schübel, Linda Meixner und Antje Bergmann

Hintergrund

Insbesondere bei einem Kreislaufstillstand durch Kammerflimmern kann durch die frühestmögliche Defibrillation eine erhebliche Verbesserung des Überlebens erreicht werden. Dies ist unabhängig davon, ob ein »klassischer«, manueller Defibrillator oder ein automatisierter externer Defibrillator (AED) verwendet wird. Die sichere Durchführung einer Defibrillation muss daher von jedem Arzt (und auch von den anderen Teammitgliedern in der Hausarztpraxis) beherrscht werden. Derartige Notfälle treten in der Hausarztpraxis selten auf. Um dennoch qualifiziert handeln zu können, sollte das Notfallmanagement in regelmäßigen Abständen vom gesamten Praxisteam geübt werden.
Eine generelle Verpflichtung für das Vorhandensein eines Defibrillators in Hausarztpraxen gibt es nicht, häufig wird dieser erst vom Rettungsdienst mitgebracht.

Bis zum möglichen Einsatz des Defibrillators sollte immer eine kontinuierlich aufrechterhaltene kardiopulmonale Reanimation erfolgen!

Indikationen

Herz-Kreislauf-Stillstand mit defibrillierbarem Rhythmus:

- Kammerflimmern, Kammerflattern
- pulslose ventrikuläre Tachykardie

Kontraindikationen

- vorhandener Puls
- nasser Untergrund

Aufklärung

In Notfallsituationen ist keine Aufklärung notwendig und möglich. Der Arzt handelt zum Wohle des Patienten, um eine lebensbedrohende Gefahr abzuwenden.

Benötigtes Instrumentarium

- EKG-Gerät
  Die Ableitung eines Notfall- bzw. 3-Kanal-EKGs ist bei o. g. Indikationen zur Defibrillation ausreichend.

- Defibrillator:
  - manueller Defibrillator inkl. (selbstklebender) Pads

  oder
  - AED

Durchführung

Bis zum Einsatz des Defibrillators wird entsprechend der aktuell vorgegebenen Algorithmen zur Reanimation gehandelt.

1. Der Patient wird flach und trocken auf festem Untergrund gelagert. Mindestens die Brust des Patienten sollte entkleidet sein.
2. Bei einem manuellen Defibrillator werden Paddels und Kontaktgel an den Standardpositionen verwendet (rechts parasternal unterhalb der Clavicula und linke mittlere Axillarlinie über der Herzspitze bzw. seitlich des weiblichen Brustansatzes). Bei einem AED werden von dem Gerät Anweisungen gegeben, wann und wie die Klebeelektroden auf der Brust des Patienten aufgebracht werden sollen (► Abb. 11-8, 11-9).
3. Das Defibrillationsgerät wird eingeschaltet. Der weitere Ablauf ist in Abbildung 11-10 dargestellt.

Bei Asystolie oder pulsloser elektrischer Aktivität wird unverzüglich mit den Wiederbelebungsmaßnahmen begonnen. Die Rhythmusanalyse sollte alle 2 min erfolgen. Gehandelt wird entsprechend der aktuell vorgegebenen Algorithmen zur Reanimation.

Nachsorge

Parallel zu o.g. Maßnahmen muss der Rettungsdienst bzw. der Notarzt alarmiert werden, um die weitere Versorgung und den Transport des Patienten ins Krankenhaus zu gewährleisten. Die Alarmierung sollte möglichst durch eine Hilfsperson geschehen.

Die Defibrillation wird solange durchgeführt, bis ein sicher perfundierender Rhythmus vorliegt. Bei anhaltender Indikation zur Defibrillation wird alle 3–5 min 1 mg Adrenalin i.v. gegeben (z.B. Suprarenin®).

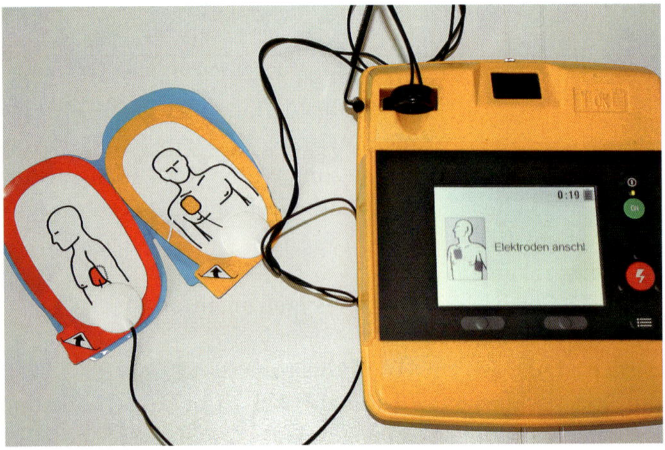

Abb. 11-8 Aktivierter automatisierter externer Defibrillator

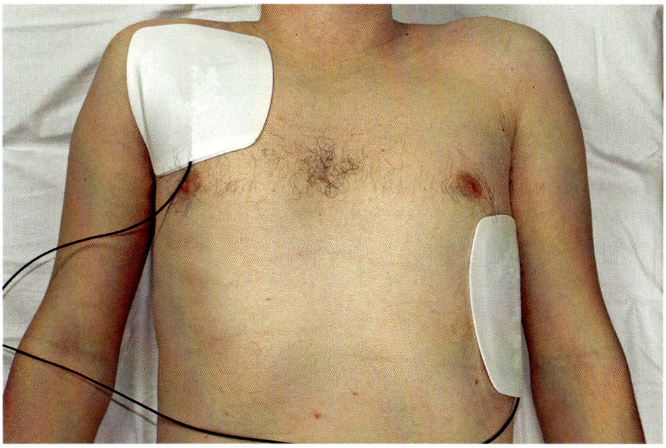

Abb. 11-9 Standardpositionierung der Elektroden zur Defibrillation

Tipps und Tricks

- Bei der Verwendung von Defibrillatoren sollten unbedingt die gerätespezifischen Herstellerhinweise bez. Wartung und Haltbarkeit beachtet werden. Jedes neue Teammitglied muss in die Handhabung des Geräts eingewiesen sein (Stichwort »Gerätepass«)!
- Während des gesamten Ablaufs sollten die Thoraxkompressionen nicht länger als 5 s unterbrochen werden.
- Das Abrasieren der Brusthaare kann bei starker Behaarung sinnvoll sein.

> Es darf niemals zur verzögerten Defibrillation kommen, wenn ein Rasierer nicht sofort verfügbar ist!

- Bei Patienten mit Herzschrittmacher sollten die Elektroden mind. 8 cm entfernt vom Schrittmacher positioniert werden. Bei Verwendung von Klebeelektroden empfiehlt sich eine anterior-posteriore Positionierung.
- Für Kinder zwischen 1 und 8 Jahren gibt es spezielle Kinderklebeelektroden. Beim manuellen Defibrillator sollten dann Energiemengen von 4 J/kg KG (bis max. 9 J/kg KG) gewählt werden (monophasisch wie biphasisch).

Umgang mit Komplikationen

Bei anhaltend erfolgloser Defibrillation werden die Elektrodenposition und die Defibrillationsenergie überprüft. Auch mangelnder elektrischer Kontakt (z. B. bei starker Behaarung) oder mangelhafte Oxygenierung des Herzens können ursächlich sein.

Weiterführende Literatur

Braunecker S, Böttiger BW. Die neuen Leitlinien zu Basis-Reanimationsmaßnahmen (BLS) und automatisierter externer Defibrillation (AED). Notf.med. up2date 2011; 6: 9–20.

Soar J, Nolan JP, Böttiger BW et al. Erweiterte Reanimationsmaßnahmen für Erwachsene (»adult advanced life support«). Kapitel 3 der Leitlinien zur Reanimation 2015 des European Resuscitation Council. Notfall Rettungsmed 2015; 18: 770–832.

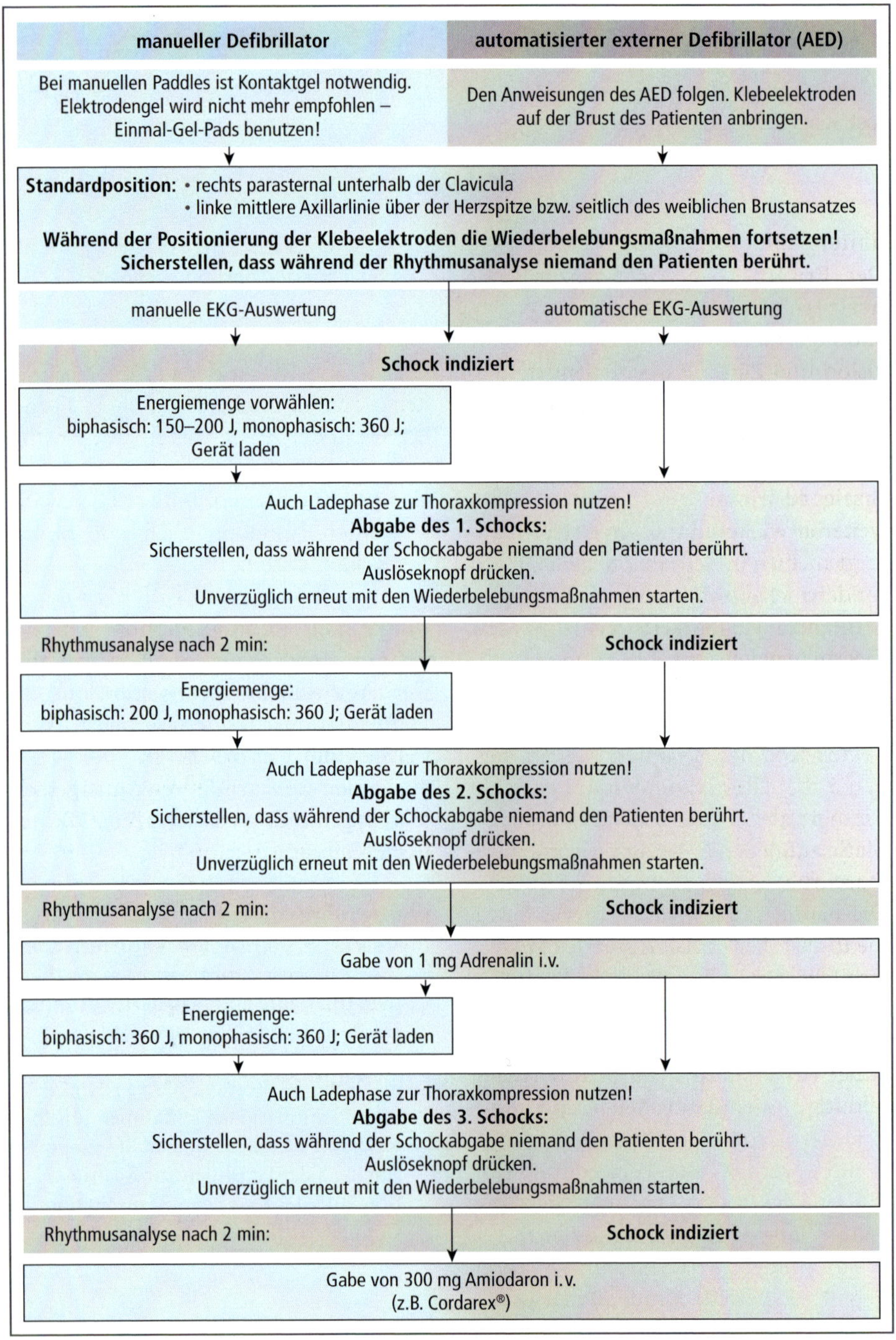

Abb. 11-10 Ablauf der Defibrillation mit manuellem Defibrillator und mit AED

Anhang: Kompetenzgrad einer Prozedur feststellen und weiterentwickeln

Jost Steinhäuser und Thomas Ledig

Hintergrund

Der Erwerb von Kompetenzen eines Arztes sollte in der Regel (in der Weiterbildung und darüber hinaus) von Supervision und damit einhergehender wertschätzender Korrektur begleitet sein. Nur derjenige Arzt, der seine Fähigkeiten (und Defizite) wohlwollend aber klar aufgezeigt bekommt, kann sich zielgerichtet weiterentwickeln. Konstruktive Kritik zeigt nicht nur Defizite oder Fehler auf, sondern weist immer darüber hinaus auf Wege hin, diese Mängel auszugleichen. Ziel sollte daher sein, eine Supervision so zu gestalten, dass vor dem Hintergrund eines Maximums an Qualität und Patientensicherheit Vertrauen in die eigenen ärztlichen Fähigkeiten entwickelt werden kann. Dies trifft im besonderen Maße auf den Kompetenzerwerb bei der Durchführung von Prozeduren zu.

Die häufigste Form der Supervision ist die *direkte Beobachtung* durch den Weiterbilder. Die Beobachtung sollte so erfolgen, dass der Weiterbilder dabei nicht korrigierend in den Ablauf eingreift, außer wenn er von dem Arzt in Weiterbildung (AiW) ausdrücklich darum gebeten wird oder wenn die Durchführung die Patientensicherheit gefährdet.

Indikationen

Die Überprüfung der eigenen Kompetenzen ist für das kontinuierliche Lernen während der Aus-, Weiter- und Fortbildung unerlässlich und somit immer indiziert.

Kontraindikationen

- absolute Kontraindikation: keine
- relative Kontraindikation: erschüttertes Vertrauensverhältnis zwischen AiW und Weiterbilder

Aufklärung

Bei einer direkten Beobachtung sollte vor der Maßnahme mit dem AiW und dem Patienten besprochen werden, dass der Weiterbilder lediglich beobachtend anwesend ist und im Normalfall nicht eingreift (► Abschn. Hintergrund).

Sonderfall: Falls eine Videoaufnahme angefertigt werden soll, ist der Patient darüber aufzuklären; seine schriftliche Einwilligung ist einzuholen. Hierzu ein Textbeispiel:

Textbeispiel

Liebe Patientin/Lieber Patient,

in unserer Praxis arbeitet Frau/Herr ______________________________ als Ärztin/Arzt in Weiterbildung. Ziel der Weiterbildung zur Fachärztin/zum Facharzt für Allgemeinmedizin ist der Erwerb aller diagnostischen, therapeutischen sowie kommunikativen Fähigkeiten, die für die erfolgreiche Tätigkeit als Hausärztin/Hausarzt erforderlich sind.

Die Aufzeichnung eines Arzt-Patienten-Gesprächs auf Video hat sich als hervorragendes Mittel erwiesen, mit der Ärztin/dem Arzt in Weiterbildung Erfahrungen zu besprechen und die Qualität der Behandlung zu verbessern.

Natürlich findet eine Aufzeichnung nur dann statt, wenn Sie damit einverstanden sind und die nachfolgende Einverständniserklärung unterschreiben. Sie können selbstverständlich ohne Angabe von Gründen ablehnen. Wenn Sie sich später dafür entscheiden, Ihre Einwilligung zurückzuziehen, wird die Aufzeichnung umgehend und vollständig gelöscht, ohne dass daraus Nachteile für Sie entstehen.

Alle beteiligten Ärzte, die ein Video oder einen Ausschnitt davon sehen werden, sind an die Wahrung des Patientengeheimnisses und der Schweigepflicht gebunden. Die Bestimmungen des Datenschutzgesetzes werden selbstverständlich eingehalten und Ihre Daten sind vor fremdem Zugriff geschützt.

Einverständniserklärung

Mit meiner Unterschrift bestätige ich, dass ich der Videoaufzeichnung des folgenden Arzt-Patienten-Gesprächs zustimme. Die Aufnahme wird ausschließlich für die Weiterbildung der Ärztin/des Arztes in der Facharztausbildung verwendet. Außerdem bestätige ich, dass ich die Informationen über die geplante Videoaufzeichnung schriftlich erhalten, gelesen und verstanden habe.

Ich habe das Recht, meine Einwilligung jederzeit ohne Angabe von Gründen zurückzuziehen, ohne dass mir dadurch Nachteile entstehen.

Ich wurde über meine Datenschutzrechte informiert. Mit der Erhebung und Analyse meiner Daten bin ich einverstanden.

Ort/Datum/Unterschrift

Benötigtes Instrumentarium

Mindestvoraussetzungen:

- feedbackgebender Arzt (Supervisor), z. B. der Weiterbildungsbefugte oder der Mentor
- vorgegebener Zeitraum für die Supervision

Erweitertes Instrumentarium:

- Videokamera (Webcam mit Mikrofon)
- Aufklärungsbogen für den zu filmenden Patienten

Durchführung

Selbsteinschätzung nach Kompetenzstufen

1. Die Selbsteinschätzung zu einer Prozedur XY erfolgt mit der Zuordnung zu den folgenden Kompetenzstufen: Die Prozedur XY:
   - »Kann ich nicht.«

   - »Kann ich, wenn ich direkte Supervision habe.« (Supervisor im Raum)
   - »Kann ich, wenn ich bei Bedarf Supervision habe.« (Supervisor in unmittelbarer Rufnähe)
   - »Kann ich selbstständig durchführen.«
   - »Kann ich jemand anderem beibringen.«
2. Der AiW sollte sich eine Rückmeldung vom Supervisor einholen, ob sich *seine Selbsteinschätzung* mit den *Beobachtungen des Supervisors* deckt.
3. Die erreichte Kompetenzstufe wird dokumentiert; es wird festgelegt, was zu tun ist, um die nächste Kompetenzstufe zu erreichen.
4. Rücksprachevereinbarungen, z. B. ab wann der Supervisor zu einer Prozedur dazugerufen werden soll, werden festgelegt.

Fremdeinschätzung durch Videoaufzeichnung

1. Der Patient wird über die geplante Aufzeichnung aufgeklärt, sein Einverständnis wird eingeholt.
2. Die Konsultation wird aufgezeichnet.
3. Der AiW bittet seinen Supervisor oder seinen Mentor, das Video zu einem bestimmten Aspekt zu analysieren und konkret dazu ein Feedback zu geben. Beispiele könnten sein:
   - Art und Weise, Inhalt und Umfang einer Aufklärung zu einer Prozedur
   - Einhalten der Hygienevorschriften
   - korrektes Durchführen der Prozedur
   - Kommunikation mit dem Patienten während der Prozedur
   - Management rund um die Prozedur
   - Zusammenarbeit mit anwesendem Personal

> Nach Auswertung sollte das Videomaterial aus Datenschutzgründen unbedingt gelöscht werden.

Nachsorge

Es werden Vereinbarungen bez. der nächsten Lernziele getroffen und der nächste Termin für eine Supervision vereinbart.

Tipps und Tricks

Falls die Hürde, eine Videoaufzeichnung durchzuführen, als zu hoch erlebt wird, kann die Methode »Fliege an der Wand« durchgeführt werden. Dabei ist der feedbackgebende Arzt im Raum anwesend und beobachtet, interagiert allerdings nicht (bzw. nur in kritischen Situationen oder auf Zuruf). Idealerweise wird auch in diesem Fall vorher besprochen, zu welchem Aspekt der AiW ein Feedback erhalten möchte.

Umgang mit Komplikationen

Falls die Lernziele nicht erreicht werden, sollte in einem gemeinsamen Gespräch geklärt werden, ob das Problem im Bereich des Wissens, der Haltung oder der praktischen Fähigkeiten liegt. Überschneidungen sind dabei selbstverständlich möglich. Zudem sollten Aspekte der (beruflichen wie privaten) Umgebung des Lernenden oder Lehrenden bedacht werden. Diese können z. B. die eigene Gesundheit, die Familie (z. B. Trauerfall), das soziale Umfeld (z. B. zusätzliche Ehrenämter) betreffen. Aus diesem Gespräch ergeben sich dann konkrete Ansatzpunkte, um das Lernverhalten zu optimieren.

Zusatzmaterial

► Textbeispiel zum Download unter www.schattauer.de/3140

Weiterführende Literatur

Brunner A, Armstrong E. Feedback als Schlüsselelement einer neuen Lehr- und Lernkultur. Gesundheitswesen 2010; 72: 749–57.

Competency-based postgraduate training: can we bridge the gap between theory and clinical practice? Acad Med 2007; 82: 542–47.

Lacasse M, Lee S, Ghavam-Rassoul A, Batty HP. Integrating teaching into the busy resident schedule: a learner-centered approach to raise efficiency (L-CARE) in clinical teaching. Med Teach 2009; 31: e507–13.

Verzeichnis der Wirkstoffe und Handelsnamen

M

N

O

P

R

S

T

U

V

X

Z